D0494649

BIBLIOTECA ADELPHI
599

DELLO STESSO AUTORE:

Accoppiamenti giudiziosi
Il tempo e le opere
L'Adalgisa
Le bizze del capitano in congedo e altri racconti
Lettere a una gentile signora
«Per favore, mi lasci nell'ombra»
Villa in Brianza

Carlo Emilio Gadda

VERSO LA CERTOSA

A cura di Liliana Orlando

ADELPHI EDIZIONI

Le opere di Carlo Emilio Gadda escono sotto la direzione
di Paola Italia, Giorgio Pinotti, Claudio Vela

WWW.ADELPHI.IT

ISBN 978-88-459-2756-0

INDICE

VERSO LA CERTOSA

Leonetta Cecchi Pieraccini, *C.E. Gadda* (1960). Archivio Ricciardi.

A RAFFAELE MATTIOLI DEDICANDO QUESTE PAGINE

Rapide e poi quasi a caso recuperate immagini d'una annotazione che fu attenta negli anni e sempre e comunque veridica, ma soverchiata dalla fatica e dal dolore. I luoghi e le stagioni in cui m'è occorso di accettar la vita o prestar l'opera, o donde mi sono dipartito da prestare altra opera o militare o civile o cavarne prigione o tomba, o cercarne scampo nelle riveneneti congiunture del possibile, i luoghi e i tempi si disegnano ancora nella memoria, forse per poco. La malvagità, la follia. Per me la povertà, la fame, i regolamenti rituali e i convenevoli infiniti impostimi dallo scarso cervello del mondo, timbri capovolti sui certificati e diplomi resi invalidi dalle concussioni e dai furti di segreteria, e d'altronde lo studio proprio e la diligenza a quaderno, i penetrali dove i giorni ripristinavano i giorni senz'altra speranza che un sogno: d'evadere l'educativo manicomio. I lari angosciati in vincoli, con silenti lacrime, il trombettio d'un paventato carnevale, i nomi delle nipoti del gran nano Mazzarino, i coriandoli sive confetti, il desiderio della solitudine e del silenzio e l'orrore del concupitissimo, dagli altrui timpani, canto e cantata: lo stesso temperamento di fuga (Jung) sortito dalle migrazioni d'ogni stirpe sopravvivente nella tarda testimonianza corporea, il rispetto per gli alti alberi e lo stormire delle lor fronde, la morte dell'amato fratello me prigione o sepolto, no, gli oscuri sensi della mia verità non trovano segno evidente in queste pagine: l'amarezza intera e la verità intera e profonda di quel che avrei dovuto inscrivervi se ne discostano troppo, esalate d'in vetta alla penna come le volute del fumo dal cigarrillo dell'annoiato. E come quel fumo alcun tempo dopo la cenere persiste, così potrà, dai labili riscontri che qui del mio male si accolgono, potrà emanare l'idea d'una sofferenza non piagnosa ma certa nella realtà del tempo irreparabile, e l'indizio e quasi il sottinteso d'una memore pietà: forse l'amore non astratto per la vita fraterna e il suo non astratto senso, voluto da Dio.

Da siffatti giorni e dimore poi distogliendo lo sguardo incontro ad altri de' sopravvenenti aspetti del mondo, sentivo più in più di dover eleggere all'affetto e alla stima quegli esseri che andavo conoscendo forti dentro la tempesta, pazienti e sereni dentro la fatica, onesti sopra il male comune, dacché ognun di loro a mia consolata meraviglia palesava di più in più raziocinio e però sicurezza operanti, facoltà inattesa d'atti liberi e giusti, ponderata misura delle cose, non ira, non ebbrezza turpe di cui lama o punta efferata, non invidia all'altrui giovane all'altrui libera vita: ch'è il nefando termine dell'isterìa e dell'alcool, della lue e della gloria.

Il bambolesco o il bieco volto dell'idolo non era distinguibile in essi, o la protuberazione oscena dei labbri verso lo schiamazzare di forsennate mamillone, di scarruffate megère: oh no: circonfuso ognuno di umanissima luce e senso pareva significarmi quel che Carlo Martello ne' sognati endecasillabi al peregrino del mondo di cognizione:

> *la mia letizia mi ti tien celato*
> *che mi raggia d'intorno e mi nasconde*
> *quasi animal di sua seta fasciato.*

Cari esseri, i cui atti erano liberamente, operosamente voluti nel sano volere e nella ragione di natura: ponevano la pietra e la malta: o andavano, andavano come il somarello paziente o il mulo stesso mio compagno di fatica e di volere: o ascesero taciti verso la disciplina e la pena dell'Adamello e dell'Altipiano, o verso il Golgota nella cenere delle battaglie oltre dolina o vallone:

o, altrove, parevano il bove ansimante a piaggia, o erano l'aratore ad arar le piagge nel sudore e nel sole: o furono il maestro muratore o il pensoso ingegnere: o il capomastro reumatizzato della Bovisa che valeva quaranta ingegneri e diceva per lamenti « 'ndèm 'ndèm fioeu » dopo aver consentito a Domenico Fontana al Della Porta Giacomo a Carlo Maderno al Borromini e al Galilei di voltare lor volte e lor cupole e il gran carciòfolo stesso a chi lo incarciofò: dai ponti e dalle cèntine che ben prevalsero d'ogni rovina, antica e nuova. Ed ebbi riguardo e affetto a' maestri, ad alcuno de' sommi uomini di lettere, poeti, e dottori o chierici d'alcuno Studio assai nobile (se pur genìa reputata infesta dai verbaci inidònei) cari a me, libero nel mio giudizio e nella stima che intuivo di doverne dare, non amarrato né ancorato al fondo per nullo ancorotto o grappino. Con l'esempio, l'ardimento del pensiero, la vivida interlocuzione, l'ingente lettura, l'acredine speculativa e talora il senno sovrano al comune degli opinanti, tale di loro m'incuorava a un tragitto che senza i sopravvenuti orrori e mali sarebbe forse approdato a proda di salvezza.

Devo a Lei conforto, ed esempio se pure inimitabile, minime agli anni in cui era difficile credere a un futuro e nemmeno riuscivami riguardare avanti al dipoi: esempio d'alacrità, di lucidità, d'impulso infaticato verso il lavoro. Il suo amore alle lettere d'Italia è testimoniato da quanto Lei ha fatto per serbarne documento pronto ai venturi, in silloge amorosa e perfetta. Ben rammento che la sua liberale speranza e l'umanità di Emilio Cecchi vollero un giorno sovvenire al mio tormentato gribouillage quasi che il breve gioco del dolore fosse da reputarsi indizio d'una facoltà che non è mia. Rammento che assai anni avanti la Sua casa di Chiocchio mi aveva ospitato: e Luigi Russo mi vi accolse, profugo da cameretta che i doni del cielo avevano rintronata quanto a ciel piacque tra i muri dìruti e le macerie del Campo di Marte nella immite primavera del '44. In fronte huius libelli ho ardito scrivere il Suo nome, conscio che negli atti cioè nelle opere Sue proprie esso è ben altramente inscritto di quanto neppur potrebbe nella prima pagina della mia gratitudine.

CARLO EMILIO GADDA

IL VIAGGIO DELLE ACQUE

Erano scaturite dalle radici delle Alpi e ne serbavano il colore: grigio, o forse azzurro. Le più, da risorgive solitarie, quasi imprevedibili nel declino lento della pianura: dai fontanili de' livelli montani, che a un tratto e silentemente affioravano.

Fredde polle: e lo specchio di quel sùbito raduno era coronato da una prodigiosa vegetazione nenufarica, d'un verde folto e lustro, incupito da solitudine. L'acque, dopo aver lavato la silice e alcuni dicono anche la gemma opale che si nasconde nel buio, rampollavano in questo loro bacile dai cammini di sotterra, come fa la talpa, minatore paziente, cieco: ed esse per voler riconoscere in sé il cielo e forse la nuvola, simile a quella d'altro giorno e tempo, che nelle altitudini deserte, diacciate, sul monte, le aveva potute generare. Volevano per tal modo sovvenire alla rosea veleggiatrice dell'azzurro, aiutarla a dissipare i suoi colori e del cielo, fra le torri, i pioppi: tingendone le contrade della patria. Allora, per altro, dubitai quanto fossero state per riescir moleste a fra Giocondo, architetto grandissimo, che in sul muoversi della gran guerra cambrese contro a San Marco ebbe da scavar quella fossa (la ispezionavo dal di fuori) per munizione della città di Treviso. La gente di Bartolomeo d'Alviano, co' suoi cavalli, voleva esser franca per la battaglia e il passo: per farsi battere all'Agnadello dall'esercito che aveva passato l'Adda tre giorni prima; mutati i tempi e le sorti, per incorrere negli stormi vittoriosi di Marignano, verso i pioppi del Lambro; da prestar mano al re cristianissimo, al suo Trivulzio, avverso le ondate degli sforzeschi e svizzeri tonante da roventi bronzi. E Treviso, contro gli imperiali e tudeschi, doveva guardarsi da sé. Dopo poche palate dell'opera, fra Giocondo, come lo chiamavano, ma lui era fra Giovanni di Verona, si trovò quell'acque sotto ai picconi degli uomini: allora limitò l'escavo a poche braccia quando aveva divisato assai più, e vi immise al gran conforto di tutti la portata colma, copiosissima del Botteniga; fredda: di un raggelante opale. Le risorgive che gli sterratori avevano incontrato a mezzo l'opera andarono tacitamente sommerse nella dovizia del nuovo apporto, che tutelava la patria.

Oggi, nel tratto asciutto ed erboso de' fossati, contro mura e porte di cui emana così fascinosa meraviglia da sognare avervi dato l'immagine Zorzi o l'Ariosto, o il Dosso, quelle sorgenti a piè della ripa esteriore forniscono quanto è necessario al paiolo: ragazze vi attingono, presso al mezzogiorno, chine con stupende braccia: in altra ora ed atto vi accudiscono le brave lavandaie.

Molte acque del trevigiano e del padovano discendono dai fontanili misteriosi. Altre, grevi e torbide, conosciamo (conosciamo!) che irrompono dalle valli dell'Alpe, come la brentana grigia della Brenta sotto il suo ponte a Bassano. Conosciamo, conosciamo: « tra le fontane di Brenta e di Piave »! Contro cui avevano già lottato l'Etrusco e il Veneto, e il proconsole, ed esse financo le genti orribili: alti argini a ridurre i fiumi in canali.

Alcune confluivano in una sola corrente e bastava un sol ponte, allora, o barca, per passare di là. Ma la strada romea, dopo i bonelli e le valli della Mèsola attestandosi al Po, non vi trovava ponte, di certo, né guado: e bisognava un traghetto: il barcaiolo accosta, ecco, sotto l'alzaia ingombra, con fiocchi di dura spuma ai remi, arpionatosi davanti la breve palafitta. Stretto fra le arginature di Taglio e di Porto Viro, il fiume reale discende tra veli lontani delle nebbie a spengere il lungo travaglio della sua corsa, e divenir piaggia, e stanco delta, e marina. E i suoi famigli accompagnano lui.

Secoli e secoli erano defluiti con i fiumi.

E per tutto a settentrione dell'Eridano, e in antico, altri argini ancora, pensavo, sopra la distesa bruna delle arature: contese, nel miglior tempo, alla violenza distruggitrice delle piene. La guardia sulle aggerature notturne, con lampade lontane nel terrore della notte: « i padovan lungo la Brenta ». Nel dedalo e nei rigiri de' fiumi i cammini venuti dalle Alpi, buie valli, si solevano stancare e si smarrivano tra i liqueanti viaggi delle portate: come l'impeto e la cupidigia del barbaro dentro i tardi raggiri del propretore. E le genti orribili vi si smarrirono, un giorno, che non s'erano perdute d'animo alla postèrula, davanti ai cupi bastioni delle Alpi. Così al bivio delle patrie e dei destini disperati, nei campi « ad Vercellas », cioè alla bifurcazione, le affrontarono un giorno Lutazio, il proconsole, Mario, il console: e l'esercito consolare le sterminò.

In un declivio che nemmeno il topografo avvertirebbe, forse il geodeta, questa Marca dorata dell'autunno si adegua ai livelli dell'Adriatico, alle chiarità lagunari. Il sommesso discorrere delle correnti, alle radici dei pioppi, dei salci, la pervade come nobile pensiero: docilità che fluisce tra gli ori e i gialli, e per entro le ombrie maliose dei più alti alberi: o sotto alle chiome ricadute del salice, di cui la vena lambisce e dolcemente comporta l'ultima sfrangiatura che pur vorrebbe andare con lei, specchiando nuvole, torri. Ecco: già le portate si appianano ai litorali e al turchese dell'Adria, portatore di dipinte vele: quand'esse addoppiano e moltiplicano i loro triangoli di croco, indugiando sulle peschiere dell'aperto.

La sua meditazione, intrisa della umidità del mondo, avrebbe a riprendere qui Talete Milesio, riguardato il cortese nodo onde « Sile e Cagnan s'accompagna ». Dove l'elemento ch'egli ritenne principe della natura – e generativo delle cose universe – circola e vive alle radici della nostra vita, del nostro sognare e conoscere. Rifarsi qui, permeando lo stupendo intrico di questo vivere, nella ubiquità infinitesimale del pensiero. Questo fluire è legge: è costume di gentilezza: studio e pratica d'una convenienza civile: disciplina del continuo, dell'utile, da sagace analisi imposta all'ululato repentino delle valli. Fuor dal grigiore immane delle Alpi uno scaturito matema.

Avrebbe a rifarsi qui, col suo tardo cammino, tra questi canali specchianti, e rive, e gore, e scivoli precipiti delle docce addosso le pale delle ruote annerate: il di cui lento e stillante rivolversi, tra l'alighe e le mucillagini verdi delle muffe d'acqua (di che sogliono drappeggiarsi i molini), sembra un ingegno chirurgicale acquistato a zecchini dalla veronesiana Industria: apposto, per riconoscerne il battito, contro queste ricolme vene della Venezia.

Specchiano frassini, e torri, e nuvole, e il cielo! che Zorzi di Castelfranco aveva incupito d'un presagio color piombo, lacerato nella lividura mortifera della saetta: in quella sua tela della Tempesta ove raffigurò la zingara ad allattare presso al ruscello: e, di là, il passo peregrino del giovane. La minima fossa del Bacchiglione divide le due giovinezze, quasi una sillaba strana dell'impossibile. Zorzi ha ricreato ignuda la donna, col bimbo, tra l'erbe e i verdi giunchi, sopra alla limpida frescura del Bacchiglione, fuori le case e la torre di Castello, a Vicenza.

Qui, di Castelfranco, nel secolo d'ogni lume e scienza, è venuto a vivervi il Conte: tra sublimità nuova di studi e culto delle eterne lettere, e giure. Jacopo Francesco

Riccati. A meditare e a creare, in riva del fluente silenzio di Botteniga, l'eccelso delle nuove matematiche. Di Leibniz e dei due Bernoulli fu corrispondente, e in grandissima estimazione. Di Pietro Zar ebbe a ricusare l'invito a voler presiedere l'Accademia Imperiale delle Scienze. Propagatore dell'analisi infinitesimale fra gli studiosi d'Italia, integrò l'equazione che da lui, ancora oggi, si intitola. E si occupò di condotta delle acque e dei nuovi problemi dell'idraulica teorica. E fu padre a quel secondo Riccati, cioè Vincenzo, accolto adolescente nella Compagnia di Gesù e poi docente matematiche nel collegio di Bologna.

Ne' suoi anni maturi, Vincenzo ebbe incarico dallo Stato della Chiesa di sopraintendere l'opere fluviali del territorio bolognese: e poi dallo Stato Veneto queste, di questi altri fiumi, in riva sinistra del Po; come consiglio delle rispettive magistrature delle acque. Così curò gli argini a Reno, Po, Adige, Brenta. E fece ponti nuovi, e nuove gore: e canali nelle terre. Le terre sì basse, talora, che il pelo d'acqua entro la condotta viene a soprastare la campagna assolata, le deserte strade del meriggio: come nel canal di Battaglia, tra Monselice e Padova. Bisognò tanto rilevarne le alzaie al disopra dei coltivi, che barconi e bragozzi, quando li vediamo di giù, da basso, dal di qua dell'argine, ci sembrano andar sospesi sopra l'orizzonte, navigando in una finzione di magia.

Qui, triforcuto contro le mura, il Botteniga (cioè il Cagnano dantesco) si mette nelle sue rogge colme e gorielli dentro città e sotto ai ponti, con colori e disegni quasi di Venezia, non fosse l'andare. Incupisce, illividisce ad oscura malachite. Si butta negli scivoli di sasso, sdrucciolando come lama vitrea sull'arcano profilo cui l'algebra e l'analisi hanno espedito, e poi lentamente consunto l'acque (di lui medesimo), gli anni. Una lapide in buon latino, a capo il più svelto di tutti i ponti, commemora le provvidenze di Girolamo Pesaro pretor veneto dopo l'alluvione catastrofica del 1512: allorché il Piave (Plabes fluvius) proruppe nell'alveo del minor

Cagnano: e la tropp'acqua straripò di questo alle circonvicine campagne, e poi anche in città: « insueto atque prodigioso incremento Butinicam amnem influxit, urbem invasit, pontem subvertit ». Indi un gioco di parole a chiusa dell'epigrafe, inspirato dal proverbio « de minimis non curat praetor ».

Un semiridente gioco: del vivido idioma e costume.

In riva del Sile verde, i colori e le foglie e i rimandi maliosi dell'autunno.

Sul zatterone muffito, nero, le lavandaie inginocchiate intorcevano e strangolavano i loro lenzuoli e camicie: le reni potenti, le braccia, si accanivano sull'opera vittoriosa della purgazione. Spume e saponate e vane bolle color dell'opale andavano sul filo della correntìa, diritte alfine dopo un breve rigirare, a carezzar le cime linguiformi dell'alighe, verdi serpi affioranti. Di là dal fiume la villa, con pini romani; e dall'ombre di quegli archi o grotte o meditanti caverne, apparita presenza! le divinità chiare: di pietra di mola: cui nobilitava, silvana scabbia, la morsura antica dei licheni.

E un paniere di fiori di porpora davanti la fronte e il disegno dell'edificio, e i gialli e i maceri verdi d'autunno: come in una pittura di De Pisis.

Le acque colmano gli archi di pietra bianca, le bocche ingorde, buie, da sotto l'officiare dei ponti. Contro l'ora cadente la civile architettura della villa, al di là dell'aiola scarlatta, grigio frontale e timpano in un disegno neoclassico. Portelli di castano bruno alle chiuse, entro scabri ritti di granito. E ne spumeggia la misura irrigua, al colono e al fabbro, che un giure secolare prescrive. E di là dalle opere i salici, e ancora lavandaie, con capegli, con seni lontani, come un fulgore perduto.

E sui muri delle case ruggini l'aggetto cinquecentesco delle caminate. E il fico e il melograno propendono sopra la riviera: e foglie si adagiano, una ad una, ali del silenzio, sul fluente specchio d'autunno.

TERRA LOMBARDA

Ricordo che gli uomini camminavano. Prima della bicicletta e motocicletta, e dell'auto dove ci allunghiamo con piacere, se pure con una certa difficoltà: prima dell'aereo, da cui furon tolte queste immagini della campagna e dei tetti di Lombardia.

Camminavano le strade non sempre diritte, ma savie a condurre e discrete ad arrivare il termine: ch'era, dopo mercato e viaggio, il cortile della cascina: popolato dai natali dei suini e degli uomini. Le strade pervenivano al raduno degli uomini, alla chiesa del borgo senza radio, celato fino all'ultimo dalle alberature del piano. Nella chiesa tutti i lavoratori della terra incontravano l'invisibile Dio.

Il contadino dalle scarpe grevi e chiodate percorreva gravemente la strada suburbana: taciturno, con un cerchietto d'oro nel lobo dell'orecchio, a sinistra: con la giacca a spalla, e il figlioletto che gli trotterellava davanti. Tra due siepi di spino o due file di salci o d'alti pioppi, quando il fosso adacquatore lungheggiasse, col suo docile filo, il consueto andare della polvere. La chiarità dell'estate si infarinava di bianche miglia, in cima alle quali erano le cose necessarie e solenni, la compera, la vendita, la pluralità degli esseri addobbata de' suoi scuri panni, la silente preghiera, la messa cantata: da tutti. O, dopo lungo pensiero, il disco del sole si tuffava negli ori e nei carminii, dietro scheltri d'alberi, come in una pozzanghera di liquefatto metallo. Ma la cimasa delle pioppaie veniva celandone l'estrema dipartita: solo qualche frustolo d'oro, o una goccia, di quel fuoco lontano, durava a persistere nell'intrico infoscato delle ramaglie.

D'estate, invece, il popolo dei pioppi, unanime, trascolorava nella sera: le raganelle, dai fossi, dalle risaie, sgranavano dentro il silenzio il dolce monile della sera: con un cauto singhiozzo la rana, per più lenti intervalli, salutava lo zaffiro della stella Espero, tacitamente splendida. Che s'era affacciata alla ringhiera dei pioppi.

Questo, di certo, anche oggi.

La pianura lavorata persiste, nelle parvenze della natura e dell'opere, ad essere la madre cara e necessaria, la base di nostra vita. Dai secoli, omai remoti al pensiero, quando i Cisterciensi di Chiaravalle sotto al bagnòlo di Rovegnano ebbero ad imprendere le prime livellazioni del terreno, i primi escavi dei canali adacquatori che captavano le polle di risorgiva della cosiddetta «zona dei fontanili» per distribuirne la portata ne' prativi ad irriguo, ad aumentare il numero e la copia delle fienature: su su fino alle opere maggiori del comune e della munificenza viscontea, e ai consorzi e comprensorii irrigui della età più vicina e addirittura della nostra; quale assiduità paziente, che amorosa tenacia! La derivazione del Naviglio Grande dal Ticino, il Naviglio di Pavia: poi la Martesana, il Villoresi.

Il tipo della nostra terra è schiettamente rappresentato in queste vedute colte dall'aereo: della terra esse dicono la bontà verso gli uomini, la forma silente. Le opere allineate per il pane.

La cascina lombarda è il primo nucleo giurisdizionale imposto alla terra lombarda da una «necessità» intrinseca alla gente: il lavoro. Una cascina si distanzia dall'altra in ragionevole misura, quanto comporta cioè la facoltà del lavoro: quanto può adempiere di lavoro una famiglia di contadini, o un gruppo di più famiglie raccolte nella unità distesa del fondo. E ogni volta che scorgiamo il fumo e poi i bruni coppi e il tetto remoto d'una cascina, ecco un sogno è suscitato nell'anima: un'idea di vigore, di saggezza operosa, tenacemente fedele alle opere necessarie. Questa dimora della vita prima e povera, della silente fatica, sorge improvvisa dopo i salici, i pioppi, nella sua ragione e nella sua pace, dal verde tenero della pianura lavorata. Ecco il quadrato che ricorda (e sembra strutturalmente ne derivi) il «praetorium» dell'antico «castrum» romano, dell'accampamento militare che tenne, dopo Annibale, la Gallia Insubrica divenuta romana. Su di un lato, e talora sul contiguo, le abitazioni dei coloni, quasi sempre a due piani, terreno e primo, raramente e magari soffittate di un terzo. Nel qual caso il sottotetto è adibito a fienile, a granaio: e il tetto comporta, alcune volte, dei capaci abbaini, che si affacciano addirittura in corte, sopravanzando coi loro pioventi la linea della gronda: la gronda stessa, in corrispondenza, subisce un'interruzione: cosicché una carrucola agganciata in colmo, davanti alla bocca vorace dell'abbaino, permette di issare balle di fieno o di paglia, o sacchi, o legna, e di stipare la colta in quel solaio altrimenti inaccessibile. Sui rimanenti lati del quadrato, o rettangolo, vi vedi le stalle, i fienili veri e propri: fatti d'una pilastrata ad archi verso l'interno: e aereati verso il di fuori a mezzo di certe pareti tutte forate, di mattoni rossi collocati in un disegno a pieno e vuoto, che fanno un'altra nota rossa, e tipica, fra le tipiche della «cassina». Nell'area mediana ci è ricavata l'aia, in battuto, l'abbeveratoio per il bestiame: e qualche volta ci noti il pozzo. Talora le concimaie doviziose quando è più vasta, a fumar nell'inverno; le più volte di fuori, verso i campi. L'accesso al gran cortile è dato da un portone e da un andito acciottolato, ove si tratti di un vero cortile cioè di un quadrato tutto chiuso da edifici, per quanto ampio. Altrove è uno stradello, un vicolo, e magari un passaggio sulla campagna, dove la corte risulti essere piuttosto una piazza, sulla quale si affacciano le diverse fabbriche della masserìa. Ivi la chioccia razzola nella sua avvedutezza, madre amorosamente contornata di pigolanti batuffoli, e spesso vi grufola il porcello, greve d'una obesità malinconica; col suo codino a cavaturacciolo, col grifo a lutto.

La «cassina», qualche volta, è circonfluita d'acque, d'un fossato: e allora un ponte a vòlto, in mattone, antistà il portale, o l'andito dell'ingresso. L'acqua dell'irrigazione fa un giro ancora tutt'attorno i muri del rusticano castello, dopo i moduli erogati alle marcite. Concede se stessa a quella provvidenza e bontà ulteriore ed estrema, dopo l'altre, come a proteggere la pace e il riposo degli uomini dopo averne moltiplicato i ricolti. Le grate delle finestre a terreno – e rade, queste, nel muro un po' umido – dicono la munizione e la sicurezza. Dentro vi si immagina la famiglia, dopo il giorno e il sudore; e cucchiaiate lente, necessarie, confortatrici.

Nella campagna una ragione profonda, antica. L'ordine geometrico e la dirittura delle opere, il popolo stupefatto dei pioppi, la specchiante adacquatura delle risaie: che la sera illividisce di sogni, di futili paure.

DEL DUOMO DI COMO

Erano le quattro pomeridiane.

Sfuggita all'apparecchio di un operaio saldatore, la favilla s'insinuò nella buia intercapedine fra il rivestimento in rame e l'estradosso della cupola. Incontrò i ragnateli di un intero secolo, si moltiplicò lungo la potente armatura di rovere, stagionatissima, onde, a sostegno delle lamiere, uno specialista della Fabbrica milanese aveva incapsulata, nella estate del 1769, la mole di don Filippo Juvara.

Alle sette filtrava fumo dal sommo della cupola (a pianta ottagonale) d'attorno la base della lanterna. Alcuni lo scorsero, fu dato l'allarme, il popolo di Como accorse tutto, quasi a voler difendere, a salvare il suo Duomo. Dopo alcune ore i vigili delle borgate e città vicine, di Milano stessa, furono telefonicamente chiamati in rincalzo: le batterie di autopompe corsero l'autostrada nella notte, l'acqua del lago si rovesciò sui tetti della crociera, sulle lamiere arroventate della tazza, contro i marmi del tamburo (tamburo ottagonale) juvariano, dal cui fastigio fiammeggianti stizzoni precipitavano giù, nel rovinio del demolito castello: un rogo di quattrocento cinquanta quintali di legno di rovere, stagionato da un secolo e mezzo.

Plinio il giovane, da una delle sue lettere, o magari lo stesso infaticabile « naturalista » perito fra i vesuviati del 79 agli approdi di Stabia, l'uno o l'altro potrebbero egualmente riferire i casi dell'incendio, narrarci di quelle scale, di quei vapori, di quei marmi, di quella folla ululante nella tenebra affocata.

L'acqua vaporizzava sul metallo acceso: lembi di lamiera incandescente parevano doversi spiccare a volo nella notte. Silente e nero sotto lo stellato, il lago illividiva in riflessi rossi, o come di catrame che avvampa, in bagliori pliniani.

Potenti riflettori elettrici facilitarono il compito ai salvatori degli arazzi e dei quadri (Luini, Gaudenzio Ferrari), che, penetrati nel tempio con maschere a gas, recuperarono dal buio e dal fumo quanto nel fumo e nell'acqua sarebbe potuto così dolorosamente perire. I vigili, sotto la pioggia di fuoco, camminavano l'alto fastigio del tamburo, poi le ardesie della crociera. Ecco una testimonianza drammatica, quella dell'architetto di Fabbrica, a cui tutti si erano rivolti, nell'ora di angoscia:

« ... l'incendio ripassò infine una terza volta (a fare il giro della cupola) con alte, libere lingue di fuoco tra la rovina completa del manto metallico che a poco a poco abbandonò gli appigli, si sollevò accartocciandosi... e si afflosciò poi in vaste falde rugose, come la pelle di un vecchio pachiderma. Durante il giro finale, cascate di fuoco, quasi colate di metallo, cominciarono a precipitare dagli occhi tondi dello zoccolo marmoreo della calotta sulle falde del tetto da cui s'erge il tiburio.

« Furono quelli i momenti (e parvero eterni!) dell'angoscia di tutti: e di maggior fatica e di vero eroismo da parte delle diverse squadre di pompieri, di quei di Milano e di Como sovratutto, ch'erano in alto sempre pericolosissimamente esposti». Acrobati nella notte e nel fuoco, con inesauribili lance d'acqua, dal fermo coraggio.

Oggi, per la sollecitudine del presule, monsignor Alessandro Macchi, sono avviati gli importanti ed urgenti lavori di ripristino. L'estradosso della tazza interiore (la juvariana) denudato ad opera del fuoco, è stato protetto con una lisciatura di cemento impermeabilizzante e con uno strato di materiale ignifugo. Le piogge d'autunno, sopravvenute al fuoco, avevano infirmato la struttura muraria della cupola, danneggiando la bellissima decorazione dell'intradosso, di mano dello stesso Juvara.

Il problema estetico che l'incendio è venuto a proporre, fu motivo di un diligente e sagace studio da parte dell'architetto Federico Frigerio: la soluzione adottata «riscosse il plauso delle autorità»: «Felix flamma!», esclamò S. E. il Vescovo, rivolto a S. E. il Ministro quando costui fu in visita alla città.

Ecco il problema. Don Filippo Juvara, al colmo già della nomea nella capitale sabauda, riceve incarico di disegnare il tiburio e la cupola a compimento del Duomo, che il genio di Tomaso Rodari da Maroggia aveva così armoniosamente rivestito nelle forme cinquecentesche, ma non ultimato. L'anno 1731 segna l'epoca germinale delle concezioni juvariane. I progetti si susseguono e si annullano, quasi nel tumulto drammatico di inspirazioni divergenti, mentre che i lavori vengono avviati senza più indugio. Un primo, un secondo, un terzo progetto Juvara nel 1731.

Nel primo e secondo il messinese indulge al potente suggerimento cinquecentesco pur con divagazioni borrominiane e guariniane e comunque barocche; nel secondo appare la cupola a tazza; il terzo avvia la prescelta soluzione, ma con elementi di un gusto deteriore. Cosicché le correzioni intervengono, richieste forse dai committenti, e proseguono a mutare l'indirizzo delle idee anche dopo avviati i lavori, fino al 1734 e più in là:

una prima, una seconda, una terza; relativa questa all'altezza della cupola. Essa viene ultimata nel 1736 (opere particolari nel '37-38) come risulta dalle scritture, che si conservano, con i contratti di fornitura de' materiali: del 12 luglio 1736 quella per la «stagnatura e mettitura in opera» delle lamiere di rame, allora applicate direttamente sull'estradosso.

Un disegno posteriore al 1740 ci dà il rilievo esatto della «cupola del magnifico Duomo di Como nell'essere presentaneo», cioè allo stato «presente»: fra il '40 e il '69.

Comune a tutti i progetti e modifiche è l'inusitata eleganza della lanterna, nonché la «valorizzazione» dei pinnacoli che coronano, alla base, la tazza: alti più che sei metri, vigorosi, necessari e geniali, in quanto richiamano e affermano l'idea di una azione verticale a contegno della spinta di volta: così, premendo a terra la suola, blocchiamo lo struscio fuggitivo di un rettile: (non velenoso). Ciascuno degli otto ritti agli spigoli, colonna con lesene, sormontato dagli aggetti della fascia e della cornice, poi da base e pinnacolo in forma di candelabro, è tra gli elementi ammirevoli del disegno juvariano. Lo slancio della cupola è secondato e confortato da quello degli otto candelabri marmorei: tutto mirabilmente si aderge, quasi ad evadere il claustro delle montagne circostanti.

Anche questo è oggi ben visibile dove lo zoccolone o fascia, o «piedritto» come lo chiamò il Gagliori, suo autore, è stato smontato per prova. Ivi i grandi pinnacoli in gesso ripetono con assoluta misura gli originali dello Juvara (ch'erano in marmo di Musso) ritrovati a pezzi nel muro della fascia. Sostituiti nel 1769-70 da quelli in serizzo; assai più piccoli, e appoggiati sulla fascia medesima.

Che accadde nel 1769?

Le piogge, pel guasto delle lamiere, andavano filtrando nella struttura muraria. Le lamiere, con le variazioni della temperatura, si allentavano, si «ingobbivano». Continui e penosi i rattoppi. All'architetto Giulio Gagliori, della Fabbrica del Duomo di Milano, fu demandato l'incarico di provvedere ai ripari.

Egli pensò ad un rivestimento della cupola, il quale tuttavia comportasse una cavità ispezionabile: come chi dica un tetto per proteggere il tetto: fece l'incastellatura di rovere e la copertura di rame che noi ammirammo, stupiti fanciulli, e poi uomini redivivi alle architetture di nostra terra, fino al 27 settembre 1935; quella ricopertura appunto che la «felix flamma» ha distrutto, nella notte tra il 27 e il 28.

Per ottenere l'intercapedine, cioè per distanziare convenientemente la nuova copertura dall'estradosso della volta juvariana, non c'era altro rimedio che il famoso «piedritto», o zoccolo, o fascia: è una questione di geometria.

Così fu deliberato. Lo zoccolo sommerse le basi dei pinnacoli, che vennero evocati in imagine al disopra di esso da quei pinnacolucci nani, di ghiandone, simili a certe pine conseguite al tornio per decoro di mobili ottocenteschi. Otto occhi ellittici, negli otto lati, interruppero la monotonia e l'altura della fascia, e riversarono poi sui pompieri otto cataratte di fuoco: essi funzionarono da bocche di camino durante l'incendio, e resero possibile il tiraggio e la sfiammata lungo l'intercapedine, che funzionò quasi canna fumaria: certe finestrelle d'aereazione, in sommo dell'intradosso, riversarono nubi di fumo nella chiesa. Insomma, un impianto modello.

La modifica del Gagliori, suggerita da ragioni pluviali e conservative, e neppur direi «tecniche» per non offender la tecnica, comportò alcuni gravi mutamenti del disegno originale: primo: lo slancio della tazza venne spento in una emisfera; secondo: lo zoccolo, con la sua fascia bianca ed alta, come di muro claustrale, appesantì l'agilità del tiburio; terzo: i pinnacoli rattrappiti a motivetto, da duomuccio perbene, immiserirono fino alla secchezza di certo renitente umanesimo.

Tutt'insieme la cosa poteva andare, e andò difatti, fino al 27 settembre. Il fascione con gli occhi richiamò vagamente le pàtere e gli occhi delle fiancate, nonché il Brunelleschi dell'« ottolati » fiorentino, rodarizzò il Settecento, si accompagnò alle emicupole delle absidi sottostanti. Oggi, che la fiamma ha denudato il disegno originale di don Filippo, e i mezzi tecnici consentono d'inguainare direttamente l'estradosso, vorremo rifare il castello di legno del buon Gagliori?

Anche il Duomo di Como, come cento e cento chiese d'Italia, è una contaminazione operata dai secoli: si va dall'impianto gotico, ancora evidente, alla rifinitura settecentesca, da Fiorino di Bontà e dallo Scarabotta ai fratelli Rodari (Thomas et Jacobus, dice l'inscritto, fratres de Rodaris), allo Juvara del 1736-38, cioè degli ultimi anni; ma è forse il più armonicamente ibrido, secondo si esprime il Frigerio, dei tempii lombardi. È cosa stupenda e sacra, che i marmi di Musso e il genio di Tommaso hanno magnificato nella mattutina serenità delle opere. L'eleganza del tiburio e della cupola sovrasta il paradiso embricato dei tetti, vive un po' per suo conto, e tuttavia non discorda troppo, né troppo mollemente, dal resto.

La soluzione adottata per il ripristino, dopo diligenti ricerche e accurata disamina delle forme, nulla introduce di nuovo o di arbitrario nel disegno del messinese: ogni elemento è stato ricostruito dalle tavole, dai modelli, dai pezzi esistenti, se pur frantumati e murati: nulla di fantasioso o di nuovo, ma la devota ricostituzione di un ordine, già turbato dalle soprastrutture del Gagliori.

Così la seconda cupola andrà dimenticata, abolito lo zoccolo: e i pinnacoli a candelabro verranno rifatti e rimessi in opera quali i comaschi li videro fino al 1769, cioè a norma del disegno originale, che è quello di don Filippo Juvara.

DALLE SPECCHIERE DEI LAGHI

Il calesse fu preso da velocità dopo due spari della frusta, rapito via dal nervoso manovellare de' ginocchi, degli stinchi, in una precipitazione di zoccoli ferrati. Foglie planavano dai platani: sorvolando, lente ali, i taciturni disegni dei cancelli. Dai rami, che sarebbero bracci e gomiti e nude nocche di scheletri, qualche stilla gocciò dentro la felicità del mattino, fatto di rosei baci tra folate della nebbia. L'odore del cavalluccio sudato vanì senza sua pena: ed era per me, nel vento, il misericorde sostegno della vita, della terra, della famiglia sognata, del vecchio servo.

Vanì con esso l'immagine dei meriggi affocati, dove, di certo, la speranza operosa dei maggiori aveva premeditato l'esile incertezza della mia vita: e a me la buona casa lombarda apriva di là dal portone l'elisio suo parco. Alti pini, a cono, dal prato; neri, a tre, decoro e triade di meditanti filosofi. L'onnipresente cicala. La ninfa di pietra grigia da mola, oltre i mirti: e, nei lauri, galeato il velite e loricato, sogno romuleo, squamme d'un'ammirata fortitudine, dove immorde il lichene. La casa protendeva incontro alla infinità chiara della terra assolata, dei poggi, le due ali scialbate cortesemente a giallino, con gran numero di sue finestre verdi: a circoscrivere da tre lati il vasto cortile di Lombardia, aperto nel quarto lato verso il parco. E nel corpo centrale era il portico, a tre luci, su colonne di ghiandone, e le signore sedute vi stavano ad agugliare attendendo la discesa del giorno: dopo essersi sguernite della lor prole tra confetti e trine.

Vanì l'immagine dei nonni, signore e signora venerati nei ritratti; a cui l'animo si rivolgeva pensoso, porgendo quasi il fiore del rimpianto e della gratitudine, labile fiore. Disparve, con l'odore buono, il mistero della rimessa, delle carrozze dai nomi francesi ed inglesi, delle gualdrappe di feltro, delle coperte spesse, rosse, o gialle, o scozzesi, degli insevati finimenti con borchie di ottone lucido, con fibbie.

E, tratto pel morso fuor dalla portina di scuderia, con ogni riguardo, con ogni deferenza, lui, lui! il cavallo! il più alto dei tre. Per addobbarlo secondo meritava la gala. Ed ecco ecco adergeva la sua coda-frusta piena di maestà e di vigore, terror dei tafàni. Ecco, ecco: il rosone d'una cattedrale gotica estrudeva dovizie fumiganti. Venivano raccolte, cumulate, serbate, fattane stima e pregio, vantate appetto altre signorie: ed erano un caldo fomento davanti le soglie della primavera, quando il monte San Primo si disincrosta delle nevi, e muglia rovinoso il Lambrone irruente sotto il ponte, alla Malpensata.

Di tra gli sdruci della nebbia, i gelsi mi strinsero. Parevano irridere alle mie vesti: « è giorno di nozze, dimani, per te ». Avevano dato a mangiare e mangiare. Ai voraci bigatti del tempo ricco, industre, degli anni oggimai superati. Anni, figli degli anni. Dei lontani. Di quelli, forse, che diligenti ingegneri avevano redatto i mappali e i registri del catasto impeccabile, per la maestà di Maria Theresia formosa imperatrice e regina. Tutti i gelsi erano registrati nel catasto. E adesso rabbrividivano alla ruggine e al male degli anni, con croste di strani licheni dopo l'abbandono; inghirlandati alla pianta, fuor dalle guazze d'autunno, di smilzi funghi. Non si sapeva bene, questa fungaglia, se riuscisse letìfera o èdule. Certuni, i più poveri, i più ghiotti, se ne lasciavano tentare: bagna perniciosa od ambigua sulla loro polenta dura.

Rividi, rabbrividendo, ma solo un attimo, la cantina alta, buia: quasi speco benigno: con travi bistorti di cui pativo, sgomento, la inusitata dimensione e fatica: di castagno o faggio che erano, e della montagna di Valbrona, o di Barni. Drappeggiati di ragnateli pesi, antichi. Con le botti, enormi. Col tino. Pregna di fermenti e di mosti.

E il vitone del torchio e il trave a braccio che contrastava paurosamente alla trazione del canapo: e la loro spenta opera, dopo le voci de' contadini in travaglio: ultimata la svinatura, già lontane le ore fervorose della vendemmia tutta in un andirivieni di cavagne, di sbatacchianti zoccoli. E la ruota che aveva cigolato tanto, ponendo in tiro la fune sotto il vigore e l'imperio degli irsuti, da metter paura a ogni donna. Gli indaffarati giorni s'erano fatti cheti al vino. E le raggiere de' ragnateli nuovi mi ricrearono l'idea d'un castello, corona di torri: dove Albaspina si fosse addormentata, e ricinta di tutti i ragnateli del bosco. Il gattocalzato si aggirava d'attorno i legni della cantina: nera fantasima, velluto, da sopra una botte a quell'altra. Anima e spirito di tutti i velluti neri: di Como, forse.

I suoi baffi vellicavano, elettrizzavano la pelle dell'opaco Mistero: i suoi occhi insinuavano una coscienza di topazio, imperterrita, nella tenebra della cantina. La esalazione interminabile dei tini gli disgregava il naso in un caldo prurito, confidenza ebbra verso la domestichezza del dimani.

Tutto vaniva. Tutte queste immagini erano vere nella vita degli altri. Tutti erano agiati, laboriosi, e da senno. Dietro ai bozzoli e alle bacinelle delle filande non avevano perduto denari, ma anzi raggiunto buona facoltà. I bozzoli e le filande erano motivo di giusto vanto per le loro ditte, stimate in Milano. E il grigio e nero monte si spiccava su, feroce, come agugliata schiena d'un sauro, dalle specchiere serene dei laghi, di sopra agli sbrani della nebbia. «Talché non è chi, al primo vederlo, purché sia di fronte...». Ero, ero, di fronte. Il totem orografico della manzoneria lombarda mi pareva levantarsi, gastigo ingente, da un fallimentare ammucchio di bozzoli: emerso dal vaporare delle filande, di tutte le bacinelle di Brianza: o dell'Adda o del Brembo.

E lo schiocco fuggitivo, perdendosi, designava omai le svolte lontane della strada, compatta e buona sotto alle zampe e alle ruote; per tutti i barocci con le derrate, i fusti, i calami infiniti della campagna; per carrozze nere di signori con fanaliere, per il calessino del vecchio servo e del fattore ammantellato, dal bavero di pel di volpe: la frusta eretta, come un'antenna sottile nel portafrusta, che sibila dentro la corsa nel travenire lieve del vento. Vaniva ogni immagine, ogni soccorso, e il trotto lontano! tra le porpore de' scarmigliati pampani e gli ori falsi dei gelsi, dopo i platani, verso i cancelli e gli olmi. Nella terra che avrebbe potuto essere terra e patria anche a me, come a tutti era, e c'erano per i chiari sentieri le ragazze delle filande, con un canto, con a mano il secchiello della refezione: contadini robusti, sudati, dentro la luce di operosi mattini. Un ricco, fumigante letame veniva inforchettato sui carri con il declino di settembre, sparso dovunque alla terra, davanti fatiche sacre. E sull'andare della strada il cigolio delle carra, il dondolo di pertinaci sonagliere, o cavalli tozzi, sudati, incitati da corta frusta, quando la viene impugnata alla rovescia e si abbatte a stanga sulle groppe o contro l'impegno volonteroso delle culatte. Con l'ü violento, o strascinato, dei carradori lombardi. Erano degli energumeni rossi, fedeli al cammino. Avevano carichi di sete, di filati, sui lor carri, o sacchi di infinite patate. Ed erano uomini con un fazzoletto di seta d'attorno il collo, con la catena d'argento al panciotto. Rossi nel volto, nel collo, da parer cotti. O, talvolta, fermi a tracannare un bicchiere dov'è la porticina dell'osteria della pesa; o mi guardavano, passando, o sostando: come antichi liguri assueti a durezza, come antichi celti ai guadi, con naso di cane. Altri parevano i taciturni camminatori delle valli, discesi dalle bocchette dell'Alpe, gelide, e poi lungo i cammini delle forre, sotto eremi strani. Con freddi occhi. Già biondi, forse, e adesso canuti in una vecchiezza scarna, prudente, e fattiva. Con nasi aquilini o diritti, affilati quasi; e Autari e Agilulfo erano stati re nel tempo, e la saggia e provvidente regina. La torre che ne rammemora il nome è un'asta nera infitta a sommo la collina più lontana, l'estrema, verso Monza: verso la Sedia del regno: «Est sedes Itagliae regni Modetia magni». Da quel colle, nei meriggi affocati, tutto il cielo della Italia.

Ed erano dolci e infinite le ville: giardini memori, più che i nepoti e gli eredi, fiorivano crisantemi alle tombe. Alcuni signori avevano anche una barca, piatta, di tra il fruscio delle brezze diacciate per entro i canneti dei laghi, armata a spingarda. Da trarre dopo ogni spiro della nebbia alle anatre selvatiche; e traevano col fucile a fòlaghe, sciaguattando nello specchio il setter e talora lo spinone, a germani reali, ai beccaccini color di ruggine. E drappi e specchiere, nel mio sogno, come nelle agiate case.

Ero solo: con misere vesti. E al ristare d'ogni folata gli aspetti della mia terra. Avrebbe dovuto riescir madre anche a me, se non era vano il comandamento di Dio, come riescì a tutti, al più povero, al più sprovveduto, e financo al deforme, o a chi resultò inetto a discernere. Ma il dolce declino di quei colli non arrivò a mitigare la straordinaria severità, il diniego oltraggioso, con cui ogni parvenza del mondo soleva rimirarmi. Ero dunque in colpa, se pure contro mia scienza. Nella luce comune, di certo, avevo inosservato gli obblighi, gli infiniti obblighi; ignorato la legge: la legge che atterrisce, che punisce, che uccide. Nessun obbligo, nessuna legge angosciava il libero cuore degli altri. Se altri avesse lasciato dondolar la gamba, bimbo irrequieto, o avesse tentato di stropicciarsi le mani diacce da poter sostenere la penna, oh certo non sarebbe incorso nelle ammonizioni «illuminate», poi nelle punizioni feroci, distruggitrici, nascoste ai lumi e ai lampioni d'ogni umana cognitiva.

Facevo del mio meglio a leggere, ad apprendere. Gli altri erano sani ed allegri, portavano in sé una certezza; si affidavano al loro caso. Potevano intrugliare casi e date e numeri e compiti in un guazzabuglio pur che fosse, ed erano accolti tuttavia con carezze, baciati, pettinati con amore; e rivestiti di vesti. «Prendi il tuo latte, anima mia». Il loro caso era la felicemente cicatrizzata menopausa di entrambe le nonne.

La disperazione mi chiamava, chiamava, dal fondo de' suoi deserti senza carità.

Sbagliar tutto potevano, da cima a fondo, i grandi, i fabbricieri, direttori, i rettori o mestatori del comune o del popolo. Ed erano da tutti onorati, e chiamati maestri, con pelliccia e fiato autorevole nel gennaio, ed emolumenti e competenze, o parcelle. Il sauro Talchè non avrebbe mai accentrato su cotali padri la nera parvenza delle sue cuspidi, così come già fecero, sulla trireme alla fonda, le specchiere di fuoco d'oro del maligno Archimede. M'ero studiato di ridurre l'ecloga alla terza rima: oh! l'avevo a memoria. Oh! il mondo a venire. Ma, in sul chiudere la messianica, Vergilio aveva lacerato il tema, bruscamente: il vaticinio delle pecore pitturate: «Quello a cui i genitori non hanno saputo sorridere, né un dio vorrà degnarlo della sua mensa, né una dea lo degnerà del suo letto. Nec dignata cubili est».

E ricordo di aver veduto, ragazzo, il cavallo dagli occhi bendati a muovere tutto il «piantello» d'un filatoio di seta, in Brianza. Quel buon bestione sudato, che bisognava proteggere dai colpi d'aria, sentivo di amarlo e di rispettarlo: e lui seminava di un caldo sterco fertilizzante la corsia del gran cerchio motore, di legno. Il pettorale nonché l'imbraca erano fissati per due lunghe stanghe, come di baroccio, al muro, al Mondo: e costringevano lui in posizione fissa (così si dice nella meccanica): lui, il quadrupede, il paziente generatore dell'energia motrice. Sicché era invece il cerchione, capite?, a dover girare sotto l'ugne. E con il cerchione ci girava, scricchiolando, cigolando, tutto quanto il piantello. Un odore generoso, onesto, veniva, a zaffate, dalla groppa in sudore: mescolandosi all'odor del sevo di cui erano untati gli ingranaggi. Tutto l'enorme torrione di legno stagionato, alto i quattro piani della fabbrica, cigolava rivolvendosi davanti a noi, rotando e gravando con l'asse o albero e col perno unto dentro un supporto di ghisa, ch'era piazzato in cantina, al buio. E mi metteva davvero un po' di paura.

Ignoravo l'enunciato fondamentale della meccanica moderna: ma già allora capivo di mia riflessione che quelle fumanti polpette erano «l'equivalente del Lavoro». Di tanto in tanto, povera bestia, doveva fare anche il bisogno piccolo: che per i cavalli viceversa è bisogno grosso, visto che li obbliga a fare alt: e allora bisognava fermare tutta la baracca. Ciò accadeva a mezzogiorno, o alle cinque: sicché la congiuntura veniva benissimo, tra le «*esigenze di fabbricazione*» e le «*esigenze*» del Signor Motore. In corrispondenza dei palchi superiori, mille rocchetti odorosi di bozzolo piroettavano senza tregua sui loro perni ingrassati a sevo, spogliandosi di un filo di oro, quasi un raggio perennemente fuggitivo, di cui si vestivano invece i grandi aspi, a sezione quadrata. Non vestito di seta, un ragazzo guardava stupefatto a quella complicata meccanica tolemaica, secondo cui, per ottenere la rotazione del pianeta-rocchetto, bisognava muovere fin dalle fondamenta tutto il gran castello del cielo, come un arcolaio.

ALLA BORSA DI MILANO

Ordinai «palazzo degli affari» a un conducente di tassì: il disco rosso di tre semafori, che brutto colore, diobono, ci bloccò tre volte ai più casalinghi santi, e sante, dell'umbilico metropolitano: ma arrivai in tempo lo stesso ad attingere per la manica il mio agente di cambio, cavalier Aristide Bilancioni, proprio mentre iniziava l'attacco, scarpette nere lucidissime, della gradinata del Palazzo degli Affari. Gli sono stranamente affezionato. Le poche centinaia di lire che m'è avvenuto di veder esalare nell'azzurro ogniqualvolta deliberai avvalermi delle di lui prestazioni mi son sempre parse una cosa così naturale, da allibrarle ogniqualvolta in «dare» nel mastro doppio della mia gratitudine. Quando lo interrogo sui misteri del futuro, tentenna autorevolmente la testa, e poi, subito, mi fa due occhi dolci e fedeli: e poi ha due baffi! dai quali è talmente semplice, almeno per me, tirare tutti i pronostici di cui abbisogno. Per arrivare con certezza matematica a perdere (nel corso di pochi giorni) le pochissime centinaia di lire che ogni tanto mi scappa di perdere.

Una volta entrati alle grida non fu più possibile capirci. Appena la bussola si vuotò di noi nella sala, che con gli orecchi intronati levai l'anima alla tavola delle quotazioni: dove, bianchi o scarlatti nelle caselle, numeri luminosi trascorrevano e cangiavano con una mobilità di lucertole. Il pandemonio consueto era in quel momento all'esasperazione: «... catìni!... catìni!...». Questa coda parossìtona d'un nome di città termale, che non riusciva ad emergere nella sua interezza, nacque ad un tratto, comminante grido reiterato alla chiesta, all'offerta, per dominare il baccano. Un pazzo assetato non si sarebbe messo a degli strilli più convulsi.

Già gli elettrici correvano da sinistra a destra sulle caselle come i cavallucci d'un trottatoio meccanico, inseguiti dai saccariferi, sottostanti nel quadro. In più d'una linea il bianco di destra, prezzo ultimo, e il bianco centrale, prezzo massimo, montavano di minuto in minuto, coincidendo: la successione dei verdi, prezzi discendenti, e dei rossi ascendenti si scompigliava in una policromia cangevole d'attimo in attimo secondo il «prezzo fatto» del titolo offerto o richiesto, ma comunque gridato.

I tessili tendevano invece ad appisolarsi, a «bicoccare» sulle loro posizioni: avevano assunto, quella mattina, un loro particolare contegno: piuttosto schivo, e decoroso d'un meditato riserbo. «Stan lì a far tappezzeria...» diceva uno, alle mie spalle. Tanto che il redattore finanziario de «L'Ambrosiano», già dalle dodici se ne sbarazzava con la consueta eleganza, scrivendo, per guadagnar tempo in attesa del listino, che «... nel comparto tessile si denota una certa svogliatezza...».

E lampi d'oro, al disopra del grande quadro, da tabelle di vetro scuro, con numeri, montate in batterie verticali: alterne allora con le alte finestre, fino al velario altissimo: gli avvisatori di chiamata telefonica reiteravano i loro muti segnali, mute squille dalle postazioni lontane, o da ogni banco prossimo: una febbrile ansia, in un raduno di muti, trascorre egualmente celere da un volto ad un altro, per labbra e pupille.

Ogni numero, ogni lampo, chiedeva di un agente o incaricato alle grida: e questi taciti appelli determinavano impeti e abbozzi repentini di corse da parte di subagenti e commessi, che si spiccavano fra le schiene e le gambe e le voci degli urlatori verso lo scrittoio della propria ditta, e poi a raggiungere ognuno il suo tipo: per potergli subito versare dentro un orecchio, con rincalzo di diti rattratti o distesi e di ripetuti trinciamenti, duemmezzo, tremmezzo, fine mese, contanti, l'ordine ansioso del committente. Si spiccavano: e gomitavano chi potevano: ed erano allora urti, rimbalzi, e naso a naso incontri, come d'una folla impazzita che cerchi scampo da un cinematografo in fiamme.

Contenuta dalla balaustra-limite, questa folla non aveva esito o scampo: si aggrumava e schiariva in un coagulo e in uno scioglimento continui, nella fatica fisica e morale delle grida, e del patto: e del rapido scarabocchio sul taccuino, come di chi ne spicchi un avviso irripetibile, dentro il tumulto d'una battaglia.

Erano muniti ognuno d'un taccuino, d'un blocchetto di fogli a strappo: e d'una corta matita. Alcuno poi con in tasca qualche fissato-bollato già redatto, da perfezionare con il prezzo, e la firma del contraente.

Erano giovini ed uomini: e qualche vecchio ancor crudo di forze: che sbraitavano aggirandosi per tutto il recinto, gli uni intorno agli altri, senza mai requie, come i torli d'ovo nel frullo, mettendo allo sbaraglio i bottoni. Levava alcuno, di tanto in tanto, uno sguardo al suo numero in tabella, accogliendone, quasi d'una lucciola, il fuggitivo segnale. I più vigorosi, i più alti si alzavano a scatti in punta de' piedi, ad incidere, con un urlo-virgola, la fusa continuità del clamore: parevami, certe volte, fossero per lasciare il pavimento in un volo: levavano alto il braccio col blocchetto de' fogli, a soprastare tutte le teste, sventolando e la bandiera e l'impresa.

Sopraffacevano, col teso volere, la spietata fatalità e meccanicità del tumulto.

Urlavano il nome dimandato od offerto insistendovi con l'animo, scandendolo e ritmandolo in sillabe, « ca-ti-ni! ca-ti-ni ». Ipnotizzatori ardimentosi, guardavano il presunto contraente nelle pupille, ripetendogli a bruciapelo il grido, come giocatori alla morra. Ma nessuno di essi, in quel momento, giocava: ognuno dava corso agli ordini, impegnato nelle modalità necessarie del compito: il titolo richiesto o vantato pareva essere il nome o addirittura il motivo d'ogni natura in battaglia. E quel nome rapinava gli inseguitori nel vortice, come spasimanti: e allora e poi si dislocava qua e là dentro il baccanale, a discorrere tutta la sala tumultuata: sembrò, appartatosi, cader finito in un angolo: ma risorgeva come rilevato vessillo.

Nel recinto delle grida ecco due balaustre circolari a cui si appoggiano, come a davanzale, i gridatori: l'una per i titoli di stato e gli obbligazionari più trattati, l'altra per gli azionari. Così appoggiati riconoscevo stare i più gravi nello stesso modo che, mettendoci alla vera di un pozzo, ci si suole indugiare. Ma con polmoni di bronzo anche loro.

E in ciascheduno de' due cerchi ogni immaginabile diametro pareva fissare i due oppositi gridatori un attimo, quanto bastava al patto. Che il braccio scagliato e due diti, protesi in alto, inderogabilmente sancivano: botta e risposta, lungo la misteriosa validità del diametro. Un nuovo assestamento, di minuto in minuto, pareva ricostituirsi al continuo, dopo ogni nuova decessione dei soddisfatti.

Dagli scrittoi nelle due ali della sala, dalle cabine telefoniche (garitte lucide, cilindriche, in radica e vetro) gli incaricati delle banche ed agenti sussurravano nel boccale del microfono i nomi ed i numeri: concordemente rivolti ad una lettura, con gli occhi levati al tremolio della quota come aghi unanimi al polo, il microfono appiccicato all'orecchio; non li disturbavano i lampi, rossi, verdi, bianchi.

O, in risposta, avevano gli ordini: e li trasmettevano al giovine, nervosamente: così giovanetti-saette si spiccavano da loro, alla ricerca dell'incaricato alle grida: mille Rapida settecentonove settecentodieci, cinquecento Stefani duecentonovanta. Questi commessi, o mi parve, erano di statura piccola ed agile, da sgattaiolare, come destri fanti a Farsaglia, per mezzo una cataratta di cavalieri in rigurgito. « Pirellone! Pirellone! ».

Ma percepivo un'inversione di segno del differenziale: sull'onda lunga di tutta la quota ecco superata la cresta, che fu riccioluta e schiumosa per temibili ansie, rischi. L'onda ci riversava ora, con iridate beffe d'opali e lapislazuli di paure, nella gola dei verdi realizzi. Se il prezzo ultimo fatto, a un dato momento, è inferiore al prezzo massimo della mattina, allora esce in verde anziché in bianco. Uno sguardo al tabellone, ove prevalga a destra il color verde, denuncia pertanto una fase di realizzi o di prezzi comunque cedenti. Rossi, tuttavia, risulteranno alfine i prezzi di chiusura, ultimi a destra. I lampi alle scatole presero una doppia frequenza: crebbero, o era un sogno, le urla.

« Via, via! », mi dissi: « tira la tua presa di tabacco: e falla finita ». Il cavaliere m'avvicinò distratto, con un sorriso d'abituato: « Qualche posizione un po' carica... che approfitta del momento opportuno per alleggerirsi... Il mercato, però, è ben disposto... Il denaro è sempre abbondante ».

Difatti le instabili quote anche una volta invertivano, con accorrere di crescenti numeri alle caselle, il senso della loro variazione: le Baroggi non avevano fatto in tempo a segnare centottantotto, che già si riprendevano a novanta: le Ticinelle di mezzo punto in uno, di uno in due erano a duecentosette e cinquanta, nove, dieci, undici, tredici. Il fante-saetta aveva imbroccato in un battibaleno il suo stallone corazzato; un miracolo, poi, se questi aveva potuto concludere: la gola dell'onda era durata nove minuti, permettendogli nove! nove! di eseguire a duecentonove e cinquanta. Sudavano ora tutt'e due quattordici gocce alla volta, sette per ciascuno. Tutto oramai, dopo campanelli premonitori, pareva uniformarsi in una sicura tendenza: il barcone della quota procedeva adesso con pacata maestà e sicurezza, a vela piena verso il listino.

Alcune signore vicino a me, non eleganti né ineleganti, mi sembravano uscite da dietro il banco tabacchifero d'una privativa: alcuna, a leggere, si serviva d'un grazioso binocolo, alcuna era accompagnata da una specie di cavalier servente, una persona autorevole, fra il direttore di coscienza e il ginecologo di fiducia.

Convergenti motivi radunano e assommano in un « theatron », in un punto di azione manifesta, ogni remota e latente forza del vivere. Ogni partita ha il suo luogo e il suo tempo di liquidabilità. Vigili computi sulle sorti dei valori posseduti o desiderati, dei beni cercati o respinti. Questa vigilanza si esplica in conoscenze, e in chiare o anche in errate vedute, le conoscenze o vedute in determinazioni felici o in errate determinazioni. Probabilità imponderabili, a volte, le accompagnano: e l'oscurità generale del destino è su tutto.

Lenti sollevamenti e fratture e increspature sùbite convergono in questo clamore, per queste faville o telefoni, alla determinazione quotidiana d'un prezzo. Lontani ordini, esecuzioni immediate: su questa pronta bilancia ogni realtà pesa: col suo peso brutale, con le sottili giunte.

« Il baratto delle pecore contro i fagioli », mi dicevo, « era una cosa pur anche malcomoda: tu non ti saresti mosso di certo, neanche tirarti cogli argani. E stiamo per tornarci, vedrai! Che diavolo ne volevi fare del premio, quando non in lire te lo pagavano, ma con dieci quintali di carote? e le dovevi convertire in un montone e mezzo?... Un problema quel montone e mezzo, riconoscilo: altro che il disco rosso a San Babila! ».

Qui, come in ogni fisiologismo, forze contrastanti, labili valutazioni, ti tengono con distesi fili al tuo luogo: ch'è momentaneamente definito, se pure cognito da una cognizione mutevole, d'attimo in attimo. Così due fili opposti sostengono il ragno ed il suo moschino appetitoso, in un provvisorio centro, avanti l'acquata.

Tu paventi la probabilità e la forza contraria, se all'una ti dài: e nell'angustia implori vanamente dalla indeterminatezza della tua ipotesi un certo, un sicuro, uno stabile. Altri lavora invece sul mutabile, sul differenziale. Allora io ti dico: quale mai quotazione avevano le « syngraphae » dei salinatori e degli appaltatori di tasse nel cuore del mercante di tappeti?

Ogni realtà è sostenuta da termini opposti e pericola agitatamente nel campo del destino come la coda del serpe colpito, o come il magnete fra i poli: il prezzo scaturisce di momento in momento al cerchio, dalle due voci degli affacciati e dalle corrispondenti estremità d'un diametro. Se vuoi una certezza, questa hai da domandarla al tuo cuore.

« Dunque? » fece il cavaliere passandomi accanto. Aveva l'aria un po' mortificata, in mezzo alla eccitazione di tutti, come se fosse lui il responsabile di quella fuga verso le vette. Spianai la fronte. « Faccia un po' lei » gli dissi. « Se crede, » mi dedicò subito una di quelle occhiate fedeli « dato che abbia l'intenzione di decidersi... è forse meglio decidersi oggi che domani » (non faceva del sarcasmo, era semplice ed affettuoso) « visto l'andamento del mercato... ». Queste due belle parole tecniche, andamento e mercato, le pronunziò con una facilità tutta sua: poi partì e mi servì puntualmente.

CARABATTOLE A PORTA LUDOVICA

Liberarsi da un vecchio arnese malato, da un aggeggio polveroso del bazar di nostra vita! uno sforzo psicologico che è peggio d'una malattia. Separarci da una cornice di mogano finto, inghirlandata di peperoncini d'oro, col ritratto della moglie di primo letto dello zio dell'ex-cognato di nostro padre!

Divorziare dal busto in gesso di Garibaldi, dal cavatappi a cui s'è sdipanato un filetto, dal piccolo ordigno regolatore (in ottone) della vecchia lucerna a petrolio andata in briciole ad opera della Cesira, domestica dalle mani di fata.

Più che una cagione del sentimento, si direbbe quell'altro motivo, costituzionale alla persona umana, anzi il fondamento stesso dell'anima (scusate la sincerità): quell'istinto del serbare, del ritenere, del non mollare un bottone: comunque del non averci a perdere, dell'utilizzare in un qualunque modo, e fino all'ultimo centesimo ricavabile, ciò che s'è acquisito, comperato, tirato in casa, goduto, magari per anni. L'idea che, dovendo alienare un turacciolo, almeno se ne tragga il profitto ch'esso ci merita, il massimo profitto consentito dal mercato dei turaccioli.

Mercato? Ma esiste un mercato dei turaccioli buchi, dei busti di Garibaldi, delle grattugie usate, delle pipe con via il bocchino, dei sellini di bicicletta maceri, delle chiavi di cui non si ricorda più l'uscio, dei clackson senza la pera? Chi vende e chi compera le pere da clistere del 1912, gli sgabelli spagliati, gli scaldini a carbone di legna, le trombe di grammofono in stile Liberty, ma senza il grammofono, intendiamoci? e un unico fermacarte di ghisa in figura di lucertola? C'è chi vende e chi compera tutti codesti aggeggi: esiste il mercato dell'impensabile. Tutto esiste a Milano. Milano è la scansia d'ogni possibilità, d'ogni idea che possa diventare industria, o commercio. Non vi è industria, o commercio, che non sia rappresentata a Milano.

Anche l'istinto dell'ultimo profitto ha il suo mercato milanese; anche l'ultima possibile coincidenza fra il vecchio ritratto della zia Celestina e la cornice disoccupata di un ex-Giulio Carcano o Filippo Carcano (ché ci sono stati l'uno e l'altro), di un ex-Zaccaria Lernasconi, ha luogo e tempo a verificarsi dentro la cerchia dell'onniprassi milanese.

Anche l'ultimo convegno d'amore fra l'ultima chiavetta smarrita e il rugginoso lucchetto che nessuno riesciva più a disserrare. Tra il sellino che fu già di un coevo di Girardengo e il vigore novello del novello Ermenegildo, scapestrato garzone «ch'el fa el mekànik in del' Argelini e Doninverni».

Questo convegno si chiama la fiera di Sinigallia, tenuta ogni sabato, di pomeriggio, «dalle parti di porta Ludovica». Il mito di porta Ludovica – (che ci sia ciascun lo dica, dove sia nessun lo sa) – pare proprio, sì... mi assicurano che è invece una cosa seria. Tutte le porte di Milano, del resto, si ha un bel girovagare, fantasticare, ma han l'aria d'un mito: non fossero i granitici tempietti o gli archi ferdinandèi o napoleonici superstiti ai vecchi dazi. Questa è una parentesi a proposito della Ludovica. Ma sull'esistenza della fiera di Sinigallia non ci sono dubbi: è stata addirittura fotografata. Il nome adriatico che ci ricorda papa Mastai-Ferretti e l'irriverenza del Carducci nonché l'estremo segno dei Galli nella penisola, nonché la iugulazione di Vitellozzo Vitelli e di Oliverotto Ufreducci ad opera del caro Valentino e alla gran cuccagna di messer Niccolò, per il buon popolo milanese, in sul naviglio alla darsena, o quasi, vuol dire nient'altro che «Vecchi pignattini d'alluminio, porta-ovi e cucchiai scompagnati, con manichi di padella in libertà, ghiere di ottone senza lucignolo, attaccapanni un po' sconnessi e bidets un po' zoppi». E vi vedreste le allineate delle ciabatte: e scarpe sfatte ed appiattite da un marasma, come battaglioni di scarafaggi ottuagenari: e gavette, e viti d'ogni calibro, candelieri di zinco-lega, bomboniere, nel bric-à-brac un cane da caccia di bronzo che «punta» contro le grattugie.

E anche un tavoletto per macchina da cucire, a cui però la macchina bisogna che ce l'attacchiate voi, beninteso, se proprio volete anche quella; e una caffettiera di latta in figura di Carlo d'Angiò; un paniere per partite campestri in riva del Naviglio Grande; e dei manichini da sarta opportunamente decollati; delle biciclette, sia intere che a pezzi, delle forbici per le unghie, delle pinze da elettricista.

L'incredibile relitto s'è venuto ad arenare su di una spiaggia senza frangente; come nei racconti dei naufraghi le scatole di biscotto zuppo approdano all'isola della Disperazione. Non è un naufragio questo, ma il consunto costume degli umani: anche il costume, vale a dire lo «habitus» della nostra specie meccanica e incerottata viene a dimettersi, esausto, tra le braccia di questa rigattiera benigna, ma implacabile, che lo attende, in cima degli anni, «dalle parti di porta Ludovica». Come il Petrarca fu laureato poeta in Campidoglio, così il cavatappi, nel suo vecchio sabato, assurgerà finalmente al collaudo della Ludovica: il pitale di ferro e smalto, il mozzo di bicicletta con via tre palle (biglie, sfere).

Oh! il vestito della civiltà umana è pur fatto di bagnarole e di pela-patate, di rotuline d'ottone e di orologi a cucù che fanno gra-gra, se pur lo fanno; di bullette a rosellina per i tacchi dei muratori e di coltella femmine da affettare il prosciutto, «el giambôn!». Come nei romanzi di Raymond Roussel, al dire di Solmi, vengono in scena delle statue di re negri combinate di stecche di balena, che procedono su ruote di stuzzicadenti, mentre dei tarocchi canori intonano la marcia del «toreador» sotto archi di scatole di sardine fra uno sbandierio festoso di biglietti del tram, così nel nostro romanzo della fiera di Sinigallia c'è un sogno di risparmio e di profitto, un tentativo di resurrezione in-extremis; il macinino a riposo, il manubrio di bicicletta vogliono di bel nuovo tuffarsi nel gorgo turbinoso della vita; c'è un desiderio – ma anche una economia ed una certezza combinatoria – di arrivare ad accozzare il frusto con l'utile, la parte col tutto, e la pazienza infinita col momento buono: «el moment bôn!», quello in cui il bischero d'un violino infranto sarà rivenduto per diciannove soldi, dopo diciott'anni d'esposizione, al mendico sviolinatore di via Mac-Mahon che gliene s'era spezzato uno sotto mano tre giorni fa.

Nel fondo di ogni poesia del costume e del tempo c'è, forse, una buggerata meccanica, come in fondo ad ogni casa che si ami c'è una famosa trappola, con la molla a scatto, col pezzetto di formaggio secco, per acchiappare il topo irraggiungibile che andrà viceversa ad annegare nella damigiana dell'olio. Il vivere è lotta, e bisogna lottare con le trappole, coi robivecchi.

Per alleviare il tedio d'un giorno strano ci vuole una bottiglia di Barbaresco: ma come si fa, Dio bono? ci vuole il cavatappi, il cavatappi! Ma dov'è questo ludro d'un cavatappi? Era nel tiretto a sinistra, dello sportello a destra... ma se non c'è più! no, non lo si trova più. Quella Cesira del diavolo!

Non disperate.

Alla fiera di Sinigallia c'è il turacciolo, c'è anche il cavaturacciolo.

SPUME SOTTO I PIANI D'INVREA

Dove le ultime pattuglie dei pini si diradano contro il vento, l'erica e il ginepro fanno capo alla luce. Di cui li menomava tanto prevalere di quei tronchi, rossi, aspri, odorati dallo stillare delle rage, ombrati d'alti rami. Ma, ora, il vento.

Ivi però il monte strapiomba. La veduta si deterge dai rami neri che la intersecavano con frangiature delle loro squamme, col nero peso d'una pigna. Giù dilaga il cobalto, immensità livellata. Bianche incrinature lo traversano, come le vene una pietra. Un fragore vasto esala dal profondo, dove mordono le radici delle rupi.

Sbucato dalla galleria delle Pievi, l'elettrico scivola già col pantografo dentro il fornice buio della successiva, portandovi la sua corsa inderogabile, illividita da scintille violette. Un vagone dopo l'altro, il convoglio si snoda davanti il Dente del Lupo: riapparito appena dentro il giorno, lo perde: lascia il mare, entra nel monte. La zanna riemerge sola e nera dall'indaco, coronata di furore e di spuma, a dar travaglio a pilota. Il binario d'argento, con pause delle sue traverse di rovere intorto, le opere e i manufatti in pietra, e l'andare dei fili del telegrafo lungo l'andare della linea e tutti i segni del rotolante e del raggiunto tempo sistemano in velocità piana il contorno scheggiato della costa. Isolatori bianchi, alle sandaline de' sostegni, fanno un'allineata di perle: come a voler agghindare la riviera. Il casello pitturato di rosa, col numero grande, del suo chilometro, attende i traini previsti. Ma nessuna vela è nel mare.

Una cicala persiste, dai lecci e dalla polvere della rotonda: canto antico buttato nella solitudine. Giù, giù, dov'è il luogo delle affollate bagnature, il Margherita coagula dentro la sala da ballo, su lo stropicciato assito, la giovinezza salmastra di undici provincie: nel salone, nello scatolone! versàtavi una goccia di musica. Tenuti alle seggiole dalla gravità quasi da vincolante cinghia, i funzionari della melodia si dimenano a imitazione dei negri, annaspano sul timpano e sul sassofono alla creazione del turbine, elettrizzati dalle seggiole. E l'amorosa rapina invola nelle sue spire gli appiccicati, guancia a guancia – un disegno di danza si svolge – li consegna all'anestesia, li libera nei tempi e negli spazi di musica: folla stipata e accaldata, dimentica del « nostro articolo non teme concorrenza »: fino alla traspirazione perfetta e al tamarindo Larba.

Qui la cicala persiste. Le tombe dei marchesi Centurione vedo che non difettano d'epigrafe, nella frescura e nella penombra della piccola chiesa dove i maggiori hanno pace, dove arriva ancora, sommesso come una divozione, lo stridere antico: dai lecci, dalla vastità polverosa del meriggio. Il testo prolisso degli epitafi palesa una commovente inesperienza linguistica, un filiale pianto e cordoglio. E lo stemma vuole magnanimità di sensi e interminabile suggerimento di preci, e conforto di religiosi pensieri, e spirito di carità patria, e lode di civili benemerenze.

Il campanile ottolati, come una guardia al mare, supera la frotta dei pini, scruta tutta la distesa di malachite, e le forre, e le nude spalle del monte a pennino: per otto feritoie lombarde là dove si sono dati convegno, a marzo, assaporata la bava d'ogni tempesta, i sedici, i trentadue venti del portolano.

Oggi il fragore del mare si addossa agli scogli: che emergono un attimo, – immobili! – bagnati e neri, dallo screzio meridiano del frangente: e poi li dilava e li sommerge, bianchissima, la vana cimasa delle spume. Dure, nere schegge, i capi si bagnano in tagliamare, fino alla prora nera di Capo Noli: « e discendesi a Noli »: sprazzi alti e bianchi a incamiciarne la protervia; uno e un altro e un altro, lungo l'arco della riviera. Al tumulto, oggi, emerso dalla corolla di spuma sovrasta il faro solitario.

Questa, che mi manda il canto, è la vecchia rotonda: e presuppone il palazzo seicentesco dalla dignità rossa e nobile, con la Fortezza, la Giustizia, la Saggezza, la Temperanza, pitturate due per piano negli interspazi delle finestre di centro: con la spada, la bilancia, lo specchio, la conocchia; ognuna nel disegno della sua nicchia a verdiscuri e giallini, come di agata e crisoprasio, cui sormonta la valva raggiata d'una conchiglia. E ogni virtù e colore dilavato dagli anni, dai piovaschi. Con le persiane verdi, lunghe: guardando, odorosi delle spezie e carichi di tutte le Arabie e le Indie, e animati da tutte le vele del ritorno, i barchi venire dal mare.

La scalea lenta discende al prato: fili dell'erba ne hanno occupato le commessure: sfocia allo spiazzo erbato e solitario con le due balaustre ad esedra e gli alti modiglioni senza più rose: dove i grilli accompagneranno le modulazioni della sera, dove i cipressi, nel cielo color pervinca, tagliati dall'ultima luce saranno ceri e fiamme sul monte: dura, antica patria, anime che si sono ricusate di partire. Così maestro ne ha dipanato la fronda, libeccio ne ha sdoppiato la cima.

D'un'altra e festevole costituzione, da Juan les Pins alla marina di Versilia, ventiduemila rotonde producono sullo sciabordio del Tirreno le loro pavesature giallo-verdi e scarlatte, il nasigliamento dei dischi anglosassoni, l'elevato costo dei gelati all'acido citrico. Odore salino dal legno dei puntoni, che l'alga e la verde mucillagine hanno felpato, giù, dove essi hanno pianta nella maretta, o nel fragore dell'onda rompente. Ali irrequiete, i tendaggi a bande bianco-azzurre un fremito repentino li pervade, sbattono e reluttano ai vincoli, chiedendo esser disciolta vela, e l'assito e tutta l'opera gocciolante esser nave: nera nave: come nell'antico viaggio e poema.

LE TRE ROSE DI COLLEMAGGIO

Lasciatemi sostare nel mio sogno e nella mia devozione, se pure urgano il tempo e le cose.

Lasciatemi qui dove la piazza chiara si apre, declive ai gradini all'arco e alle torri del Duomo: piena di tende, di gabbie di polli: fruttifera e insigne di peperoni, di bretelle, di padelle, di pantofole, di paralumi e di piatti mal cotti, che il lucchese uno dopo l'altro li lancia verso il cielo e poi come un giocoliere li riprende: «Le mi danno una lirina soltanto e se lo portano via!». E più ratta ancora di quel gitto è la sua parlantina toscana sopra le donne torve, accigliate; che ne diffidano. Poi finiscono per cavare, dal bisunto,[1] venti centesimi al pezzo. Stamane esse circonderanno i lari della nuova terraglia, come d'una fornitura completa da tiro a segno: forse, da basso, arriverà il procaccia con una lettera, del figlio in Ascoli, o brigadiere a Tarvisio.

Uomini di fuori le mura, serve, attendenti con una sporta; beccuzzanti o ruculanti colombi tra i piedi; mettono sovra i tendoni, a un tratto, il loro volo cinereo: cavoli e pomidori consegnano all'aria le potenti vitamine dello spirito. Calze e giocattoli, pettini, sapone verde, limoni: compatte maglie di lana, contro i gelidi ululati dell'inverno. La pòlis della montagna mi è cara: lasciatemi nel sole, a mattino. Sotto l'alta direzione della guardia, al tocco, trenta spazzini in un battibaleno con getti d'acqua faranno ripulita la piazza, mondàtala da ogni relitto de' peperoni e de' cavoli: sarò in delizie, al tocco, fra le ramazze! E dall'ampio lavacro emergeranno soli i due giovini di bronzo verde, sopra li stillanti bacili delle fontane. Forte grazia ne spira, come da due puberi divinità. I loro piedi hanno la magrezza alacre che si riscontra ne' veri piedi de' giovini ben conformati, adusati al ginnasio e ai diporti: le caviglie sono snelle, se ne rilevano i tendini. Non hanno piedi gonfi o malvagi, tumefatti da precoce vizio del miocardio, o comunque, del circolo sanguigno.[2]

Scendendo alla fontana delle 99 cannelle, mi scontrai nella gioventù garrula del vecchio ginnasio, che veniva di scuola, a frotte: le signorine, cariche di libri, avevano a lato i compagni: poi una gioconda piazza, San Biagio, dove abitava il sole, dov'eran carri e asinelli col basto: e cavalli in riposo, col muso nel sacco-avena, con la coda ai tafàni.

Quella stazione di quadrupedi odorosi ed onesti mi colmò d'allegrezza: e d'un senso come di mansuetudine, di serietà calma e di vita. Era estremamente logico e razionale che lungo i sentieri de' monti venissero con le sue mosche alla pòlis muli ed asini, scodinzolanti virtù. I tram elettrici, anche i più perfezionati, non avrebbero potuto gareggiare con loro. Questi altri asinelli, coi libri, « transitavano » pieni di giovinezza senza degnare d'uno sguardo i quadrupedi: mute le femmine, i maschi facevano valutazione clamorosa di certi calci, che erano stati, sembra, i più indovinati calci della settimana. Biondi o neri capegli erano, con le impetuose voci, nel vento. I nomi degli eroi correvano di bocca in bocca, per quanto non registrati nel vocabolario, che aveva l'aria di pesare un quintale.

Sentendomi asino stagionato procedetti solingo, e discesi alla fontana dalle cannelle: che l'arte e il buon senso di Tancredi di Pèntima, negli anni di Tagliacozzo, avevano saputo apprestare ai nuovi cittadini: chiara, nel dispositivo dell'opera adeguatissima al sito, te tu vi leggi la finalità pratica di essa. Vi leggi una sollecitudine architettrice ch'è nobilmente urbana e sensatamente razionale. Ivi era la sorgiva del secondo elemento, a piè il colle: così le mura la inclusero «in urbe», scendendo, scendendo, quasi col gesto di chi si sporge di sella, nel torneo, e si sforza di raccorre un fiore dal suolo. La fontana era il fiore necessario, l'indispensabile di tutti i provvedimenti civili. Da quella falda acquifera, molto probabilmente, la scelta del luogo: e forse, prima che da simbolo araldico, il nome della città: poiché la polla era già nota nei secoli e le acquicce che ne discendevano al fiume eran dette Aculae o Aquiliae.

Comunque, i diplomi imperiali e reali di cui talvolta si narra, a costituzione della città dai castelli e dai borghi circonvicini, paiono piuttosto ottenuti da una forza intrinseca e vitale necessità dell'evento, che non anticipati da un solerte piano o magnanimità delli Svevi: e dei succedanei.

Nel chiaro mattino s'insinua, per suoi segni nobili, il tempo: il tempo fluito, ch'è irripetibile agli atti, ed è il taciturno regno delle anime. Esso, del continuo, mi significa la somma de' suoi pensieri: e porta alla mia conoscenza impliciti ma evidenti giudizi. È consegnato alle chiese, ai palazzi, alle torri! Ai vecchi libri, alle tarme. Francesco Ariscola[3] seppe disegnare un portale al castello: con un'aquila, oh! imperiale se pur monocìpite, e due cornucopie mirabili: imprese turrite, armi, volute, fiori, chimere. Non c'è francobollo imperiale che valga il quadrato di quell'aquila. Gli architetti militari di Carlo V fecero, nel castello, assai mostra di loro arte ed ingegno: la cortesia del colonnello comandante il distretto mi volle concedere di visitare quella gran fabbrica. Mi accompagnò per gli anditi e le casematte, e lungo le buie infilate dei cunicoli, dove la paura e la tenebra hanno domicilio: poi sugli spaldi, risfolgorati dal sole. Vidi i monti, le brune arature dell'autunno, i tre colli, Castelvecchio, Sant'Onofrio e Bazzano, da cui la città pareva germinata e discesa.

Scendono, le vecchie mura, a porta Rivera, alla valle, nel momento che l'opposto contrafforte di Monte Luco più la rinserra, cupo della sua selvetta di pini. Lungo la valle decede languido il fiume, fugge, il binario, con rimandi argentati nel sole, ch'è al mezzogiorno. Tutte le dolci immagini dell'autunno paiono tremare nell'umidore, che la tepidità della terra viene esalando: e i popoli commisti dei salci, degli olmi, dei pioppi hanno lungo le rive loro stanza serena, lambiti dalla lucida acqua alle piante, e da sbuffi, alle chiome, di fuggente vapore.

In altro luogo, affisando i Vestini,[4] la cintura federiciana è ridotta a passeggio pubblico, con balaustra romana e cesarea: dà verso levante: fulgida la prima ora, grandi e torpide l'altre, sul clivo che discende poi all'Aterno, con mandorli di rada ombra, scarmigliate viti. I monti e le nevi lontane sono scena, e altissimo coro. Bianche galline, con creste di corallo, beccano, sperdute nel ronco, non so quali chicchi, o acini, o vermiciattoli: come destandosi, a ogni spicco del collo, da una sonnolenza tepida, dalla scarfagna[5] della stagione e dell'ora. Si lascian vivere, direi. O magari meditano invece l'ovo di mezzogiorno, molcendo con qualche acino ebbro la gola, provandola e riprovandola, aggiustandola, in un chioccolìo sordo, alla disperazione e alla gloria. Che, divenute esigue le ombre, irromperanno nell'ufficio anagrafe, a un tratto, dalla scaturigine meridiana dei coccodè.

Così arrivo finalmente, dopo due giorni e due notti, a Santa Maria in Collemaggio; ch'era la meta.

Le tre rose ad occhio, dal musaico del fronte, mi guardano con la limpidezza d'un pensiero giovanile. Una mano divota le ha colte, ne ha rifiorito, con l'alba, tutta la purità del disegno che si distende sul piano di facciata.

Paramento gaio e solenne, intessuto de' due colori della rupe, il rosa, l'avorio: essi mi dicono chiare acque dai monti, che la Madonna sfiora, o tacitamente percorre. Apparita alle più pure anime sotto la stillante rupe e la selva, nella cenere antelucana, nel fulgore de' gaudiosi mattini.

La coda del serpe è vanita, frusciando, nelle crepe abominevoli della tentazione: e poi la luce le ha chiuse: solo i giacinti sono rimasti, perché Tu li cammini! sulla chiarità della terra.

Perlato e rosa, o cinereo come il volo dei colombi, ecco mi si annuncia, disceso sopra le selve, il mattino; m'indugio in quel cielo ancor così fievole dove s'è smarrita la stella, donde la rosea nube fa vela, scioltasi verso l'oro e l'azzurro: si porta i miei sogni: e la misericorde preghiera della notte. Che ha pregato per me.

Vacava, il Collegio a sue cure, dentro Perugia; posava l'Angioino in bellurie e in un sollazzo grandissimo a Lucca, con Carlo Martello suo figlio. Quando si mosse, propagata per mezzo l'Appennino, una voce: e la dicevan tutti che fosse voce antica e sicura del calavrese: Giovacchino da Fiore,[6] dotato di profetico spirito:[7] «Dopo che la Sedia era da due anni vacante, papa sarebbe fatto, nel giorno di penitenza e di gloria, chi fosse venuto dalla selva e dal duro monte Appennino, scalzo, cibato d'erbe, avendo contemplato le nevi, levatosi in eterni pensieri».

Al dì quinto di luglio dell'anno di nostra salute 1294 il cardinale Ostiense fu primo a dar voto aperto a quel santo romito della montagna del Morrone: ch'è nei Peligni, e nasconde la Maiella ai borghigiani di Pràtola.

Quando poi, sul finir d'agosto, si fecero per comune accordo a volergli imporre la tiara, e il gran manto, volle, il vecchio, che ciò accadesse davanti l'Aquila, in questa sua chiesa di Collemaggio consacrata a Maria: ch'egli aveva fatta in un lustro, con limosine grandissime, coi giovanili pensieri dell'eterno.

Mutarono, con gli accadimenti, i pensieri degli uomini. E l'Angioino e il Gaetani[8] concordi nello statuire di dover togliere di quelle povere spalle quel manto, che cinque mesi prima vi avevano sì gloriosamente imposto: fra la esultanza di duecentomila fedeli. Addì 13 dicembre di quell'anno medesimo l'ottantaquattrenne Pietro del Morrone, in soglio Celestino V, fece quanto bastò per arrivare a guadagnarsi, davanti il secolo, l'oltraggioso motto di Dante.

Ed è fulgido, sopra i monti, il mattino, sopra le foreste e l'acque, le abominazioni e i peccati: davanti la solitudine della rupe stillante. L'ululo dell'inverno, come un lupo, camminerà sui giacinti: e il serpe, da primavera, cambierà sette volte la pelle. La chiesa dal disegno purissimo, nel solitario colle, apre le sue porte ai giacinti: vi rubò argento l'Orange, due secoli e mezzo prima che rubassero dell'altro in San Bernardino, rubò argento alla tomba. Lasciò le ossa. Quelle ossa, dopo spogliatele del mantello, le aveva già chiuse il Gaetani, murandole, nella rocca di Alatri.[9] La chiesa le accoglie davanti Maria con la salvata memoria del destituito, che la voce del suo popolo vindice chiamava agli altari, superando l'oltraggio.

NOTE

1. *dal bisunto*: dal portamonete bisunto.

2. La modellazione e la scultura dell'oggi (o dell'ieri?) esibiscono piedi e caviglie di smodata grossezza, mentreché l'osservazione diretta della natura sembra aver proposto all'autore esempi non pochi di caviglie sottili e di piedi regolari, e talora magri e vivi nella corsa e nel salto. (Bagni, palestre: e simili osservatorii).

3. Francesco Ariscola; non già Silvestro, detto Silvestro dell'Aquila, che operò intorno al 1500.

4. Cioè per chi guarda nella direzione dei Vestini.

5. *scarfagna*: indolente sonnolenza: fiacca con desiderio di far nulla (dialetto umbro).

6. Nato a Célico presso Cosenza nel 1129, Gioacchino fu monaco cisterciense (forse dal 1177) e abbate di Corazzo. Dipartitosi dai Cisterciensi, istituì nel 1191 il romitaggio indi monastero di Fiore, oggi San Giovanni in Fiore nei monti della Sila crotonese. Diede ai suoi «florensi» una regola più severa e li educò a disciplina più aspra (delle cisterciensi) in direzione poveristico-ascetica, affisato nella certezza di un «divenire» storico, di una continua perfettibilità del sentimento e del vivere cristiano.

7. La voce, per vero dire, s'era mossa da tempo. A Gioacchino da Fiore spetterebbe di aver profetato l'avvento del francescanesimo o, in genere, una ascesa della spiritualità cristiana in Italia. La diceria riguardante l'elezione di un papa povero e santo rientra perfettamente in quest'ordine di precognizioni del calavrese: anche se il guadagno, all'atto pratico, non fu tale da aver meritato il lusso d'un vaticinio. Esegeta dell'*Apocalisse*, Gioacchino vide la storia come un succedersi di ricorrenze, quasi un Vico avanti lettera. L'aggettivo « profetico » è notoriamente il dantesco di *Paradiso*, XII, 141, nella presentazione di san Bonaventura.

8. L'Angioino è Carlo II lo Zoppo, spentosi a Foggia Carlo I suo padre il 7 gennaio 1285 nel terzo anno della guerra dei Vespri. Il Gaetani è Benedetto Gaetani da Anagni elevato al soglio dal conclave (Napoli) il 23 dicembre 1294, col nome di Bonifazio pontefice VIII. La rocca di Monte Fumone presso Alatri era possesso venutogli dalla madre, Emilia Patrasso. Per referenze su papa Bonifazio non bisogna rivolgersi all'Alighieri: « Se' tu già costì ritto, Bonifazio? »: ove per « costì » è da intendere, nel fondo della terza bolgia, l'orlo del pozzetto affocato nel quale papa Niccolò III è fitto a capo giù: e sventola di fuor dal pozzo le piante dei piedi, fiammeggianti e sfavillanti come carta unta che bruci. Niccolò III « piangeva con la zanca », cioè agitando le gambe nel brucio, in attesa che Bonifazio VIII discendesse ad Inferno e prendesse il suo posto: 13 ottobre 1303. Il predecessore (sul trono papale e nella simonia papale) sprofonderà più addentro e più giù nel meato o nella crepa della roccia, lasciando a sgambettare il successore. Piedi nel luogo della testa. Piedi che sfiammano in antitesi alla fiamma dello Spirito che, al conclave, si accende sul capo ai votanti.

9. *murandole* è iperbole: vale « chiudendole, a Napoli, in sede o in cattività provvisoria ». *Ossa*, data la estrema vecchiezza del poveraccio. Il dimissionario se non dimissionato Celestino V, ridivenuto Pietro della Montagna del Morrone, si sottrae a tutte le ambasce di quella residenza forzosa e fugge (a 85 anni!) da Napoli: ripara nelle Puglie. Si mette in mare, prega la Madonna in ginocchio: e scioglie verso lidi più salubri, cioè meno gaetanesco-angioini. Costretto a ripigliar terra, è catturato a Viesti nel Gargano e consegnato agli emissari

del Gaetani: che lo chiude nella rocca di Monte Fumone, presso Alatri. Ivi l'ex-papa decede spontaneamente il 19 dicembre 1296, in età di anni 87.

Puoi leggere nel Muratori (*Annali d'Italia*) il racconto del pontificato di Celestino V (luglio-dicembre 1294: ma la consacrazione il 29 di agosto, all'Aquila) e tutta la paurosa vicenda delle dimissioni forzate. «... Il buon pontefice sì per la sua decrepita età, come per la sua inesperienza, era tutto dì ingannato da' suoi uffiziali nel dispensar grazie e conferir le chiese...». E Jacopo da Varagine, arcivescovo di Genova, nota com'egli fece molte cose «de plenitudine potestatis» e le rimanenti «de plenitudine simplicitatis». Aggiunge poi Ludovico, con quel suo modo di dire per negare: «... Puzza di favola ciò che alcuni lasciarono scritto, di avergli il suddetto cardinal Benedetto Gaetani, che fu poi papa Bonifazio VIII, di notte, con una tromba, come se fosse venuta dal cielo, insinuato di lasciare il pontificato...».

A un povero vecchio di 85 anni, cupido solo di rosicchiare del radicchio o biasciar cacio e polenda nel montanino romitaggio! venerata la Madonna, dimessa, nonché la tiara, ma l'intera congrega camerlenga e il ceremoniale papàtico! impaurato da morire al sentir le grinfie del diavolo che lo tiran giù per i piedi! a un prigioniero di tutta quella politica e di tutto quel risucchio, angioino e gaetano, fargli mugghiare un trombone da un buco del soffitto, la notte, nel buio: «Celestìnoo! Celestì-nooo! repéntete del tuo peccà-too! lâa-scia la sòodia!». C'era da restarci secco. Quella testa di papa di montagna principiò vagellare, nulla più la fermò: aveva l'aria di dire «sì sì sì, la mollo» poi «no no no, non la voglio». L'Alighieri ha travolto il Morrone fra gli «ignavi» (inerti nello scegliere) che danna a correre a cerchio nell'immenso vestibolo dello Inferno dietro una insegna che non posa, dacché al mondo non hanno seguitato parte o bandiera. A cose fatte, a eventi consunti, a grane faraonizzate nell'eternità, il poeta (e profeta «à rebours») esigeva troppo da' suoi morti, da' suoi papi.

VERSO TERAMO

Al passo delle Capannelle ha principio o fine, secondo chi vada, una lunga bocca montana, sui milletré circa: donde, andando ad oriente com'io facevo, saluti rivolgendoti i colli, le acque, i campi signoreggiati dall'Aquila: che porta, negli occhi, la spera fulgidissima del sole. Se quelle terre le lasci, tu allora ne rimpiangi, dico da quell'altitudine e da quel valico, i nobili marmi, di mano di Francesco Ariscola e, posando, pensi: «Addio, bel ducato! con antichi argenti per la tua Croce, che ha gemme, lungo i cammini della neve, di turchesi rare, e faville: e ha stille di sangue in rubini!». Oh! il monte ora è freddo, è povero ed aspro. Neppur la capra vi vedi, nella gola del silenzio, non un pastore, non un capanno: la cantoniera è lontana: né il fischio, vi odi, di chi ti poteva chiamare con quel saluto. Poc'anzi i folti dei pini, nere falangi all'assalto, ci avevano accompagnato verso la solitudine: giovani e tozzi, come una fanteria compatta de' Marsi e degli Apuli, all'assalto del monte. Le brigate forestali ne propagano la disciplina sull'erta, sulle calve piagge: il vento, ne' suoi subissi, prorompe contro le centurie affiancate.

Quella gola recide, ed è un taglio assai netto, la doppia catena del Gran Sasso dai minori gioghi dell'ovest. La strada poi ridiscende, con l'andatura e l'ampiezza maestra che le conosciamo e bianco-neri segni dai margini, verso chiarità celesti, presagio dell'Adria, e brune o rosse terre. Gli uomini sono lontani. E ne deduce la gravità sola, mollemente, in direzione del mare, con cuscini scarlatti sotto la nostra agiatezza, spento il motore.

Da questa sassonia dovrebbe spicciar l'acqua, che poi diventa Vomano: pure, non dà notizie di sé.

I miei pensieri sostano, al valico, in una intensità dolorosa: lo squallore del deserto monte m'ha oppresso, le sue schegge! come rovina e fragore di gastigo sopra l'esile modo della vita, sopra il mio difficile andare. Rivedo il Patini, al riverbero della sua montagna la durezza del vivere, o il giallore e la febbre, che la morte ha spento: o l'amore e la verità, germinati dallo stanco e pur desiderabile viso delle donne, dalla miseria delle fascine come soma portate: quando un altro peso vorrebbe chiedere, per sé, ogni sostento. L'eredità eroica della vita e della pauperie discende d'anima in anima, di evento in evento: sull'ammattonato è la creatura a vagire, inconscia entro i cenci, presso la immobilità spenta e distesa del genitore: i cui panni hanno il color della febbre, il volto ha il colore della morte. «Bestie da soma», «l'erede», «vanga e latte»: i noti titoli della trilogia.

Fra convalli e silenzi, nel saliscendi continuo e nelle svolte della docilissima strada, corriamo ora il passaggio dal Vomano al Tordino. Bosco e bel cielo mi delizia sotto cui vadano i sogni con l'autobus: e quasi anche la fuga dei cavalieri, e delle donne di bianca gola, al trotto, con zendadi e perle sui raziocinanti cavalli, nei sentieri quadrupedati della foresta. Geme ivi forse la fontana incantata, dove bere è perdizione, e l'altra, dov'è salute d'amore. Teramo venne, dopo i borghi e i lumi della valle; entrativi a notte, quando già vi passeggiavano gli ufficiali del presidio e della tutela con tutta la gente, e dal bar della piazza, sotto il bel portico, s'intravedeva in un elisio di luce a girar manopole d'ebano il garzone a tutto vapore, d'attorno la cattedrale nichelata degli espressi.

E non immaginate quanto ami vecchie coltri bonarie dopo ogni giornata del mio vivere, e lo strapunto rosso coi fiocchi: non la rete metallica io voglio, sotto il materasso: perché la malvagia m'insacca: voglio il quarantottesco elastico a schiena d'asino con le molle a spirale, di cui germoglia la gratitudine, la preghiera, il buon sonno.

E, alla locanda del Giardino Incantato, ce li trovai.

Un'oleografia della Madonna bleu mi accompagnava, disteso in quella nuova sicurezza, verso il perdono e l'oblio: nel mentre che un ronzio dolce de' timpani aveva principiato a fasciarmi il pensiero, iniziatosi il viaggio notturno della mia zucca.

Sulla mensola del caminetto di marmo finto era un candeliere d'ottone con copia di zolfanelli, per buona riserva all'elettrico. Il pulsante della pera di maiolica che per errore premetti e continuavo a premere in luogo della luce, non dava suono: continuava a tacere. Oh! sovvenente grazia! oh, angeli candidi! E voi, essenze della cherubica luce! Voi, di certo, avete pregato per me. Non suonavano neppur quelli degli altri. Nessun campanello suonava, in tutta la locanda del Giardino Incantato. Nessuno, al tocco dopo mezzanotte, poteva insevire tutt'a un tratto sulla pendula pera, nessuno, alle due della tenebra, poteva pretendere « una brocca d'acqua calda! ».

Dunque era dolce, era sicura la notte. L'acqua calda non sarebbe stata troppo fredda, secondo il solito: così la squilla non avrebbe reiterato il suo nobile imperio.

Tutte le mosche erano imbalsamate per sempre. Il sonno dell'eternità le teneva appese al soffitto, cioè quelle dieci o dodici ch'erano potute arrivare all'empireo, pieno di glicine e di convolvoli. Di bautte, di timpani, di nastri celesti. La camera era colma del suo silenzio: batteva quieta la luce sui muri bianchi, scialbati a calce: la trecciuola de' conduttori li percorreva rattenuta da minuscoli isolatori di porcellana, che son detti, nei cataloghi, isolatori Milano. Due s'erano staccati dall'intonaco ed era lei a doverli reggere.

Il cassettone di noce, così muto e sanfedistico in sul primo levarmi il cappello, si benignava ora via via di emanare un suo vecchio e domesticissimo spirito, a mano a mano che m'assuefacevo all'odore, fra quella suppellettile del dolce silenzio. Era un odor buono del tempo, tarme, ispessi panni, lini e fiore di lavanda: mille bruscoli e briciole tenevano ancora, in profondo, i cassetti, quasi polverizzate ossa. Le pietose ossa dei lari.

Gli antichi padroni di quel mobile dovevano aver vissuto agiatamente, signorilmente, da giureconsulti e da fabbricieri del duomo: poi, forse, mutati gli anni del secolo, da liberali con prudenza: forse lo avevano venduto per quindici lire al bisnonno dell'attuale proprietario, essendoché bisognava loro del tamarindo e le ultime pasticche d'ipecacuana, poco prima dell'Olio Santo.

ANASTOMÒSI

Al di là del vetro la Sanità bianca ed immune. Disteso da due minuti sul lettino operatorio, quel corpo inerte sarà oggetto della perizia dei soccorritori. Scevro di ogni sovrapposizione della civiltà. Inetto a rappresentare il grado e la condizione di ieri: spoglio degli indumenti distintivi, pelliccia o tabarro, di che lo stato sociale o i meriti o l'arte o l'ingegno o i risparmi o la tecnica dell'abbigliamento e dell'adulazione potevano averlo addobbato, nel giorno di sua totale facoltà. La sola cartella clinica enuncia, quasi incidentalmente, se il lettino a ruote ha introdotto nella sala un falegname o un senatore, un presidente di anonime a catena, o un facchino dello scalo merci.

Carpiani, con estrema cortesia, mi affida a uno dei signori chirurghi suoi collaboratori presso la clinica universitaria. Assisterò a un intervento del maestro, forse a più d'uno, da quella specie di teatro anatomico in soffitta che è un'aula buia (necessariamente) sopra e tutt'attorno il velario di cristallo della sala operatoria.

Il chirurgo mi potrà suggerire il nome delle cose e degli atti, il loro fine, le modalità più perspicue del processo.

Ma una sospensione, un breve tumulto del mio sentire attardano l'inizio dell'indagine. Quando lo sguardo discende nella camera della luce, bianchi esseri vi si muovono: con brevi percorsi, dentro un tempo silente. I moti, e i gesti preordinati, subito si spengono nel loro limite. Crederei di riconoscere in una cella o in un ipogeo strano dei defunti secoli egizi gli esecutori imperterriti di una imbalsamazione, che operano sulla salma del re Amenhotes gli atti inconsueti e indicibili, e tuttavia necessari, della consacrante pietà. No. Non Amenhotes né Rahotpe II è disteso nelle sue fasciature di bisso, dopo la prolungata salatura adattatosi a ricevere da freddo gli estremi serviziali di soda caustica, a lasciarsi laccare con balsami toluolici il volto purificato dal sale, affilato: poi con il tepido benzoino dell'eternità. Un corpo d'uomo steso, col capo celato come da un paravento, da un tettuccio bianco ed emisferico di culla ma rivolto al contrario, che gli vieti di guardare alla propria eviscerazione. Tutto il rimanente è coperto di tele e potrebbe credersi fasciato; salvo che la piana superficie dell'epigastro appare nuda, a principiare dall'umbilico e insino all'affossatura sotto lo sterno: tinta d'un color zafferano che al primo percepirlo avrei detto d'una lividura di peste o d'una intumescenza pervenuta a maturità chirurgica, o d'uno stravaso biliare dell'immoto e indifeso. Una mano di tintura di iodio, in realtà, dopo la depilazione e il lavaggio preventivo con alcole. Enormi aghi, ecco, vengono introdotti sotto la pelle così pitturata, ma tenuti, come è ovvio, in superficie di questa, o appena poco sotto il cutaneo: e allora lunghe grinze e pieghettature della pelle, ogni volta che l'aguglione temerario vi s'infila: onde e grinze normali alla direzione della punta. E l'ago avanza, avanza, perforando il cutaneo, fino a raggiungere, avrei pensato, il groppo cocleare dell'umbilico. Gli esseri del silenzio bianco, ora vedo, hanno tra mano siringhe di volume ben superiore alle solite: in toto 160 centimetri cubi di liquido vengono immessi tra pelle e muscolo, di un corpo già mezzo stupefatto nell'oppio. Sono iniezioni di percaina, l'anestetico d'uso, e di adrenalina, il vaso-costrittore che impedirà l'emorragia. Trattandosi di una resezione del duodeno e delle conseguenti suture, fra cui quella che allaccerà lo stomaco all'ansa del tenue, non è possibile ricorrere all'anestesia eterea: che procura notoriamente, al risveglio, conati di vomito e contrazioni varie del gastrico: tali da poter compromettere il nuovo e artificioso collegamento degli organi e l'ottenuto rappezzo dei tessuti circostanti.

Carpiani, ecco, entra nella sala. Alto, con un passo leggero ed elastico dovuto forse anche, in parte, a speciali calzature di gomma, quasi venisse appena da un bel campo di tennis: si spoglia della veste bianca, a zimarra, e appare in maglietta come chi ha caldo, in casa propria, di luglio, e può permettersi i propri comodi. Già si è lavate le mani, di là, mi avverte il mio suggeritore: a lungo, in acqua tepida, con del sapone, con degli spazzolini detersivi: ma ora se le lava e rilava e le tiene immerse nell'alcole per una diecina di minuti. È strano: il gesto della indifferenza morale vien compiuto con la sollecitudine serena di chi ha preso conoscenza dei fini e dei mezzi, con la pacata insistenza della ragione. Il gesto dell'antico procuratore di Roma perde l'antico senso e divien l'atto iniziale di una prammatica vigile e sicura del suo processo, il modo proprio di chi ben sa e benignamente provvede, ed escluderà il male dalla tenebra corporea e dopo gli esatti minuti vi ricomporrà le ragioni della vita.

Una infermiera porge il camice, la cuffia, la maschera: e poi i guanti di gomma. Egli li infila, certo con una lucida nozione della loro consistenza velare: la sua mano, per immunizzarsi e lasciare immune il paziente corpo, accetta di perdere un millesimo della sua sagacia, della sua implacata perizia. Eccolo diventato una bianca fantasima: dignità di un intelletto rivestita di un bianco camice, imbavagliata, incuffiata: da cui si spiccano le due braccia e le mani paurose, inguantate di guttaperca, ad osare ogni incredibile momento. Lunghi anni d'arte e di studio si radunano nei magistrali minuti, sotto l'esile scafandro di questo palombaro sterilizzato.

Una piccola suora bianca responsabile della sala: autoclavi e teche di cristallo, di nichelio: due crocerossine incuffiate, imbavagliate, a una estremità del lettuccio operatorio, da piedi dell'inerte: presso una sorta di vassoioponte, che sormonta le gambe: ivi l'avanguardia dei ferri. Poco più su, a metà circa della figura distesa, l'assistente ai ferri e l'aiuto: di faccia al professore che dall'altro lato è solo, e ha infilato a sua volta guanti bianchi di filo, sopra quelli di gomma. Un quarto medico è seduto come ad uno sgabello presso il capo del malato, al di là del breve paravento di tela che vieta a lui di poter scorgere gli atti dei risanatori e le rosse e secrete parvenze di se medesimo. Il medico sembra sostenere quel capo, quasi con la carezza magica e sacra di chi voglia infondere lo spirito di vita nella forma giacente: la quale rasenta, forse, buie probabilità. Con una mano (mi dico) sarà sul carpo del prostrato a guardia del polso.

Un altro col camice, quasi al limitare della stanza, legge a Carpiani una breve allocuzione di cui non odo parole: la cartella clinica. Sospeso alle strutture portanti del velario, il riflettore proietta sugli incamiciati la lucidità cosciente di un sistema preordinato di compiti, la nozione preventiva degli atti ardui, che si dovranno sicuramente perfezionare.

Discendo ora nella sala: a mia volta candido, secondo il giusto rigore delle prescrizioni. Alcune diapositive radiografiche sono sospese alla parete di vetro, patenti alla veduta di chi opera: le anse del duodeno vulnerato. Il maestro senza parole ha stretto la sua penna tagliente, lucidissima.

Una incisione diritta nel tavoliere color zafferano, dall'epigastro fino alla regione dell'umbilico. Piccole stille rosse a puntuare la percorrenza del bisturi, direi senza seguito: l'adrenalina! Si palesa uno strato bianco, il connettivo sottocutaneo poco prima anemizzato, che ulteriori incisioni dischiudono fino a lasciar dilatare la ferita in una apertura a doppia ogiva, con labbri di più colori sovrapposti, dal sanguigno al cereo. Ed ecco, al mezzo, il viscido rosa del peritoneo. I margini della spaventosa losanga trasudano la loro breve pena vermiglia, subito detersa con le garze dal chirurgo aiuto.

Ed ecco la precisa lucidezza delle forbici a penetrare e a dividere quel foglio roseo, sieroso, teso e quasi inturgidito dalla pienezza de' visceri che tuttora cela e contiene. È il baleno d'un atto consueto all'operatore sopra una nudità increduta, interna alla nudità formale a noi nota. Permette al secondo di introdurre le sue dita guantate di filo nella cavità gastrica e di « esteriorizzare » lo stomaco; le cime bianche dei diti si raccolgono e paiono scivolare alla presa; prendono; traggono; estraggono; si fanno di porpora. Dopo il sàcculo biancoroseo altri visceri ancora, mi sembra; e ancora le forbici: forse la prima ansa del duodeno. Forse il bisturi e i primi allacciamenti.

Vedo ora sullo stanco sàcculo tutto avvolto dai mesi il violaceo dei vasi sanguigni, le loro suddivisioni e moltiplicazioni: come radici e barbe d'un'edera d'un color vinoso: che mi potrebbero atterrire se non sapessi. L'arteria epiploica destra, la sinistra, ancor turgide, contro mia fede. Gocce improvvise quando agisce il bisturi e prepara alla resezione la superficie, la esteriore. E le pinze di Kocher subito appuntate alle vene, alle arterie, come lunghe ed esili forbici, in apparenza, ma si chiudono in un battente piatto, dentato: una piccola morsa: a stringere i vasi recisi, a precludere ogni seguito di emorragia. Altri vasi vengono allacciati, con lo spago di porco. Una raggiera di pinze color dell'acciaio lucido in sembianza di forbici trattenute per la punta si costituisce a poco a poco tutt'attorno la grande ferita gastroaddominale e fuor d'essa, con i lor gambi e gli occhielli riversate indietro, sopra i telini e le garze che ormai celano, e ad un tempo proteggono, i margini della spaventosa effrazione. Solo qua o là, e d'un caso, quei lini si invermigliano: per una spessa goccia; o in uno struscio purpureo. Così, zavorrato da questo ricadente peso, e sopra un nuovo appoggio di garze, si beve la sua luce falsa d'una mezz'ora il molle e viscido segreto della costituzione: rosa pallido, rosso, bianchiccio, con qualche frustolo gialliccio, e la trama verdescura o violacea dei vasi sanguigni fuor dal laberinto dei mesi, d'attorno la inanità dello stomaco.

E il calmo chirurgo sembra indugiare in un cerimoniale. Ecco gli atti necessari, le escogitazioni d'una premeditante prammatica. Già una speciale pinza, il gastroenteròstato, i cui battenti sono mollificati da una doppiatura di gomma, ha stretto e però precluso la metà dello stomaco. Il malato è steso su di una lastra di piombo, non incapace alla conduttura dell'elettrico. E con un crepitio breve e alcune briciole violette alla punta, il resettore elettrico, quasi matita nuova dei tempi, incinerisce rapidamente il tessuto del duodeno: questo mi par di udirlo a friggere durante i pochi secondi dell'opera sul molle cumulo del rimanente cinabro, che s'affida ora ai telini e alle garze, come un intruglio molliccio, frammezzo a gli occhielli sventagliati di quel lucido.

Rapida e pressoché inavvertita la cucitura del duodeno: il quale, nel suo tratto inferiore, è legato inscindibilmente alle rivestiture, ai dotti, alle funzioni del fegato, del pancreas: e seguiterà così a dover accogliere gli indispensabili secreti delle due ghiandole; permarrà dentro i laboriosi confini e i giorni certi del corpo, tuttavia prestandosi alle fatiche obbligative del chimismo enterico; né in alcun modo potrebbe venirne estromesso.

Dopo la resecazione del percorso gastro-intestinale ha inizio la fase di ricomponimento, riallacciamento. Si vuol collegare lo stomaco, rimasto senz'esito ancora per un poco, all'ansa digiunale dell'intestino (tenue): il moncone del duodeno, tutto preso dai lacci del vicinato, si comporterà come una derivazione cieca, appendicolare, immettendo nel tenue quanto suol ricevere dal pancreas, dal fegato: per altro, senza esser più percorso dal chimo. Questo far «risalire a monte» il tenue per collegarlo direttamente allo stomaco ricostituisce la continuità della percorrenza gastro-intestinale e segna la fase ardua, e poi conclusiva, della operazione di raccorciamento. Il chirurgo la suol denominare «anastomòsi»: ed è linguaggio mirabile, questo che gli elleni dalla eterna parola hanno potuto concedere, dopo secoli, alla necessità evidenziatrice delle scienze.

Le forbici, ancora, aprono il giallo rosato (di un meso? di un foglio peritoneale?), ma più giù, come un'àsola nella viscidità sacra di ciò che è «io primo e pensiero in subordine». L'aiuto, sagacia pronta, co' suoi bianchi guanti dai diti scarlatti, si dà a premere e ad esprimere un qualche cosa da quella scombinata mollezza, quasi offrendo al chirurgo la intimità preveduta e cercata e finalmente raggiunta di un segreto frutto. Il diritto chiudersi delle forbici ha aperto una finestretta in quel foglio rosato del peritoneo detto mesocòlon: e l'ammasso molle dell'intestino, o almeno d'un'ansa, ne viene pizzicato fuori da due o tre dita dell'operatore, protette adesso di sola guttaperca: viscida come la cosa che esse trattano: fuori, fuori, fuori! il pallore molliccio. E vedo ora le dita infaticabili smistare, smistare con una sicurezza paziente, le anse flaccide: e trascegliere da quel cumulo informe di entraglie quella ch'egli ben conosce, predestinata al soccorso: cioè l'ansa digiunale. Ripenso povere interiora d'altri esseri, altrove nella funebre luce coloràtesi. O mi parrebbe di considerare il ciarpame delle cose molli revocato a schema nelle fantasiose tavole notomiche dello *Anthropologium* hundtiano, nei gratuiti nodi di fettuccia del *Philosophiae naturalis compendium* peyligkiano, piuttosto che nei disegni veridici, mirabilmente patenti, del disegnatore e notomista Leonardo: che il groviglio dell'anse intestinali ha saputo ritrarre in bellezza e in rotondità evidenziante, e quasi nel vigore del travaglio, turgide di un ragionevole accantonamento, gonfie di loro adempiute prestazioni. Qui direi d'una natura decaduta, d'un budello dalla sua sanità tronfia ringaglioffito a miseranda vecchiezza, se non ricordassi che il digiuno preventivo e la purgazione e l'adrenalina e l'oppio lo hanno di tanto afflosciato, sminuito: da ridurlo a meno ancora che il sufolato pneumatico d'una bicicletta, quando di sotto ruota o coperta lo cavano a vedervi il guasto, dopo la bulletta e lo sparo.

I visceri venivano presi ed estratti come una sequenza informe di molli enigmi (per me), che i colori rosati, e rossi, e biancastri, e giallicci, mi dicevano appartenere all'attività prima e centrale della natura vivente. E questa non geometrica espressione dell'io vivo, già plasma, e negli anni organato da una «idea» differenziatrice (tale sembrò nella immagine), l'operatore lo solleva d'una sua mano sopra le garze e la raggiera delle pinze, lo «esteriorizza» nella chiarità dell'elettrico, frugandovi, frugandovi, come a volervi scoprire una qualche ostinata reticenza, una simulazione pervicace, antica. Rigattiere dal bavaglio che cerca una moneta dimenticata in una vecchia veste frusta. Le dita ironiche sembravano palpare la frode. Ma non una goccia ne ricadeva, della calda porpora. Palese, a lui ed ai suoi, nella celere veggenza degli atti in una lunga scuola ammaestrati, l'intimo e insostituibile dispositivo della organicità; che si rivela invece così sconvolto, informe, superfluità rossa ed inane, o anzi miseria d'un pupazzo sbuzzato senza battesimo, alla mia cognitiva d'ignaro d'ogni antropologio e groviglio, smemorata di lontani studi, scarsa, incerta.

L'ansa digiunale deve esser congiunta allo stomaco. L'emostasi mediante allacciamento viene ripetuta ovunque occorre: attimi di poco sangue in una operazione incruenta.

Il gastroenteròstato che aveva chiuso la metà dello stomaco è sostituito da un altro: più proprio, mutata la fase del processo; un altro ancora, assai piccolo, stringe il tenue. E di nuovo la matita dalla strana anima frigge con brevi briciole violette delle sue scintille sul tessuto vivente, a reciderlo, a cauterizzarlo. Opera sullo stomaco (e poi agirà sull'ansa del tenue, ricavandone come una finestretta longitudinale). Il tratto del gastrico che già era stato resecato dal duodeno, si libera ora, dopo quest'altro taglio, dall'appartenere al sistema esofagèo: se ne stacca: con la pinza, vien buttato alla bacinella: come potrebbe farsi d'un rifiuto di cucina; e la suora dai rapidi passi asporta la bacinella verso i laboratorii e la indagine.

Il chirurgo indi abbocca (termine tecnico) le aperture così ottenute dallo stomaco e dal digiuno: giustappone i loro labbri, dapprima i due labbri posteriori; indi, cuciti questi, i due anteriori. Eseguisce sui primi e sui secondi le pazienti suture della ricostituzione, tra le più ardue della chirurgia, denominate suture di Lembert. Ecco, per ciascuna volta: la sutura siero-sierosa od esterna, tra i due strati peritoneali: la muscolare-mucosa, tra i tessuti interni e proprii dello stomaco e del digiuno. Sui labbri anteriori in successione inversa, ovviamente.

I due condotti, il gastrico e l'intestinale, sono stati tagliati e poi appaiati avendo riguardo a che le lunghezze delle due aperture resultassero a un incirca le medesime: chi ha notizia di sezioni coniche potrà subito intenderne il modo.

A poco a poco, sotto le volute dei curvi aghi e delle agugliate di spago d'animale, ecco scompaiono dalla nostra angoscia due leni ellissi di ombra: si rappezzano l'uno all'altro i due tubi come in un raccorciato indumento, quasicché il misero Arlecchino che se ne appropria sia qui pervenuto, tra i vetri, coi lamenti della disperazione, a mendicare questo estremo rattoppo della sua intimidita povertà.

Sui labbri esangui delle due bocche l'alta figura bianca dell'uomo dal camice e dal bavaglio ha ora impreso a cucire: bracciate lente, distese: allacciamenti pazienti.

Tratto tratto si curva, direi a meglio riconoscere il

punto. Oh! il tempo di sua lucidità e padronanza non è ancora consumato, l'ora dei ferri, delle garze scarlatte, delle pinze, degli aghi. Nel nefando pasticcio della vita «esteriorizzata», stanata fuori dalla sua caverna come preda nell'orrore, l'uomo bianco, adesso, insinua gli aghi. Insinua la punta del suo conoscere imperterrito in quell'ammucchio di trippe flaccide: che solo il rostro o l'artiglio potrebbero aver dilacerato fuori dall'orbe del ventre, dall'otre giallo e repentinamente purpureo d'un ventre di pecora. Quello spago è budello di porco rintorcigliato, com'erano budelli di gatto i cantini delle viole favolose. Gli aghi, incurvi o addirittura semicircolari: quasi filiformi unghie, ma puntute, lucide, d'una fabbrica d'unghie d'altro continente che non fosse questo nostro apostolico: e dietro l'ago uno spago, breve o ricco, secondo opportunità. E l'uomo cuce: cuce lento: ed allaccia. Piccole infermiere immuni, con pinze immuni, gli porgono l'una dopo l'altra le agugliate temerarie, attentissime, per quel rattoppo demoniaco.

Direi che uno sgomento mi sazia: la stanchezza ha intorpidito il mio conoscere, lo ha bendato di desideri lontani e spersi, che aggallano fatui sulla contingenza: vorrei camminare la spiaggia e ribevere l'indaco della marina: e riconoscere i corpi incolumi dei viventi a smemorarsi nel sole. Ma non vi è stanchezza per il soldato, né per il meticoloso chirurgo. L'ora del dovere persiste, nel suo gesto attento. Ricacciate di tra i ferri le genìe invisibili, gli infinitesimali agenti della putredine: respinto, al di là di ogni suo pensiero, l'orrore: che a me stanco sembrerebbe spettro in agguato.

Le dita inguantate di guttaperca ripigliano e trapungono e depongono, come di veste in lavoro o panno, la rosea turpitudine, la mollezza segreta della vita: poi questo operaio bianco, alto, incuffiato e imbavagliato del suo bianco silenzio, cuce e ricuce la vita entro le ampolle molli ed i visceri senza più brama che aveva saputo rinvenire ed estrarre, inani amuleti, fuor dal guasto del loro involucro gemebondo.

Dietro il piccolo telaio che per lei funge da misericorde sipario, una testa di falegname consolata dagli oppiacei ha, d'un minuto in altro, la carezza differitrice del medico seduto allo sgabello.

E il ricucitore, sopra i lamenti stanchi, persevera contro ogni minuto, infilandovi e poi ritraendone le sue curve agugliate: forse ricucirà, forse allaccerà in eterno. La sua dialettica si manifesta nei silenti atti; è un rifacimento biologico, un ripensare coi ferri e con le agugliate la costruzione di natura, un rivolere, un ripristinare la forma. Dalla oscura profondità dei millenni elaboratori del modello, Iddio clemente sembra considerare il travaglio di quella mano instancabile, nella militante disciplina della carità e del soccorso, oltre le vetrate e la guttaperca e il bisturi dei cadaverosi teatri, ferma oggi ad un ricupero senza bassezza: autorizzata da Lui a schiudere l'addome di questo tardo esemplare della specie, a estruderne la interna miseria. Il chirurgo si vale, per la ricostituzione, d'una sua pratica inattuata dall'essere, non presagita da natura. Egli opera con la complicità di natura, al disopra di lei.

Profanando il buio segreto e l'intrinseco della persona, ecco il risanatore ne ha evidenziato lo schema fisico: ha letto l'idea di natura nel mucchio delle viscide parvenze. Sul corpo disteso, disumanato, insiste con gli atti taciti della sua bianchezza: che mi appare quasi alta e muta madre o matrice della resurrezione. Ripenso, delle nostre antiche pitture, sant'Anna, sopra la Figlia, e Lei sopra il corpo illividito del Figliolo.

Il groppo purpureo delle cose viscide e molli, che suol essere la preda strascicata e dilaniata degli avvoltoi, qui nella sterile calura della sala di vetro gli è tra mano, ed è sotto forbici e ago, come lo sdrucito indumento del misero al sartore paziente. Ecco le suture a strati delle pareti del gastrico e dell'intestino, le suture dei fogli peritoneali del peritoneo, i mesi, dal greco meson, cioè cosa interna. Dal greco! Un sacco roseo si sta ricucendo, chiudendo. Aghi semicircolari, piccoli, ampii, d'ogni dimensione: con lucidi rimandi nel gesto: col baffo, via dalla cruna, d'una lor setola ardimentosa, che entrerà nel pensiero di natura. Le immagini orribili, a poco a poco si ricompongono: entro la certezza dell'adempiuto.

Solo allora, come in un repentino allentamento della facoltà interventrice, con un sùbito spogliarsi da sua responsabilità, l'operatore si stacca dal compito. Senza parole, ma per aver buttato l'ultimo ago, Carpiani affida agli aiuti il rimanente dell'opera: la ricucitura della fascia, del sottocutaneo, della pelle.

Sono gli atti lenti e un po' disagevoli di chi rinzeppa del necessario la strettura d'una valigia troppo piena. Ricacciano, coi loro diti, e premono, dentro la capienza ch'era stata dischiusa dal bisturi, l'ultimo e strascicato attardarsi d'una rossa paccottiglia: le rosee bolle e il pallone bisbetico del peritoneo.

Poi lestezza e tiro: l'urgenza riassuntiva d'una pratica ordinaria, non più scrutata dalle pupille ammonitrici del Sapere.

Vengono ritirati i ferri. I punti esterni li appongono col sussidio d'una pinza speciale, che infigge e poi stringe dentro la pelle color zafferano delle piccole grappe, dei fermagli di metallo. E questi allora mi figurano come i ganci cromati d'un corsetto che, dopo trazione e appiglio, sia finalmente pervenuto a poter contenere le carni esondanti. La fisicità molle e indifesa di tutto ciò che suol dimandare un involucro, un tegumento, è chiusa nel suo riabilitato volume.

DALLE MONDINE, IN RISAIA

Dei salici, il più vicino filare lasciava travedere tutti gli altri e lontane allineate di canadesi, che sono pioppi di pelle bianca, quasi argentata, e mettono virgole chiare di là da ogni campo, contro le luci orizzontali della sera.

Cercavamo il conduttore della cascina, quando, di tra un salice e l'altro, le ragazze sbucarono una a una, procedendo poi in fila indiana verso lo spiazzo che antistava l'aia ed il portico. Con cappelli di paglia dalle grandi tese, che alcune però, toltolo, se lo reggevano a mano. Tutto il battaglione delle mondine, reduce dal pomeriggio in risaia. Venivano verso di noi svelte, disciolte, a piedi nudi, con camicette celesti: o così rosse nel volto, da far imbizzire un torello.

Erano accaldate e qualcuna ancora cantava, come la cicala di più lena, superstite al coro quando il giorno cade e si spegne. Per ogni otto o dieci ragazze un giovane dai calzoni color terra, corti al ginocchio, come un accompagnatore: a piedi nudi, si intende: la proporzione è questa, da ragazzi a donne, in risaia: dieci su cento. Parenti o compaesani d'un gruppo di mondine, seguono le lavoratrici migranti: sono i più poveri, e vengono utili non tanto a imitare il lavoro delle donne, quanto a sostentarne lo spirito con una presenza fraterna e maschile nelle solitudini lontane dei campi adacquati; separati e preclusi, a rettangoli, dai salci, dai pioppi.

Le ragazze mi circondarono e domandai ad alcune di dov'erano, ed altre domande: e frattanto le andavo osservando, cercavo di figurarmi la loro condizione, il loro animo. Esse mi parvero stanche, specie le più piccole, ma non esauste. I capelli, talora biondastri, se li ravviavano con una carezza della mano e buttando il capo all'indietro, con un lungo respiro: c'era un bruscolo dentro, o fili di erba, come un segno della terra da cui venivano, su cui campavano.

Chinai la faccia, anche per sfuggire la potente e inconscia allusione della femminilità: vidi i loro piedi larghi, dai diti aperti, che parevano ignorare la calzatura, quasi come zampe terrose: festuche o minuzzoli di lolla vi erano appiccicati: e segnato, ai polpacci, il livello della melma.

Chiesi a una caposquadra, una donnetta mite che mi arrivava al taschino della giacca, se potessimo, senza noia di nessuna, vedere il dormitorio. Salii la scaletta in legno che vi adduceva: e tutte dietro, pigiandosi divertite. Era un ampio stanzone di sottotetto pavimentato a mattonelle, pulito: adibito a granaio dopo le colte, una volta sparite le mondine: tutto occupato dai lettini di ferro, o brande, che hanno sostituito in questi anni i pagliericci di prima. Due volte la settimana creolina o lisoformio. In quell'ora, un odor di panni, bonario e contadinesco, assai meno acre di quello che riscontro in certi tram cittadini, in certi ascensori.

Una seconda caposquadra, energica, ridente, eloquente, ben piantata nella quarantina, preveniva con le risposte della sua lingua le mie mute domande: lettura del pensiero in cascina.

Quei bauli a parallelepipedo, color marrone, col suo lucchetto, come le cassette dei soldati in caserma, erano il guardaroba riservato speciale e il magazzino viveri:

«Vede qua,» disse aprendo una cassa «bottiglie di lambrusco... perché ogni tanto, quando viene la nostalgia del paese... Questo è caffè: e anche quella là ci va matta, per una tazzina di caffè...». «Oggi mi son fatta la crema,» disse un'altra «eccola, vede»: e mi mostrò il fondo di una scodella.

Poi, la caposquadra, che pareva la «reggiora»,[1] squadernò un letto, non appena i miei occhi dimandarono delle coperte, delle imbottite, delle lenzuola. «Vede bene che son nette... e di paglia di riso ce n'è fin che ne vogliamo: ci portiamo ognuna il nostro sacco, e, una volta qua, lo si riempie...»

Ai chiodi, in capo ai lettini, era appeso il guardaroba ordinario: gonne, scialli, vesti: un ordine in quelle povere lor cose.

Una o due, per tutto il dormitorio, sdraiate sul lettino: avevano marcato visita,[2] si affrettò a spiegarmi la donna: necessità, non capriccio.

Mi meravigliai che i lettini fossero per lo più congiunti due a due, come letti maritali. Le ragazze amano la compagnia d'una sorella, d'un'amica; forse gli pare più pronto il soccorso in caso di bisogno, o è per intimidire, a due a due, il lupo mannaro... Ma soprattutto è questione di lenzuola e di regolazione del calore. Come in famiglia c'è più letti doppi e lenzuoli doppi che semplici, così fanno anche qui fraternamente: e si dividono la fornitura di biancheria: tu porti un lenzuolo e io un altro.

Poi mi giurarono e spergiurarono che alle nove sono tutte a letto, che nessuna salta la barra[3] o rientra al tocco, per andare lungo i salci e i fossi, nottetempo, dove cantano i grilli, dove singhiozzano le raganelle al pantano. «Certo... la domenica... siamo giovani...» dissero «ci piace ballare».

E un organino le impazza: ballano con le compagne, o con un ragazzo di quel dieci per cento, che si son portate dietro dal paese in ricordo dell'altro sesso. Ballano, le più ardite, le più fortunate, con qualche giovanotto del paese più vicino: fanno chilometri in bicicletta, per un ballo con un giovanotto: con quello dell'altr'anno, e, poi, con un suo cugino, che è ancora più simpatico ed è appena tornato da soldato.

«Abbiamo vent'anni...» mi dissero.

«Anche tu?...» dissi a una biondina.

«No, io ne ho solo quindici, ma... so ballare lo stesso...»: e tutte risero.

«Addio ragazze:» dissi «mi spiace di non poter ballare con voi... e certo non mi vorreste...».

«No, no!... lo vogliamo... lo vogliamo tutte!».

Poi proruppero in un applauso improvviso, che mi sconcertò. Il battimani, nella penombra del dormitorio, raggiunse un tono di commozione inspiegabile. «Evviva!» gridarono alla fine, come se con quel grido volessero concludere un lungo discorso, che non s'era fatto in parole. Erano a piedi nudi, stanche, lontane da casa, dopo una giornata a schiena curva, nell'acqua. Ci avevano applaudito in ragione dell'interesse dimostrato loro. Forse, ma non tutte, ci avevano ritenuto degli ispettori sindacali.

Disceso poi dov'era fuoco sotto le marmitte, vidi come le piacentine facevano la loro polenta con i fagioli: è una polenta che dura delle ore a cuocere, difficilissima da spiegare. La disdegnano le cremonesi mangiatrici di minestra, e la ruggine fra il riso e la mèliga non accenna a sparire. Così la razione base viene corretta secondo i desideri delle squadre, mediante accomodamenti particolari con il padrone: sul quale vigila, oggi, l'autorità sindacale. Cuciniere sono due o tre donne delegate da ogni squadra: per rimestar la polenta o spaccar la legna, un uomo dà mano.

Le rividi la mattina dopo, in risaia. Una linea, da lontano, come di un reparto che avanzi, a schiene curve.

Talora i grandi cappelli di paglia, tant'è il riverbero, ti paiono galleggiare sull'acqua. Dietro, ci sono le caposquadra, ritte, e dietro ancora il padrone, cioè il conduttore del fondo: con gli stivalacci di gomma, col lungo bastone di comando onde si sostiene lungo gli argini, cotto e sudato come neppure le mondine. Sono argini di terra, larghi tre palmi, alti tre, viscidi sotto la scarpa. La vita del conduttore non è comoda: si alza alle quattro: dà ordini alle quattro e mezzo: è in risaia alle cinque. Le lunghe ore passate all'impiedi, fermo come a rimirare il riverbero, gli hanno lasciato uno sguardo particolare, quasi una fissità opaca dell'occhio...

Il campàro, stivali, badile a mano: aggiusta e cura i lunghi argini[4] che dividono un invaso dall'altro, e regola, con bocche sùbite che vi apre e vi chiude, il livello e il deflusso delle acque. Queste bocche non sono sempre le stesse, perché il deflusso non affreddi la terra in un sol punto e per tutta la crescita delle piantine. Dal fosso adacquatore, che lento ed alto lambisce le radici dei salci, dei pioppi, si deroga nei campi, traverso le piccole chiuse dai ritti di granito, venuto dai canali del Sesia, l'irriguo bene: quasi vita e certezza che discenda a tutti, da un alto livello.

E l'acquaiolo va intorno, come un ragazzo di Gemito, con un suo barilotto sullo stomaco: porge bere con un ramaiolo stagnato alle donne, spillando ogni volta di quel barile. Bevono l'una dopo l'altra, intermesso il trapianto.[5]

Ritratta la gonnella più su che i ginocchi, scoprono, talune, le gambe; altre sono calzate di una calza, grigia e bagnata, senza piede, che protegge i polpacci dal tagliente filo del riso: o forse dalle zanzare. Il cappello di paglia, come un ombrellone generoso, le ripara dal sole.

Il giorno avanti le piantine di riso, a mazzetti, verdissimi cespi, sono state distribuite per tutto il campo, livellato in misure perfette, con poche dita di acqua: o qua e là sparso dei mucchi di questi cespi novelli, che ricolmi carri hanno qui trasportato dal vivaio. Ora le donne afferrano le piantine, una dopo l'altra: procedono lente senza mai levare la schiena: fatta una cava nella melma, col pollice e l'indice vi affondano le radici della pianta. «Pienté ben, tosann!» grida il padrone. Si appoggiano con il gomito sinistro al ginocchio, lavorano solo con la mano destra. Avanzano lente, perennemente chine. La linea dapprima diritta, si snoda poi, procedendo, con seni, e punte verso l'avanti, in ragione delle diverse velocità di lavoro.

Una squadra si affanna ad emulare o a superare la contigua: una squadra si spicca in avanti: e ne va rotta la continuità della linea. Vuole arrivar prima a tutti i costi. Vuol fare lavoro doppio in egual tempo: semina il grosso dietro di sé, la vedi lontana e sola nel campo, come una pattuglia di arditi. Il padrone grida allora che non vuole, che gli importa una cosa sola: il lavoro ben fatto. E quella, ebbra nel suo canto, non ode. Il canto, un po' nasale, va e viene, come a folate, sul rettangolo immenso della risaia.

Il canto disvaria, ma pane il pane, vino il vino.[6] Talvolta, però, rivive una vecchia nenia del tempo, come un ricordo, come nel cavo il filo, che sta per morire, si intrèfola a quello che sta per nascere. Rivive nel canto il paese loro, la mamma, poi l'espressione di una fierezza vitale,[7] discesa da duri anni e giorni: a superare il destino.

Le parole del loro canto sono povere e certe: così verranno, radunata la povera dote, l'amore, i figli.

NOTE

1. *reggiora*: reggitora (della famiglia): la madre, in una sorta di matriarcato agricolo: è la severa « mater » dei latini. Dial. lomb. *rejòra*, con j francese.

2. *Marcar visita*: locuzione del gergo di caserma per « darsi ammalato »: richiedere la visita medica.

3. *Saltar la barra*: evadere nascostamente di caserma dopo il suono della ritirata: nel gergo soldatesco.

4. Argini di terriccio, alti da quaranta a ottanta centimetri, secondo i livelli dei campi che vengono a separare.

5. Le mondine (1936, maggio-giugno) non mondavano più i campi dall'erbe indesiderate: ma ripiantavano le piantine di riso cresciute in un vivaio. È innovazione apportata nella cultura risicola in quei decenni: 1910-1930.

Il fondo e la cassina di cui si discorre, dove l'autore ebbe a condursi nella primavera avanzata del 1936 (maggio-giugno), sono dei molti di Lomellina: a pochi chilometri da Mortara: e appartengono al comprensorio irriguo del canale la cui portata si deroga dal Sesia.

6. Cioè le canzoni cantano chiaro: e talvolta la voce del padrone interviene a censurare anticipatamente un verso, che contrasterebbe le ragioni di castigatezza. Egli conosce a memoria

tutto il repertorio delle tiritere e alla prima parola della tiritera n. 54 è già in grado di protestare: «questa chì voeuj no sentilla!».

7. Intendi: le vecchie canzoni si alternano lungo il canto alle nuove. E le vecchie erano malinconiose o accorate: alcune dicevano il rimpianto della mamma lontana. E le nuove son così ardite. Sono l'affermazione d'una vitalità che darà nuovi figli alla terra, di certo.

ALLA FIERA DI MILANO

Si può entrare anche dal palazzo dello sport. La luminosa cupola ellittica fa da cielo a una primavera di fiori veri e di panorami di cartone, a un'Italia con montagne e riviere fotomontate. Il ghiaietto dei viali cricchia sotto le suole ed i tacchi cri cri cri quasi in un giardino all'italiana. Il comune di Genova ha educato gerani screziati nei due colori di San Giorgio in queste aiole tenere, marginate di un'erbetta quindicinale: e siepi di mortella, con virgulti nuovi, esorbitanti dalla tosatura. Una delle più disumane o forse la umanissima tra le divinità dell'oggi, il Turismo, fa qui mostra del suo regno prediletto, che è naturalmente l'Italia. Con le appendici coloniali.[1] Perciò, sotto la cupola, si ergono: un campanile, un obelisco di Aksum, una colonna col leone di San Marco: in più, alcuni capanni.

In un grande quadro iloplastico,[2] fiori fragranti e il rilievo di frutta saporose: fette di cocomero massicce con tutti i semi, mele e pere che paiono arnesi da ginnastica tradotti, con colori forti, in doni di Vertunno e Pomona. Subito dopo alcuni fichi brogiotti di legno pitturato, «conobbi il tremolar della marina». È un mare di cartone con le «ochette» bianche ad accento circonflesso, come le fa il Botticelli nella *Nascita di Venere* alla quinta sala degli Uffizi; e ne nasce difatti la fotografia della Venere botticelliana, portata dal leggero vascello della conchiglia. I suoi capelli, una parte se ne vanno via con il soffio di Zefiro: una parte, i lunghissimi, li raccoglie e li adopera lei pudicamente, lasciandoci con un breve palmo di naso.[3]

La folla della Fiera si agglutina in un impasto, ma dei più ragionevoli: serena, educata, le tre o due lire che ognuno dei novanta mila visitatori ha introdotto negli sportelli della biglietteria, conferiscono alla popolazione della cosmopoli un tono risultante piuttosto elevato. Ognuno è conscio della necessità di «godere» il biglietto. L'abito buono, poi, dà a tutti un'aria di benessere domenicale, e il benessere, per quelli della provincia, è particolarmente confermato dai colori saluberrimi del volto. Le refezioni all'aria aperta fanno gaio, e corroborante per ogni stomaco, l'intervallo di chiusura dei padiglioni: sia le famigliuole che le belle famiglie, come anche i più tigliosi ed allampanati scapoli, sono tutta gente discreta circa il quantitativo dei relitti cartacei che giudicano indispensabile di dover dimenticare sull'erbetta: l'ufficio statistica ritiene possano sommare, per l'intera cosmopoli, a non più di qualche centinaio di quintali.

La carta di cui vediamo invece i viali e le aiuole così doviziosamente cosparsi non proviene affatto dalle innocenti refezioni familiari, o scapolari: ma dall'unico tic (e d'altronde non illeggiadro) del quale è affetta la ragionevolissima folla. Questo tic o mania li fa depredare i banchi e collazionar fogli e fogli, carta e carta, ad ogni posteggio: e quando sono esausti dalla noia di portarsi in mano tutto il giorno quel pacco di fogli colorati e stampati, con tutti i numeri di telefono dell'indicatore della Stipel[4] e tutti i nominativi della guida *Savallo,* più anche i foranei, allora soccombono tutt'a un tratto alla sopravvenuta tetraggine e buttan via ogni cosa e tutto in una volta e definitivamente. Così si è raggiunto il triplice scopo di utilizzare delle tonnellate di cellulosa che altrimenti non si sarebbe saputo come impiegare, di lustrare a quel modo la « città dei traffici », e di mobilitare ingegneri elettrotecnici e ungheresi in costume nazionale perché distribuiscano fogli colorati alle frotte di ragazzini che ne fanno chiesta e raccolta durante un'ora e mezzo.[5]

Ho veduto dei frugolini di cinque anni e dei bersaglieri pieni di salute non ancora famigliarizzati con le matematiche attuariali, rapinare da un banco stile novecento i prospetti assicurativi della Unione Adriatica di Sicurtà. « Pax tibi Marce, Evangelista meus ». [6]

Del resto, era inutile farci una malattia, anche se hai il temperamento del vigile urbano: infatti alla taverna valtellinese ci sono delle indaffarate ragazze valtellinesi in costume, con la tasca del grembiule tintinnante di nummi, le quali arrivano subito con Sassella,[7] panini, e brisavola del Pizzo Palù, non appena uno gli è riuscito di trovar posto.

Sul banco, in quelle ore critiche, la macchina affettabrisavola va e viene come un diretto: il rubinetto della birra non conosce chiusura o strizione: il Sassella e l'Inferno, poi, per quanto amari, son soliti addolcire l'ingegno plerumque[8] duro dei più rognosi censori. Giosuè Carducci, in quel quarantotto, si sarebbe sentito venire una poesia: *A una bottiglia di Valtellina del 1848*.

Io, purtroppo, sono ridotto al quartuccio, in un cantuccio.

Molte sono le varietà, i modelli, i tipi, dei cittadini di 15 giorni. Operai ed operaie dei padiglioni dove le macchine girano, com'è, ad esempio, il palazzo di cristallo della nuova lana casearia. Vestono tuniche e tute uniformi, hanno talora, sul berretto, un monogramma a lettere d'oro. Vengono da province, paesi e città. Cioccolataie e caramellaie impeccabili, almeno da quel che si può vedere, con unghie colorate d'aurora, introducono infiniti cioccolatini e caramelle dentro le macchine incartatrici: e dalla precisa cadenza (detta «ritmo») di queste macchine, gli orecchi si lasciano come ammaliare, deliziati di modernità, d'igiene, e di tritìc e titràc. C'è anche qualche matura mescitrice, qualche tabaccaia adulta, ma in veste succinta e ne' sembianti di timorosa giovinetta. Nel regno dei vini d'Italia c'è gente di Parenzo e del Chianti: sapidi come ogni vino del luogo, mescono l'accento, la parola del luogo.

Pericoloso regno! Il padiglione dove l'austerità perìclita verso la bonomia, e la bonomia verso un generale ottimismo. E perché tu non abbi a delibare il color locale senza ammollare qualche cosa nello stomaco, ci sono là pronte delle fette di panettone dimolto asciutte con le quali poter, prima di bere, pavimentare lo stomaco: quando ne hai giù una o due, di queste fette di questo panettone, allora i «vini d'Italia» si rendono, nonché deliziosi, ma addirittura indispensabili: e direi urgenti, come i pompieri.

Magiari e cechi in costume. Ma subito la tua curiosa indagine fisiognomistica li riconosce ebrei. Vendono profumi, penne stilografiche d'oro massiccio, colorati farsetti, che ne dicono gli usi e il vestire della puszta. Gli amabili assicuratori, alle undici di sera, ti circuiscono, ti sorridono melliflui per sondare «se il signore desiderasse prender visione di qualcuno dei nostri contratti-tipo... per assicurazione vita...». Toccaferro! Sono tra i più agguerriti linguaioli di tutta Italia, battono il molino a vento in giorno di tramontana: del resto, a parte la loro saliva assicurativa, bravissimi e distintissimi signori.

Le macchine da scrivere mi piacciono molto e ce n'è di assai belle d'un color rosso vivo, al padiglione degli arredi per ufficio. La fabbrica italiana di Ivrea si fa onore. Ivi, posteggi ben messi: e il prodotto collocato con semplicità geniale nella luce della sua sola evidenza. Un ingegnere mi chiede: « se il signore si interessa alla nostra conteggiatrice M.-21, modello 1936, anno XIV... »: costa dalle 16 alle 20.000 lire. Adattissima per tener a bada, minuto per minuto, i miei conti correnti.

Dai medici, ortopedici e anatomisti e dentisti ti verrebbe voglia di farti cavare un dente o aprire addirittura la scatola (cranica) tanta è la felice lucentezza dei loro ingegni: rabbrividisci, non ostante l'ultimo modello, e ti racconsoli che lo vedi alla Fiera.

I meccanici accudiscono alle loro macchine operatrici: potenti e dolci, certi trapani perforano in pochi minuti la spessa lastra di acciaio, e a furia di buchi dimostrativi ne fanno una fetta di « grüéra ».[9]

I torni celeri, le frese, le limatrici, le alesatrici per cilindri d'auto sono comandate dall'attento operaio, sorvegliate dal meditabondo ingegnere: l'atto consapevole e misurato del comando, o la cura delle necessità fisiologiche della macchina, occupano la mente dell'uno e dell'altro: vietano loro di altrimenti occuparsi del pubblico, di occhieggiare alle belle che fingono interesse per gli ingegni o dietro alle polpute che salpano.

Una formatrice di paste alimentari, a due piani di lavoro, raduna gran folla; estasiata a vedervi immesse la farina e l'acqua a misura, e uscirne delicate valve o conchiglie, per minestra con brodo di cappone.

I forni elettrici da pane riportano il nostro animo nei regni nichelati e maiolicati dell'igiene, della lucidezza netta, del dimenticato medioevo, lontan lontano dai superati scarafaggi: dai « bordòkk » del vecchio forno a fascine, o in bottega del vecchio prestino.[10] Neri e precipitosi sbucavano di sotto la madia, ogni venerdì mattina, ed eran così duri e crocchianti sotto il tallone o sotto la ciabatta del bianco fornaio.

Il fornaio, ecco, ha dimesso la infarinata maglietta, s'è rivestito: è venuto a vedere i forni elettrici da Rovello o dalla Cassina Mornaga, con tutti i rampolli che non sono in Africa: di cui due lilipuziani, figli già della lupa, gli mettono le testoline fra le ginocchia, a guardare, e si abbrancano, coi loro braccini, alle ben piantate gambe del padre. La sua salute lombarda si riversa in pacate osservazioni, dal viso calmissimo, circa gli automatismi, le cotture, gli impasti. «Pan de Comm, salamm de Milan!».

Ad altri posteggi, dove ribollono chiusi crogioli o traballano (come stampa un grande scrittore) i telai operosi (così scrivevano le scrittrici d'una volta) e la navetta scagliata nelle alterne direzioni mette la fulminea trama in ordito e cresce ad ogni istante la pezza, – tu vedi la vecchia mamma dell'industriale assistere amorosamente le fortune del figlio, o la sposa accompagnare, al suo posto d'onore e di fatica, il marito. La donna è da noi presente alla vita de' suoi uomini, vicina ai loro adempimenti ed alle speranze di onesto guadagno.

Siedono poi degnissimamente, come signore in visita, ai posteggi dei bravi mobilieri, dove «la stanza di Lissone» o «il salotto di Cantù» le accolgono nel loro più elegante e domestico «ambiente».

Questi brianzuoli o quasi, in pochi anni, han combinato miracoli novecentisti: un vero «balzo» verso il parallelepipedo, da lasciar trasecolati i più rettangolari architetti.[11] Degni in tutto della fiducia che gli si accorda, i loro compensati stralucidi ne dicono che Lissone, Seregno, Meda e Cantù sono perfettamente «à la page»: pur non avendo messo in oblio l'arte dei vecchi provetti, che lavoravano solidi in ogni stile, dal Luigi quindici al rinascimento fiorentino, al «quattrocento», al barocco lombardo: su certi magni seggioloni del qual barocco par di vedere assiso, col suo collare di pizzo, il Conte Zio, in colloquio con il Provinciale de' Cappuccini.

Altrove tu miri l'industriale, il «principale», toglier di mano all'operaio il cencio, il pennello, la chiave, la spazzola, e addarsi con amore sopra la sua macchina: sua, perché nove volte su dieci è la espressione di una cura costruttiva che ha tratto dalla esperienza di lui stesso e dalla emulazione comune il dispositivo più ragionevole:

dopo reiterate fatiche e rinnovati modelli, dopo anni, pervenendo alla « specialità della casa ».

Il cantiere delle idee tecniche è assai più vasto e laborioso e intricato di quanto non si pensi il romanziere facilone, che partorisce ingegneri burattini e inventori gratuiti con la stessa facilità di un politecnico per corrispondenza. L'invenzione è un lento portato, un costoso elaborato del mestiere (nel senso alto della parola),[12] più che non un colpo di fulmine, come certi credono, sotto alla zàzzera del maniaco. Ciò non toglie che il reparto invenzioni e scoperte (quest'anno relegato in cantina) rechi esempi di spiritosi inventori: oltre agli stuzzicadenti di Abbiategrasso (pan de Comm, salamm de Milan, e stèkk de Biegrass), alle colle pei piatti infranti e ai mastici indiani per riattaccare il manico alle chicchere del caffè che lo hanno smarrito, c'è anche una ragazza che esibisce l'ultimo ritrovato della praticità-scorrevolezza, cioè l'abito senza bottoni, vestendolo e svestendosene davanti al pubblico sopra un plinto di legno, come una statua semovente.

Nessun inventore mai, per quanto provveduto di zàzzera, arriverà ad abolire i centoquarantaquattro bottoni del vestito maschile 1936; e d'altronde la cosa sarebbe priva di serietà.

Alle diciannove, quando repentina sirena libera gli espositori dal durato posteggio come altrettanti cani dalla catena, allora escono ognuno dal suo territorio e si accompagnano a due, a tre, a frotte, quasi guardie notturne congedate dall'aurora. I concorrenti si rivolgono collegiali parole, talora si salutano, si prendono sotto braccio: chi ospita il dirimpettaio sulla balilla, chi lo prega di venir ospitato sull'alfa.

Le macchine dentro i padiglioni, rimangono sole: le grandi macchine della pace e della guerra, di cui alcune son qui soltanto come mnemòsina a solo ricordare che i fabbri le hanno fatte, non però destinandole ai privati acquirenti, sì alla « titanica » necessità collettiva. Alcune, come i carri d'assalto, i trattori (bruchi enormi e tenaci lungo i cammini e la profondità delle valli, sopra la immensità delle terre, detti perciò «caterpillars» dagli imaginosi americani) sembrano attendere un destino più consentaneo alla loro struttura, di quanto la Fiera non suggerisca: un impiego rispondente ai cingoli, ai denti degli erpici; ai vomeri che spianeranno la campagna lavorata.[13]

NOTE

1. Questo capitolo apparve su «L'Ambrosiano» il 24 aprile 1936: l'Impero fu proclamato e il territorio etiopico annesso il 9 maggio 1936.

2. Cioè con frutta e fiori a rilievo, in legno scolpito e pitturato.

3. Da quella «marina» fotografica nasceva realmente, in fotografia, la Venere del Botticelli.

4. Società che gestisce la rete telefonica del Piemonte e della Lombardia (1936).

5. Quella profusione di stampati di propaganda (di cui ragazzi e donne e idioti assortiti facevano ghiotta incetta) fu realmente uno spreco e un'assurda cosa.

6. Il motto della Signoria Veneta e l'alato leone del secondo evangelista sono altresì l'emblema della Unione Adriatica di Sicurtà.

7. Il celebre vino della collina della Sassella, appo Sondrio.

8. Orazio, *Carmina*, III, 21, v. 14.

9. Nome lombardo dei formaggi di tipo Gruyère, ch'è tutto buchi rotondissimi.

10. *prestino* o prestinaio il venditore o distributore di pane: (calesse, bicicletta): voce lombarda.

11. Dal 1928-30 al 1935 i mobilieri lombardi (Seregno, Lissone, Cantù, Meda, ecc.) passarono, con uno sforzo commovente delle loro volontà di ferro, dal «settcènt» al «noefcènt». Lasciando brandelli di anima in quel Calvario.

12. Dal latino «ministerium» = servigio, ufficio; francese antico «mestier» = mestiere, occupazione, e per antonomasia telaio: francese moderno «métier». In toscano «arte», oggi pure. «Ma i vostri non appreser ben quell'arte» (Dante, *Inferno*, X, 51).

13. Era in corso la guerra etiopica (aprile 1936) e trattori americani marca «Caterpillar» erano stati acquistati dalla Intendenza del corpo di spedizione. Alla Fiera ne erano esposti alcuni, unitamente ad altri di fabbricazione italiana.

SUL NEPTUNIA: MARZO 1935

Mentre il Cavaliere, in camicia nera, e col volto (in quella circostanza) bonario e serio, percorreva una dodicesima volta il marciapiede numero sette per assicurarsi che tutti avessero posto ne' treni, lo speciale A e lo speciale B, alcune musiche (da più luoghi) e canti risuonarono sotto la volta basilicale della stazione e dopo un breve attendere capimmo che dovevano essere dei richiamati, verso reggimenti lontani.

Ma una squillante e impetuosa fanfara irruppe con crudi ottoni sul marciapiede numero sette e le giovenili affermazioni dell'inno ricondussero i nostri cuori alle vibrazioni del passato, come per un distacco e un assalto: un drappello di ragazzi fierissimi, in quarantottesche uniformi, procedevano come all'assalto della banchina e del treno; scompigliarono la folla ammirata e intimidita dei parenti, dei salutanti. I clarini nero argento e i lucidissimi ottoni erano soltanto vinti dallo splendore dei filetti d'oro sull'orlo dei baveri, che costituivano l'apice marziale di quelle giacchette scure, di panno: i ragazzi avevano quarantotteschi berretti, con la visiera di cuoio lucido, nero, come il Mameli, come i Dandolo, mentre le gote loro si enfiavano nella acerba severità del motivo; e davanti a quell'impeto bisognò ai parenti sgomberare più che alla svelta, da non essere travolti. Riempirono de' loro zaini e trombe una mezza-vettura per loro e anche il trombone ci passò, dallo sportello. Erano i Martinitt, cioè gli orfani del memorabile collegio, che ne mandò a morire sulle barricate, Gavroche e porta-ordini celeri nella fumana e tra i sibili, o giù da botti sventrate. E cinquantasette caddero poi, nella, come dicevano vent'anni fa, ultima guerra.

Io e Carpagnotto avevamo divisato di dormire dall'una alle cinque, cioè quanto press'a poco durasse il Milano-Venezia, meno che una mezz'ora alla partenza e una mezz'ora all'arrivo: ma la conversazione dei nostri ospiti e compagni di viaggio, nella vettura di terza classe, ebbe a prevalere di ogni divisamento e le gradevoli signore diedero un esempio eroico e le freddure del capogruppo Borlazza, aggiungendosi ai rigori antelucani di fine marzo, ci costrinsero ad alzare il bavero, donde solo sporgevamo con gli occhi; rabbrividendo, battendo i denti come ci avesse soprappreso la febbre. E quel calamburesco epigrammista non la piantò se non allo spengersi dei riverberi lunari sul marezzo della notturna laguna, che su le foschie basse del cielo orientale, lontana ancora, appariva l'alba: e ingigantì la luce, dorando le torri, le cupole. Fuori della stazione di Santa Lucia e rinfrancati, io e l'amico, da un latte caldo, vigeva il Palladio lungo la scena del Canalazzo, bianco e marmoreo nelle sue colonne e ghirlande sul verde favoloso delle acque: mentre mattutine gondole, in quel ciangottìo così specioso da parer cosa antica, approdavano al mercato stracariche: ricolme di verdi cespi, di patate, di broccoli.

Al roco avviso del vaporetto e sotto Rialto i gondolieri scansavano agili, intronati dalla banda furibonda dei Martinitt: «Trippoli! bel suol d'amore...». Desti di soprassalto dentro l'incantesimo dei palagi, i dormenti, poco ma sicuro, ci mandarono in tanta malòrsega.

E, all'Accademia, ci mettemmo nel dedalo, per arrivare alle Zattere. Facchini patentati e frugoli, contro ogni divieto,[1] di otto anni, si caricarono in ispalla le potenti valigie dopolavoristiche, mille quattrocento valigie. Duemila ottocento lire imprevedute, insperate, sgorgarono per quella mattina dalla bocca dorata dell'Aurora, che ha l'oro in bocca tra l'Accademia e le Zattere. Molti rifecero la strada di corsa, saette nel dedalo, per un secondo turno e valigia. Alle Zattere « along side », le deponevano tutte. Il *Neptunia*. Dalle alte, nere murate, con una fascia scarlatta sulla ciminiera che ha sezione d'ellisse. Ha uno zufolo d'ottone lucidissimo sul davanti della ciminiera: esso emetterà, lo presagisco, il roco e impreveduto ammonimento: la nave fuma già la partenza, dai due barcarizzi già deglutisce la carovana, le signore, le valigie, dentro la chiusa, nera muraglia, butterata dalle allineature degli oblò.

Uno spaventoso appetito mi s'è insediato nell'esofago: ma mi lascio diligentemente condurre alla mia cabina e alla cuccetta, e nulla, del mio stato d'animo, trapela di fuori. Carpagnotto ha avuto un appartamento per sé solo, con gabinetto e doccia da solo: tutto un candore d'alabastro e d'avorio, sul ponte detto « delle imbarcazioni », ch'è il ponte sublime. Alcuni giovani classe '14 vengono, ahi! trattenuti dalla polizia: addio Tripoli, e dolci sogni e sguardi sull'altalena del mare, al fianco della non coscritta, passeggiando lungo il ponte di passeggiata!

Già celebrai, dall'alto del *Conte Rosso*, Venezia veduta dalla marina: e rimando alle mie pagine del vano tempo del passato. Quando i rimorchi tozzi mollarono i cavi, il giorno fulgeva chiaramente sull'Adria, ch'è fatto, nel mattutino crespo, di turchese languido e oro.

La nave è affollata, su tutti i ponti, di anime, che curiose ed avide e milanesi, con macchine fotografiche o borsette di cuoio o binocoli, si bevono l'aria e le azzurre o dorate luci del mare: e le immagini di bordo. Sono immagini tutte nuove e sono dipinte di bianco, o di nero, salvo gli argani grigi sul ponte delle imbarcazioni e l'alta fascia scarlatta della ciminiera, e il temibile zufolo, ch'è ancor più lucido delle nostre lucidissime trombe. Odori misteriosi e nuovissimi esalano dalle cave profonde, una via di mezzo tra lo stufato e l'olio delle macchine. E quello s'è benignato di farci sentire la sua voce: tre segni grossi e clamorosi al partire; e poi tre altri egualmente rochi ed uno brevissimo accomiatandosi, in canale, dai disciolti rimorchi. Giro con analitica anima per ogni dove: e ogni cosa m'interessa, la struttura del *Neptunia* fa molto onore, lo vedo, alla vecchia compagnia armatrice. Il demone sbrigativo della modernità, la musa apodittica e rettangolare, hanno felicemente guidato la mano cioè il tiralinee del progettista; vedrò domani le macchine.

Prima di colazione, anelando al barbiere, vengo girovagando il labirinto interiore della nave, come Giona gli intestini della sua balena. Lo trovo al lavoro; quell'altro di prima classe aveva già coda di aspettanti al negozio, ch'è alabastrino nelle maioliche ed è pieno di fiale verdi od ambrate nelle vetrine, e di cristalli con iridescenze, o con luci oltremare: spazzolini, saponette difficili, meravigliosi dentifrici! Vende anche le camicie, scozzesi o nere, sigarette, cravatte, pettini, bretelle, gemelli da polso, e corni di corno finto, per infilare le scarpe.

Mentre paziento il mio turno, un cameriere di Lussimpiccolo racconta i fasti, nefasti e tremebonde ansie dell'approvvigionamento di tabacco che fecero a Zara gli alpini, ed altre crociere adriatiche. Parla di questo dramma con la serietà breve dello storico, o come certi personaggi degli ultimi scrittori triestini: il vento del Carso sembra alitare sulla fedeltà nuda del racconto. Dice dei prezzi, della Finanza, della visita, propone un forfait con amnistia generale nel dì dello sbarco, e ragiona circa la necessità del commercio di Zara, commemorando le precedenti alluvioni di milanesi, oramai passate all'epopea.

I quali si rifornivano, almeno diceva, di tanto trinciato, sigarette e toscani, da poter arrivare senz'altri acquisti alla valle di Giòsafat. A Zara, spiega, « te trovi tabaco al mercà come verze »; e quando i milanesi se ne rivennero alla banchina delle Zattere, la banda dei loro tranvieri discese di nave arrochita dal raffreddore del fieno in un'asma di nuovo genere; lugubre e taciturna come una torma di facchini malpagati: il tamburo pesava un quintale, i piatti, legati, erano i due mezzi panini di un sandwich, imbottito Dio sa di che acciughe. Il trombone, appena mettervi le labbra, starnutiva bruscoli di tabacco come un nobiluomo del Goldoni.

Rivissi una breve ora del tempo nella città dei Liburni, dove indugiarono già i miei pensieri, anni sono, come sta scritto nel libro; rividi la porta del Sanmicheli, il Duomo, il riordinato museo. Il vento era freddo, maligno: la tramontana ci sospinse alle cartoline illustrate nei rifugi e nei bugigattoli, dove prima ancora che le cartoline, tabacchi dorati e incredibili e l'oleoso maraschino e lo cherry potevano comunque allettarci. Ahi! che non bevo e non fumo! Ma la gente più valida tranghiottiva una medicina via l'altra con una disinvoltura da inglesi, nella voluttà rara del poco prezzo: bisognava rifornirsi di maraschino per l'eternità, cogliere per le nostre viscere infreddolite l'ora fuggitiva e serena dove non interloquì la Finanza; pregevole, incredibile ora! Le signore, dopo un po', consumata che fu qualche spensierata prodezza, finirono con l'implorare dai mariti e dai padri il condono degli ultimi maraschini di quella giubilante franchigia; gli uomini, invece, vollero perseverare nell'abbeverata fino agli ultimi dieci minuti, quando sentimmo che l'impeto della fanfara (e doveva avere un codazzo di monelli) si andava dilungando verso la banchina.

Il mare, adesso, faceva la carogna, sciabordando bluastro contro la fiancata della nave, nel declino della luce, in quella sera fredda e ventosa. Sotto al vaporino scimunito che altalenava fino in coppa a ogni onda, stracolmo di donne con tre bottiglie di maraschino cadauna, c'era l'abisso freddo, blu-verde: se ci rovesciavamo era orribile, non mi giovava il soprabito e tanto meno il bavero che m'ero tirato agli orecchi.

Passare da quella barca sul barcarizzo fu un affare del diavolo, bisognava cogliere l'attimo che quello scemo, altalenando d'un metro, eguagliava il livello del pianerottolo: ma con cento donne e trecento bottiglie! Ve lo dico io, che storia che fu! Ci salvarono i due marinai, afferrandoci e issandoci come tanti vitelli: e con quel po' po' d'altalena si sentì gridare «il tabacco! il tabacco! »; che era caduto nel mare, cinquanta lire di tabacco, che poi lo ripescarono finalmente anche quello. Mi prese una paura della malora: poi, quando fui finalmente sul ponte, mi venne la rabbia: contro tutte le donne del bastimento, naturalmente.

A pranzo, viceversa, mi tornò in cuore la pace.

Le eliche pulsavano profonde sotto la tavola nella impeccabile dirittura della rotta, gli ufficiali di turno con galloni d'oro sul polso erano avveduti alla plancia: il silente mozzo decorava la batteria delle bussole, guardando davanti a sé nella notte, mentr'essi disegnavano con ferma squadra e matita acuta la linea della rotta, sulle lor carte piene di quote, di fari gialli, e di « miles ». D'isola in isola il piroscafo sgusciava fuori dall'arcipelago e dai tenebrosi canali, come un amante notturno dai vicoletti della sua vecchia città. Fredde stelle nel cielo non bastavano a rischiarare la paura delle onde. E dove il nero profilo delle isole discendeva alla paura delle scogliere, ivi il monito intermittente dei fari. Mi rincantucciavo, come un fanciullo, nelle idee della pace: « Ci pensano loro, va' là! Tu saresti già di sicuro contro un sasso, contro il più duro dei sassi! Non ci pensare, tu, non affliggerti. Mangia 'sto benedetto pollo!».

Difatti quell'ala arrostita che mi avevano deposto sul piatto aveva tutta l'aria di aver appartenuto ad un pollo. Borlazza era arrivato alla sessantacinquesima freddura, a principiare dalla minestra: e abbassava ormai, con la continuità inesauribile dello zampillo, i records ottocenteschi del pittore Conconi.

Egli era stato bersagliere sul Carso, motociclista e comandante dei giovanetti centauri: adesso veniva a patti col cameriere per avere una bottiglia di più: erano dei mezzi. Sentenziò che per viaggiare, per navigare, ci vogliono i mezzi. Poi pretese un maraschino dagli amici, poi un grappino, affermando che, dato il mare, sentiva il bisogno di «aggrapparsi» alla vita. La mia gentile collega, da una tavola vicina, chiacchierava un po' con tutti, tenendo testa vittoriosamente a ciascuno, piena d'allegrezza e di brio: come invidiavo la sua resistenza fisica, la sua bravura di giornalista oceanica, la sua fede nella vita, la sua lingua-scoiattolo! Pochi giorni dopo, a Tripoli, per poco non si ruppe una gamba. Era piena di ricordi amazonici e delle Canarie: il picco di Teneriffa, per lei, era come per me il Monte Tordo.[2] Tutti gli ufficiali della Compagnia armatrice, davanti al suo fresco talento, avevano avuto parole di ammirazione, d'omaggio. Ospiti signorili e cordiali, l'avevano convitata in quadrato, alla loro mensa eternamente ondulante: con un fiore scarlatto dell'Amazonia in centro tavola, fra la saliera ed il pepe.

Involandomi dalla conversazione di fine cena per una passeggiata eupeptica sul ponte di classe, dovevo attraversare anche la sala del bar nella quale i crocieristi-tipo parevano essersi dati convegno. C'era un vecchio barbone dorato, col cappello duro, che non se lo levava nemmeno a tavola: lupo di mare in bombetta, e la bombetta sulle ventitré: una lieve e ridente asimmetria della faccia, del naso, della barba, e del «cardanello», lo rese indimenticabile ad ognuno. C'erano fittavoli della bassa, milanesi con interiezioni e briscole sul tappeto verde: dove, anche, le prime partite di tressette, e la voce infreddata della radio, tra un fumo di toscani da non dire. C'era un matusalemme lungo lungo, con un berretto da ufficiale di marina d'un colore bianco-in-famiglia, con una borsa a tracolla, con una barbetta trapezoidale da zio Sam; con le calzette di lana arrovesciate sotto i pantaloni neri di conservatore delle ipoteche in pensione, che, all'atto del sedersi, gli lasciavano denudate le caviglie. C'era una suocera alla ricerca del genero. C'era una madre, sul bastimento (ma passava proprio in quel momento dal bar) che cercava sempre, col naso in avanti, e non ritrovava mai le sue figlie e incespicava un po' dappertutto, miope, in tutti i cordami e in tutti gli intoppi de' ponti, modulando un suo montanino richiamo «uhù!» e riparando poi subito la gola e il mento dentro lo scialle, come fosse alla montagna in Cadore: e non c'era un cane che degnasse risponderle. Le figlie chissà dove diavolo s'erano incantonate: «uhù! uhù!». O si faceva largo a bracciate, quasi nuotasse, tra la folla dei crocieristi, che oramai avevano capito l'antifona: «uhù!», cuculavano a mezza voce i ragazzi.

C'erano i Martinitt, in quella sala, alle loro tavole proprie, affamatissimi, con giocondi morsi nelle michette,[3] con le forchette che parevano veloci tasti al clarino: s'erano guadagnati la giornata: i più piccoli già colti dal sonno: le testoline ricadevano allora l'una via l'altra sulla spalliera della seggiola, tra una forchettata e la seguente, vinte ed arrovesciate dalla stanchezza, dopo gli inni infiniti del giorno: i cordoncini bianchi, sulla camicia nera da balilla, insignivano l'abbandono fidente della purezza infantile. Il tamburino, dall'occhio triste e un po' strabico, dormiva ora diritto, tutto biondo e ben pettinato, ciondolando il capo a intervalli sul piatto, dove il pollo pareva un cagnoletto malinconico, in attesa che il padroncino si ridestasse. Allora il cameriere di Veglia o di Portorose lo carezzava commosso, ridendo, gli accostava il bicchierone alle labbra: ed il piccolo, a palpebre chiuse, beveva docilmente, tintosi di due rossi baffi la faccia, che il vento del mare, quel giorno, aveva incontrato nella sua corsa.

NOTE

1. Contro ogni divieto di lavoro.

2. *Monte Tordo*: montagnola nel parco di Milano.

3. *michette*: panini.

VERSILIA

Perché, amici, perché richiedere una voce stentorea qual'è la mia di recitare le lodi di Versilia? la bella ninfa che prima dell'auto e dell'elettrico fu già signora del querceto e del pineto, dagli strapiombi della Tambura al vivagno bianco e spumoso del mare? La mia voce di pedante è la meno adatta a un così gentile incarico. Aggiungete che il mio abituale malumore, quest'anno, si è esasperato nel delirio d'un ricoverabile d'urgenza, d'un tipo « socialmente pericoloso ». I colpi di sole sulla nuca che il cielo di Firenze mi ha inferto, i « cinque gradi in più » che il cielo di Firenze m'ha regalato per un mese e mezzo – in più dei trentaquattro d'ogni cielo d'Italia – i cinque cari gradi in più... hanno ridotto a pappa la ragione vagellante, sconturbato il circolo, capovolto il sistema vasale, gonfiato il cuore di parolacce...

Qui, al quarto platano del Battifredo, gli amici dall'alto intelletto, onorandomi della loro conversazione, mi assistono misericordi, confederati in una specie di crocerossa balnearia: Pea, Carrà, De Robertis, Angioletti, Caretti, Anna Banti, Bigongiari, Piccioni, Roberto Longhi, gli altri tutti, le gentilissime lor donne.

Il caffè, al quarto platano è ottimo: non inferiore a quello di Mokambo. Pea mi ha fatto sottoscrivere una petizione alla Sovraintendenza di Pisa: una petizione per la salvezza del quarto platano, e di tutti i suoi fratelli, di tutti i platani del Battifredo: minacciati da platanocida scure, a quel che pare. Pessimo sottoscrittore in genere, e recalcitrante alle ideali «adesioni», qui, trattandosi di platani, ho sottoscritto convinto, gonfio di tutto il mio amore per il «paese» d'Italia. Ho sempre amato i platani, insino dall'infanzia, e nello stagnare della calure e nelle burrasche d'autunno, o quando nella nevicata sono scheletri chiari, sereni.

Ai crocchianti mucchi delle lor foglie, a gennaio, gli spazzini del municipio gli dànno fuoco, per far più presto. I platani non mi fanno paura, non sono motociclista. Me ne sono deliziato a Como, a Monza, a Vicenza, a Padova, a Lucca, al Beldosso, a Cividale, a viale Giulio Cesare; hanno teneramente assistito la mia infanzia, circondato di speranze la mia adolescenza: i platani del parco di Milano sono miei coetanei, sono cresciuti con me. Nella parte inedita del *Pasticciaccio*, in una inquadratura a via Merulana, c'è mezza pagina in onor loro, in onore della corteccia, bianca, verdepisello e nocciola: ma «vi si sente lo sforzo», come dicono certi miei lettori. Moravia, ne *La Romana*, mi ha preceduto per le stampe con alcune rapide e bellissime righe, a definire appunto la corteccia: e il suo sereno cromatismo.

Qui al Battifredo, e a Viareggio, a Massa, alle Focette, a Monsummano, a Montecatini, a Lucca, sono un po' come la persistente memoria, la continuità coerente del tempo, di un tempo estivo e caldo, e lietamente civile e polveroso, di cui la cicala novera i battiti, come la terza sfera i secondi: ci fanno pensare alla Baciocchi, sì, all'Elisa, al «rifiorire delle arti e delle scienze» da lei patrocinato e promosso: e quel tanto di civico, di napoleonico e di statale ch'essi contengono e spirano ci pare che segni lo svariare dell'epoche e degli anni: dai signoreschi lecci della Toscana granducale, siamo venuti ai platani di Elisa. Escogitate a' lumi del progresso dal novello Giasone, gonfie di «speme» nei destini umani, fatte lievi dall'interna fiamma, tra i clamori della festa se ne sono dipartite mongolfiere ascendenti, per l'ascesa al trono di sublimi personaggi: detronizzati pochi anni dopo. E i platani, allora, sono la voce d'un vecchio tempo un tantino assonnato, pieno di zanzare, di sudori, di colli d'amido, di abiti accollati nell'agosto, neri: privo, se Dio voleva, di motori, l'agosto: con radi spacci di tabacco e di chinino dello Stato sulla via polverosa, dove gli onesti cavalli pungolati dai tafàni trainavano tentennanti giardiniere, cigolanti e dondolanti carri e barocci con su il conduttore sdraiato, assopito oltre i fiocchi rossi a dispetto del sonàgliolo: e regalavano alla polvere gli onesti residui della digestione. Qui, parallela al lido di Versilia, tra querci e pini, la strada: la litorale: o, più su, l'Aurelia. Per la litorale, ai Ronchi, l'improvvisa apparita delle tamerici sul turchese del mare, scarmigliate verso il mare.

Il Battifredo d'Ugliancalda, sapete, è il nome che Riccardo Bacchelli ha dato al Forte dei Marmi nel suo mirabile romanzo *Il fiore della Mirabilis*: dove celebra, di Versilia, la dura vita, la forte gente e il paese: e le carene e le vele, e il pericoloso peso dell'ancora e i calafati, i mozzi, le donne: e la Zaira! la Zaira! la bagnina-cuoca-lavandaia che con altro nome è realmente vissuta, dispensatrice di forte gioia ai forti sull'umidore della rena, nelle notti di settembre.

Il «raggio verde» al tramonto, per quanto scrutassi, in tanti anni, ahimè, ancora non l'ho visto. Ma ho patito egualmente tutta la dolce malia delle sere, a fine agosto, quando il sole nel cielo ha già raccorciato il suo cammino e decade in un incendio dietro la Palmaria come dietro un paravento che ci nasconde la sua fine. Sì, erano vaniti i tempi, così poveri e meravigliosi, del *Moscardino* di Pea. E, prima ancora, c'era stata la poverissima culla del Carducci, a Val di Castello. Uscita dalla forra come da una bùccina, la raffica investiva fragorosa i castani.

Ahimè! la guerra, la tedesca guerra è atrocemente passata su questa piaggia versiliese. Oggi risorte e, co' soldarelli delle bagnature e de' bagnanti (milionucci), ridipinte le case: è rifiorita la spiaggia d'ombrelloni a fungo, interminabile fungaia. Da Viareggio a Sarzana, Corbellini consule, i locomotori del Tecnomasio di nuovo corrono i loro argentati binari nel plenilunio, con lampi color pervinca alla fronte se il rullo del pantografo sussulta. Un pedante dalla penna incatramata non può dimenticare il sonetto versiliese del Carducci, le « rupi ardue di bianchi marmi »: né l'oleandro, né l'otre, né il cervo, né il centauro, né Cinosura, né il trotto del quadrupedante cavallo sul tappeto d'aghi del pineto, né la pioggia per entro il medesimo del divino Gabriele: l'onda di crisopazio è d'altro lido certo, scoglioso, roccioso, inostricato, nero, ligure o labrònico lido. Qui Gabriele poetò, amò, nuotò, cavalcò. Odo, odo il trotto del suo caval sauro irrompere dai lecci e dalle querci della Versiliana – la splendida e vasta villa che lo ospitava dentro il parco principesco alla marina di Pietrasanta – tòc tòc tòc fino al traghetto del Magra, di là dal Cinquale e dal Frigido e dal Poveromo, di là da tutte le gore e da tutti i fiumiciattoli senz'acqua ne' quali egli è riuscito a nuotare, co' suoi « bicipiti », o almeno con la fantasia: e, all'ingiù, verso la foce zanzarosa del Fiumetto, verso il Tònfano.

I pini superstiti (alla lottizzazione e alla guerra) eccoli, come allora invece nel folto, scagliosi ed irti: le ginestre, i mirti, i ginepri puntuati di coccole: le tamerici, non meno di allora, salmastre ed arse nel libeccio o nello spiro di maestro: maledettamente arse, quest'anno, lungo lo stradale a mare dove gli scrittori cinquantottenni vanno in bicicletta in tenuta da bebè, e in auto gli « industriali » e le belle. No, non il caval sauro, per noi, ma una volgare bicicletta noleggiata da Beppino, quaranta lire all'ora. Non le sessanta camere e sale della Versiliana, né l'annesso parco vicereale di centosettanta ettari: per noi una cameruccia da forno crematorio: – il rapporto fra il nostro alloggio e quello del Poeta eguaglia il rapporto fra il nostro lavoro e il suo: giustizia è resa davanti la Tambura, e la Pània. Dalla Burlamacca di Viareggio il superbo viale di asfalto arriva, per trenta chilometri, alla marina di Carrara: vespe e lambrette lo signoreggiano, oggi: i meno imprudenti ciclisti sogliono scampare sul viale interno, qua e là ombrato di pini, sul viale « ammiraglio Morin ». Ivi, ancor prima del Forte, gli ortolani, i parrucchieri per signora, le stiratrici, i vinai: nettezza e marmi: e danaro alla mano. Il Forte, il Battifredo, è stato ancora chiamato con altri nomi da grandissimi scrittori che sono venuti a temperarvi l'anima, non dirò la penna, di già temperata per sé: Torre di Venere da Thomas Mann, per esempio, nel suo in sulle prime acidetto racconto *Mario und der Zauberer* (1930): dove si stizzisce d'una contravvenzione che la polizia del Predappio gli ha « elevato », a torto secondo lui. Tutto preso d'idee nudiste, e ardendo nel culto del sole del Sud come un sacerdote di Mitra, affidava i suoi ragazzi alla spiaggia, maschi e femmine, in tenuta da Adamo ed Eva.

Nel clima d'Italia, si sa, dove « tutto si risolve nel compromesso » (secondo i puri del Nord), poco tira aria per certe storie, per certi integralismi: indi proteste delle mamme. Indi guardie (in tenuta immacolata), ammonimento e multa: « inde irae ».

Aldous Huxley lo chiama invece il Forte, nel romanzo *Those barren Leaves* (1925), col più semplice toponimo di Marina di Vezza (aferesi probabile da Serravezza).

Il viale interno, il viale « ammiraglio Morin »; il viale a mare, oggi trenta chilometri d'asfalto, di tamerici nel vento. Allora, ma quando? non facciamo date! Allora erano i tempi di Hildebrand, il geniale e direi classico-neoclassico modellatore e scultore: la sua villa alquanto boeckliniana era solitaria sul mare, al margine « soffiato » del pineto: erano le estati sudate della Telegramma, della Roncolina.

La Telegramma, secondo ne rimemora il nome, era

scarpinante portatrice di pieghi gialli con imprevedute notizie, succinta come Artemide alla caccia mentre la falce della luna si aggela: ma polacchi alti con ventotto fori per le stringhe, tutti infarinati dalla polvere: alta ed ossuta: con la cinghia a tracolla e la busta di cuoio in sull'anca, e il berretto a visiera d'incerato dei Regi Telegrafi. La Roncolina, che veniva forse dai Ronchi dove aveva botteguccia di merciaia, forse, era venditrice ambulante di spilli di tele di rocchetti di filo di fettucce (che allora usavano) alle massaie, nelle casine e nei capanni sperduti, fra le radure coltivate a granoturco.

E, andando a ritroso con la memoria... sì, c'erano stati altri tempi, altri giorni. C'erano passati il Byron, lo Shelley. Il «poeta del liberato mondo», come lo chiama per l'appunto il Carducci, era approdato cadavere sulla spiaggia, in una funebre sera. Travolti al largo da una repentina libecciata il piccolo scafo e la vela, il corpo era stato ghermito e risospinto dalla corrente del Magra che descrive un ampio arco nel mare, e viene a battere a Viareggio, con quella opposta del Serchio: colma, di anno in anno, l'insenatura tra lo sbocco del canale della Burlamacca e la Fossa dell'Abate. Ivi, stando alle memorie dei vecchi, ivi, il diradare del pineto sulla spiaggia, il rogo funebre: la fiamma che distrugge crepitando le spoglie, e si ricusa distruggere il cuore, il solo cuore del poeta. No: il «cuore dei cuori», come lo chiamarono deducendo da Shakespeare le ammiratrici appassionate, non andò incenerito fra le pigne: è tuttora sotto spirito, in un vaso di vetro, in un'ampolla, non so dove, non domandatemi dove, in qualche vetrina di museo universitario, mi pare.

Ora, qui, è il turno delle lambrette, delle sedie a sdraio, dei coni gelati, dei tubi al neon, degli ombrelloni a fungo, dei prendisole dolcemente eloquenti, meravigliosamente reticenti. Ora la capannina a mare, dall'orchestra notturna: le capannine: lo Strudel dell'ungherese del Cinquale e lo studio di Carrà sotto ai pini, e il suo bernoccoluto pallaio, vale a dire gioco delle bocce, sotto ai pini, tra i pini, con gli aghi dei pini. Infiniti giornali, infinita gente, infinite tasse di soggiorno, infiniti pullman: infinite biciclette, ora: e l'oblioso ozio, nel giorno, d'una gente che sguazza, si cura i piedi, cuoce, cuoce sotto il sole: vestita di quel nulla che potremmo ascrivere, appunto, al « senso del compromesso tipico dello spirito latino ». Quanto basta, comunque, perché le signore guardie non s'abbiano a scomodare un'altra volta.

RISOTTO PATRIO. RÈCIPE

L'approntamento di un buon risotto alla milanese domanda riso di qualità, come il tipo Vialone, dal chicco grosso e relativamente più tozzo del chicco tipo Carolina, che ha forma allungata, quasi di fuso. Un riso non interamente «sbramato», cioè non interamente spogliato del pericarpo, incontra il favore degli intendenti piemontesi e lombardi, dei coltivatori diretti, per la loro privata cucina. Il chicco, a guardarlo bene, si palesa qua e là coperto dai residui sbrani d'una pellicola, il pericarpo, come da una lacera veste color noce o color cuoio, ma esilissima: cucinato a regola, dà luogo a risotti eccellenti, nutrienti, ricchi di quelle vitamine che rendono insigni i frumenti teneri, i semi, e le loro bucce velari. Il risotto alla paesana riesce da detti risi particolarmente squisito, ma anche il risotto alla milanese: un po' più scuro, è vero, dopo e nonostante l'aurato battesimo dello zafferano.

Recipiente classico per la cottura del risotto alla milanese è la casseruola rotonda, e la ovale pure, di rame stagnato, con manico di ferro: la vecchia e pesante casseruola di cui da un certo momento in poi non si sono più avute notizie: prezioso arredo della vecchia, della vasta cucina: faceva parte come numero essenziale del «rame» o dei «rami» di cucina, se un vecchio poeta, il Bassano, non ha trascurato di noverarla ne' suoi poetici «interni», ove i lucidi rami più d'una volta figurano sull'ammattonato, a captare e a rimandare un raggio del sole che, digerito dagli umani il pranzo, concocto prandio, decede. Rapitoci il vecchio rame, non rimane che aver fede nel sostituto: l'alluminio.

La casseruola, tenuta al fuoco pel manico e per una presa di feltro con la sinistra mano, riceva degli spicchi o dei minimi pezzi di cipolla tenera, e un quarto di ramaiolo di brodo, preferibilmente brodo al foco, e di manzo: e burro lodigiano di classe. Burro, quantum prodest, udito il numero de' commensali. Al primo soffriggere di codesto modico apporto butirroso-cipollino, per piccoli reiterati versamenti sarà buttato il riso: a poco a poco, fino a raggiungere un totale di due tre pugni a persona, secondo appetito prevedibile degli attavolati: né il poco brodo vorrà dare inizio per sé solo a un processo di bollitura del riso: il mestolo (di legno, ora) ci avrà che fare tuttavia: gira e rigira. I chicchi dovranno pertanto rosolarsi e a momenti indurarsi contro il fondo stagnato, ardente, in codesta fase del rituale, mantenendo ognuno la propria «personalità»: non impastarsi e neppure aggrumarsi.

Burro, quantum sufficit, non più, ve ne prego; non deve far bagna, o intingolo sozzo: deve untare ogni chicco, non annegarlo. Il riso ha da indurarsi, ho detto, sul fondo stagnato. Poi a poco a poco si rigonfia, e cuoce, per l'aggiungervi a mano a mano del brodo, in che vorrete esser cauti, e solerti: aggiungete un po' per volta del brodo, a principiare da due mezze ramaiolate di quello attinto da una scodella «marginale», che avrete in pronto. In essa sarà stato disciolto lo zafferano in polvere, vivace, incomparabile stimolante del gastrico, venutoci dai pistilli disseccati e poi debitamente macinati del fiore. Per otto persone due cucchiaini da caffè. Il brodo zafferanato dovrà per tal modo aver attinto un color giallo mandarino: talché il risotto, a cottura perfetta, venti ventidue minuti, abbia a risultare giallo-arancio: per gli stomaci timorati basterà un po' meno, due cucchiaini rasi, e non colmi: e ne verrà un giallo chiaro canarino. Quel che più importa è adibire al rito un animo timorato degli dèi e reverente del reverendo Esculapio o per dir meglio Asclepio, e immettere nel sacro « risotto alla milanese » ingredienti di prima qualità: il suddetto Vialone con la suddetta veste lacera, il suddetto Lodi (Laus Pompeia), e i suddetti spicchi di cipolle tenere; per il brodo, un lesso di manzo con carote sedani, venuti tutti e tre dalla pianura padana, non un toro pensionato, di animo e di corna balcaniche: per lo zafferano consiglio Carlo Erba Milano in boccette sigillate: si tratterà di dieci dodici, al massimo quindici, lire a persona: mezza sigaretta! Non ingannare gli dèi, non obliare Asclepio, non tradire i familiari, né gli ospiti che Giove Xenio protegge, per contendere alla Carlo Erba il suo ragionevole guadambio.[1] No! Per il burro, in mancanza di Lodi potranno sovvenire Melegnano Casalbuttano Soresina; Melzo, Casalpusterlengo; tutta la bassa milanese al disotto della zona delle risorgive, dal Ticino all'Adda e insino a Crema e Cremona. Alla margarina dico no! E al burro che ha il sapore delle saponette: no!

Tra le aggiunte pensabili, anzi consigliate o richieste dagli iperintendenti e ipertecnici, figurano le midolle di osso (di bue) previamente accantonate e delicatamente serbate a tanto impiego in altra marginale scodella. Si sogliono deporre sul riso dopo metà cottura all'incirca: una almeno per ogni commensale: e verranno rimestate e travolte dal mestolo (di legno, ancora), con cui si adempia all'ultimo ufficio risottiero. Le midolle conferiscono al risotto, non più che il misuratissimo burro, una sobria untuosità: e assecondano, pare, la funzione ematopoietica delle nostre proprie midolle. Due o più cucchiai di vin rosso e corposo (Piemonte) non discendono da prescrizione obbligativa, ma, chi gli piace, conferiranno alla vivanda quel gusto aromatico che ne accelera e ne favorisce la digestione.

Il risotto alla milanese non deve essere scotto, ohibò, no! solo un po' più che al dente sul piatto: il chicco intriso ed enfiato de' suddetti succhi, ma chicco individuo, non appiccicato ai compagni, non ammollato in una melma, in una bagna che riuscirebbe spiacevole. Del parmigiano grattugiato è appena ammesso, dai buoni risottai; è una cordializzazione della sobrietà e dell'eleganza milanesi. Alle prime acquate di settembre, funghi freschi nella casseruola; o, dopo San Martino, scaglie asciutte di tartufo dallo speciale arnese affetta-trifole potranno decedere sul piatto, cioè sul risotto servito, a opera di premuroso tavolante, debitamente remunerato a cose fatte, a festa consunta. Né la soluzione funghi, né la soluzione tartufo arrivano a pervertire il profondo, il vitale, nobile significato del risotto alla milanese.

NOTA

1. *guadambio* è romanesco popolare per guadagno, profitto. L'Autore, invecchiando esule, s'è smemorato della lingua italianissima degli impeccabili censori.

LA NOSTRA CASA SI TRASFORMA: E L'INQUILINO LA DEVE SUBIRE

La casa degli umani si trasforma. La nostra casa, oggi, non è più quella di trent'anni fa. Le ragioni? Ragioni tecniche, ragioni economiche: escluderei affatto le ragioni morali. L'Ottocento aveva introdotto le poutrelles, rare tuttavia in Italia fino al nuovo secolo: ma i muri e i tetti erano combinati ancora all'antica: fondazioni, strutture portanti, copertura: pilastri e volte: malte di calce, muri di mattone o di pietrame, embrici e tegoli. Questi ultimi decenni hanno «rivoluzionato» la tecnica edilizia, e però la struttura della casa. Alla rivoluzione che chiamerò inevitabile, quella che stringenti motivi tecnici ed economici hanno imposto, s'è accompagnata la rivoluzione che chiamerò inutile o addirittura balorda, regalataci in molti casi dal truculento guappismo dei novatori coûte que coûte, dallo sconsiderato padreternismo dei tira linee quattordicenni: sì: età mentale quattordici. Buttando a mare come insopportabile zavorra tutta la esperienza edile e tutta l'arte (nel senso toscano di perizia: e di mestiere) e tutta la capacità d'intendere e di eseguire le cose che fu avvedutezza e acuità mentale del passato, abbiamo a volte creduto di poter disconoscere l'ordine del mondo e dei secoli e riprincipiar da capo, con rinnovate ragioni: che si palesarono essere, in definitiva, le ragioni dei quattordicenni: mentre il 77 per cento delle ragioni e dei motivi fisici del mondo sono rimasti gli stessi: gravità, clima, sole, neve, pioggia, vento, scarichi di fogna, acqua potabile, zanzare, tifo, bronchite, catarro, gravidanza, silenzio.

La rivoluzione che ho chiamata inevitabile ha recato agli abitatori della nuova casa vantaggi, ma anche svantaggi.

La nuova tecnica del calcestruzzo armato, dei muri di mattoni vuoti con armature ferrocemento, la eliminazione del tetto a lastre di ardesia o a tegoli di cotto, pesante e costoso, l'adozione di pali portanti per fondare in terreno molle, tutto ciò ha consentito strutture economicamente antisismiche o, in genere, staticamente valide a parità di costo: e magari per un costo minore. Il carattere sintattico-unitario della struttura, purché i carichi sulle palificazioni siano distribuiti a dovere, e le opere siano eseguite con onestà e scrupolo tecnico, diminuisce, a parità di resistenza, il costo complessivo dell'edificio. (Ma lo scrupolo non sempre sussiste ed agisce, come la cronaca del rovinio de' cementi può dimostrare d'anno in anno). Ecco in ogni modo i vantaggi. Molti, per altro, gli svantaggi, gli inconvenienti.

Il muro di mattoni vuoti, o «forati» che dir si vogliano, viene a difettare di «massa» e però di inerzia. Il più comune tramestio, un urto, una percussione si ripercote ne' pavimenti soffitti e nelle travature e pilastri, l'alzata o la scesa delle taparelle avvolgibili del terzo piano fa traballare tutta la parete fino al settimo. Ma, sopra ogni cosa, lo svantaggio termico: le stanze si raffreddano e si riscaldano al variare della temperatura esterna con le ore del giorno: il sorgere del sole è percepito attraverso la scemenza dei forati dall'inquilino a levante, la bestiale autorità del sole estivo delle sedici diciotto è patita attraverso la inefficienza dei forati dalla indifesa agonia e dal sudore turco dell'inquilino a ponente.

Terzo, e principe, lo svantaggio acustico. La casa ci accoglie *anche* per il necessario, per il vivificante riposo: quello che gli energetici fasulli si dànno l'aria di riprobare come pratica maledetta da Dio, salvo concederne a se stessi di nascosto una razione tripla non appena gli venga fatto: come l'emiro Mustafà, che aveva istruito i bidelli a lasciare accese le luci del suo palazzo di Bagdad fino alle prime luci dell'alba, a ciò che i rari vagabondi urbani lo ritenessero anche dopo le nove uno «spirito insonne», vigilante circa le fortune della Patria. La casa ci protegge, ci difende e ci deve difendere, nel raccoglimento, «contro il logorio della vita moderna». Il riposo, il sonno, a chi opera, a chi lavora, è altrettanto necessario del cibo, e dell'aria da respirare: a chi nella fatica del vivere o nella rabbia del contender l'anima al Tartaro minuto per minuto impegna senza risparmio il suo sistema neuro-encefàlico: midollo spinale e cervello. Or ecco: la casa di oggi, la casa riformata, la casa trasformata è impotente a preservare e a difendere, dall'oltraggioso logorio di cui sopra, gli abitatori e i lor nervi. La struttura in cemento ferro, in laterizi forati, specie nelle parti «tese» (soffittature portanti), risuona come pelle tesa di tamburo al minimo bottoncino che rotola. Scatolone di cemento ferro forati vuol dire: «dovrò porgere orecchio, mio malgrado, a tutti i rumori della casa, a tutte le note e le sillabe del falansterio».

UN FALANSTERIO DI OTTO PIANI

Gli amici fiorentini ridacchiano: «che tu porgi?». La mia tranquillità, secondo altri amici, è preziosa. È forse in pericolo? Abitavo al terzo piano d'un falansterio di otto, con 128 «nuclei familiari», a viale Madagascar 2024, scala D. Mi suggerivano palline di cera: si annidano così soavemente nelle conche degli orecchi! Se ne snidano così agevolmente, si riutilizzano così pulitamente! Durano un bimestre. «Ai rumori? l'orecchio devi non porgerlo: devi porgerlo non. Se c'è la cera non lo porgi. Che tu porgi! Mentre se lo porgi...». «... sento tutto: di tutti». Ridono. «Che cosa senti?». «Sento la vita del nucleo familiare, ossia della famiglia italiana moltiplicata per 128. La vita dinamica, sento, la vita seduta, la vita all'impiedi, la vita a passo di ciabatta, la vita coi tacchi, la vita coi tatacchi, la vita con gli zoccoli, la vita lirica e fisarmonica, la vita opinante, il contenzioso familiare; la vita fisiologica, la vita patologica, la indisciplina dell'imprevedibile, la prassi dell'imprescindibile.[1] Dal di fuori, la notte di Capodanno, mi arrivano spari: tanto per cominciare: e, da dentro, vagiti acutissimi. E a cert'altre notti, o giorni, le corse, le sùbite e ferocissime puntate, gli zompi del cane lupo solo in casa, che balza e riprecipita: perché gioca ai birilli da solo, con un sasso, in attesa del ricovero: a Santa Maria della Pietà. Le sue non infrequenti carambole mi certificavano, a viale Madagascar, che il cane è l'amico dell'uomo: specie quando è scemo, l'uomo.

Sentivo l'ottuagenario capitano di magazzini di pagnotte a riposo, pluridecorato al valore: lo sentivo espellere dalle 24 alle 4 tutto lo stock di catarro pazientemente accumulato nei bronchi durante le ore del tepore. I medici sostengono che si tratta di catarro cronico, e come tale non lo curano, perché non c'è più nulla da fare.

E ascoltavo il tarlo imperterrito, in un canterano che ancor oggi devo supporre di noce, tanto era duro e breve, nella notte, il giro di cavatappi. O, a volte, mi destavo di soprassalto. Il colpo... era stato l'uscio della diva. Di solito rincasava ubriaca. Se la rifaceva con l'uscio. Inveiva contro un ritratto di Garibaldi, dell'eroe dei due Mondi. Stava già litigando col pappagallo Zack, signoreggiato a sua volta da una speciale forma di delirio, di sindrome ebefrenica: a soli 93 anni. Gli vuol fare ingollare del White-Label alle prime luci dell'alba, operazione che a lei riesce perfettamente nonostante la sbronza: ma lui non ne vuol sapere: vuole una nocciolina americana. Lei allora s'infuria e gli grida tutt'a un tratto in un occhio: « cretino! ». E lui gorgogliando nella rabbia le risponde « rroja! ».

Il commendatore del quinto mi usava invece la finezza... di usare pantofole de pezza, dette bellunesi. Ma aveva la debolezza di perdere un bottone ogni notte, a mezzanotte precisa. Una pallina di legno secco: o di osso. M'ero appena assopito. Il bottone sferico mi ridesta di colpo, non la finisce più di rotolare. Pare impossibile che un bottone a palla possa rotolare per un'ora, in una camera di tre per quattro, a viale Madagascar 2024. La casa moderna la casa trasformata, mi garantisce: « è possibile ». E l'annuncio pubblicitario, ogni mattina, canta rinnovate lodi alla casa: « AAAAA Attico panoramicissimo, ampi terrazzi », come se gli ampi terrazzi fossero un titolo di merito genialmente raggiunto dall'architetto e issofatto conferito al palazzo. Sono ampi quanto comporta la necessità di copertura dei locali sottostanti. Sono ampi, sì: per forza. A gennaio non ci puoi pranzare di certo: a luglio... ti garantiscono il colpo di sole tanto atteso dai nepoti, dagli eredi a bocca spalancata. Quanto al panorama, si ammette: che la veduta del Soratte possa valere diecimila al mese: « Vides ut alta stet nive candidum Soracte ». Dalle finestre del Madagascar vedevo nelle sfumature di lontananza l'Amiata, la groppa color cammello del cinabrifero Amiata. Mille lire al mese: un prezzo onesto. L'idea dell'aria di monte: quando nella casa trasformata è l'aria del Madagascar a non essere sempre all'altezza dell'Oggi, del grande Oggi. Sono gli impianti sanitari i colpevoli della insalubrità. Gli sfiati delle canne di scarico sono stati omessi. Il progettista li ha ritenuti superflui. Cucine puzzolenti, con puzza inter-inquilinale, ossia inter-domestica.

Al terzo piano scala D percepivo ogni martedì venerdì, traverso il labirinto delle canne di scarico che erano state «messe in comune», quale fosse la razza del pesce che la signora del professore aveva fritto. Il professore era il pédicure del quartiere. E poi, e poi, a valutare pregi e difetti della casa riformata, della casa di oggi, non basta considerare il disegno, o tener conto dei problemi di struttura, disposizione, esposizione, impiego materiali. C'è da portare in conto la «qualità» degli utenti, vale a dire degli inquilini. Lasciamo i casi estremi: persone socialmente impreparate ad abitarvi, nella cara casa, gente che pensa male dei carabinieri, e di cui i carabinieri pensano peggio. A parte gli estremi, la vita può riuscir disagevole se non difficile anche in una casa discreta, ove tu paghi un discreto affitto, voglio dire: a motivo di quelli che ci stanno. La stima che i più soglion fare degli abitanti d'un borgo, d'una città, d'un quartiere, d'un casamento ovverosia falansterio, ovverocioè romanamente palazzo (128 famiglie), d'una palazzina (42 famiglie), d'un villino (28 famiglie) è una valutazione astratta, squallidamente numerica, tristemente anagrafica. A viale Madagascar non avevo in genere che da lodarmi, de' casigliani e delle loro domestiche. Ma talvolta la ineducazione, il senso rovesciato del diritto proprio, lo spirito del sopruso e della frode, può raggiungere l'eremo sacro e consacrato del diritto altrui. Può salire o discendere le quattro scale, introdursi nei 128 appartamenti.

A viale Madagascar ci stava un guappo, un energumeno, che ogni mattina alle nove mi faceva piovere sul terrazzino la risciacquatura del «suo» terrazzino. Era il «suo» modo di darmi il buongiorno. Sul «suo» terrazzino ci stava il «suo» cane, armato di tutti i diritti dell'uomo, cioè del padrone. Quella bella broda pioveva a fiotti sulle mie delicate magliette: uno stroscio, un'emulsione acquosa delle variopinte e variamente olezzanti estrinsecazioni canine della notte. Non ci fu modo di ottenere dalla società moderna, per la casa moderna, e nella capitale di uno stato moderno, che la pioggia fertilizzante avesse termine. Il cane era nel «suo» diritto: voglio dire di estrinsecare. Nessuno può imporre al cane di non estrinsecare. Si rivolga al condòmino. Il condòmino risiedeva a Copenhagen. Ne conclusi che il guappo era un fabbricante di concime assai amico alle bestie: assai, assai! Che il diritto è una bella balla: e che Giove Pluvio è un cialtrone, un istrione, e un porcone.

NOTA

1. *dell'imprescindibile*: dell'inevitabile.

PER UN BARBIERE

Nato nel 1749 ad Aversa, l'autore del *Matrimonio segreto* si spegne d'un ictus cerebrale a Venezia l'11 maggio 1801, vaniti gli anni per lui pure intranquilli, della rivoluzione: e della consecutiva, e temporanea, restaurazione borbonica prima. Dal 1803 Giovanni Paisiello, richiamato a Napoli dopo la parentesi parigina della *Proserpina* e travolto dai novissimi incarichi, sembra negligere o addirittura disertare la composizione operistica. Dopo l'*Idolo cinese,* 1767 Napoli, e dopo il *Socrate immaginario,* il *Barbiere di Siviglia,* 1782 Pietroburgo, aveva sublimato agli astri, nell'apprezzamento di Caterina e della corte il favore concesso da qualche anno al melodista di Taranto. Il *Barbiere* di Paisiello l'ho udito alla Scala molt'anni sono, era concinnità popolaresca, rapida arguzia, ironia e patos: l'aria della calunnia vi gorgogliava dentro alla breve, filava e poi giravoltava elegante, nello schema della correntìa melodica un leggiero turacciolo, senza dar luogo a impreveduta intumescenza, all'ernia strozzata del gioacchiniano colpo di cannone; l'andare dell'orchestra si lineò fuggente in un chiaro docile schema: ove interludevano gli ottoni, i clarini prediletti, il fagotto. Il

Matrimonio segreto di Cimarosa, 1791, l'ho ascoltato, hélas! alla Scala 1921: un empito amabilmente rivendicatore della scelta amorosa, della libertà e necessità d'amare, lo percorre, una vibrazione tenera e appassionata. L'antico paganesimo campano, il memore lamento delle ciaramelle e le feste dei timpani ignorano ancora lo strazio dei romantici, lo starnuto inopinato dei piatti, ssalute! il singhiozzone o il soffianaso del dramma torcibudella. Se ne libera quasi invece da corolle odorose la loro essenza, si diffonde in quell'aere portata dagli efimeri del Golfo, con un palpito smarrito della gente, sotto malïosi cieli della sera, della notte. Oh, quel motivo che m'incantava tra i pochi sogni della terra, già allora dissolti, non addurrà più il nostro spirito alla serena effusione che il vecchio operista gli prescriveva, alle rive napoletane della notte. Il settetto di voci: brevi battiti nel rompersi devastato d'ogni vivere, nel subito vanire d'ogni speranza, e d'ogni presago sogno:

è vero che in casa – io son la padrona,
che m'ama il fratello, – che ognuno mi onora,
è vero ch'io godo – la mia libertà:
ma con un marito, – via, meglio si sta.
Sto fuori di casa? – nessun mi dà pena:
all'ora ch'io voglio – vo a pranzo, vo a cena;
a letto men vado – se n'ho volontà;
ma con un marito, – via, meglio si sta.
Un qualche fastidio – è ver che si prova:
non sempre la donna – contenta si trova;
bisogna soffrire – qualcosa, si sa:
ma con un marito – ma con un marito
ma con un marito, – via, meglio si sta...

Sgorgate verso il cielo del teatrone dal crocchio dei tre, delle quattro, le sette voci entrano ed evadono per gruppi analogico-armonici con alterno incarico e in un esonero pronto: quasi per una distribuzione a cassetto dell'afflato estrinsecatore: accomodando la cadenza loro sul trotterellante e ragionevole bordone del senario addoppiato: fino all'acuto verticale ìto, marito, ma con un marìto: e alla pacata remissione.[1]

Bisogna soffrire – qualcosa, si sa:
ma con un marito, – via, meglio si sta.

Oh! il *Matrimonio segreto*! La maestà imperiale epperò sacra quando non anco apostolica di Leopoldo II, il principe illuminato, a Vienna, quella sera, inebriàtone alla prima, lo volle seduta stante bissato. Fecero, a Vienna, fecero non dirò le ore piccole, ma l'ora salutante del gallo: Sua Maestà Sacra e Romana, con il teatro al completo, con tutte le voci e i violini. Il trotto modulato del senario si raccoglieva in elisia fluenza nel « tutti » dei violini, degli archi. Gli pareva, nell'imperial palco, in adeguata vale a dir dorata poltronetta insediatosi alla rococò, le falde della imperial marsina fuori seggio, gli pareva di trascorrere per elisia landa e campagna, di aliare oltre il fiume d'oblio al di sopra il prato fiorito d'asfodèli: come talora accade nel sogno, allorché uno si libera a cuore lieve e fuggente quasi gentile ippogrifetto au ralenti su provincia serena, e dimentica di dolore e di storia: ignara di speranza. Al quale praticello si diresse invece un anno dopo, il 15 marzo 1792, ch'era l'imbrunire: fuso dell'Europa orientale.

Il *Matrimonio segreto* era stato ridotto alle scene italiane a opera di Giovanni Bertati di Martellago, Treviso (1735-1815), che ne aveva desunto l'azione dal vivido suggerimento di Beaumarchais. Pietro Agostino Caron, figlio non già d'un beccaio ma d'un orologiaio di Parigi, orologiaio a sua volta, indi funzionario amministrativo della casa del re (Louis XV) indi signore di Beaumarchais, s'era dipartito dalla scena del mondo nel '99 dopo il ribollio d'una vita estrosa e fervida, per non dire esagitata o indemoniata, ove alla prima si congegnarono e subito dopo s'incastrarono e l'una in altra s'intorcolarono le tenerezze familiari, la musica, la grana, l'orologeria, la lite pro sorore sua che lo balestrò fino a

Madrid, la speranza di apprender l'arpa, zùmm!... un pizzico ogni dodici minuti... zùmm!... a due almeno delle sette figlie femmine che Maria Lekcinska non aveva desistito dal conferire, in dono di ricambio, allo zelo pertinace del bene amato suo sposo: oui, Louis le Bien-Aimé, c'est cela. «Toujours coucher! toujours accoucher!» sospirava l'acquarellante bacchettona mollemente involtata ne' suoi fichus, dans ses fanfreluches douillettes. Il maritiello in parrucca e ciprie, per conto suo così svelto a découcher, sospirava e sbadigliava a sua volta, noiato da morire, al dover rimirare i brodosi acquerelli con capretta su montani greppi al tramonto di ch'ella tanto si compiaceva e inorgogliva, arenatasi dopo i primi due parti all'Isola delle Balie (nell'Arcipelago dei Biberons) tra pannicelli caldi, pappe, pappine, polendine, vasucci, servizialucci, cacchicce à n'en finir, e li sciroppi annacquati degli acquerelli: ch'erano, secondo lei, il suo vero tarocco per accattivarsi «l'amore del Re». Quanto a lui, voglio dire a Pietro Agostino, gli affari, la dimestichezza di Paris-Duverney, le liti giudiziarie, i conseguenti quattro *Mémoires*, inarrivabile prosa! che strappava lacrime di consenso al poppolo e ai principi, ai filosofi ed ai marchesi, e le gazzette, e i libelli, e gli economisti, e i salons e l'opinion, e il presentimento del pandemonio: questo era stata la sua vita. Il teatro, lo spionaggio-controspionaggio, le missioni all'estero a recuperare la maldicenza contro Sua Maestà la Regina austriaca, e di tanto in tanto qualche mezzo annetto di carcere, un po' qua un po' là per tutt'Europa. Così gli era venuto fatto di approdare alle rive insicure del Merito: della scapestrataggine. L'Abbaye lo inghiotte, poi lo rivomita. Il libellista dei quattro *Mémoires*, nel '99, è maturo per le grinfie del diavolo.

Nella famosa lettre au bon Dieu: «La voilà terminée, cette pauvre petite Messe. Est-ce bien de la musique sacrée que je viens de faire, ou alors plutôt de la sacrée musique? J'étais né pour l'Opera buffa, Tu le sais bien. Peu de science, un peu de coeur, tout est là. Sois donc béni: et accorde moi le Paradis». Chi ha sentito nascere di sé la indiavolata cavatina poteva rivolgersi a Dio in questi termini.

Già noto al pubblico romano per l'*Italiana in Algeri*, l'*Inganno felice* e il *Tancredi*, Rossini era venuto a Roma nel novembre del '15, durandogli tuttavia l'incarico al San Carlo. *Torvaldo e Dorliska*, la sera di Santo Stefano, ebbe un esito infelice al teatro Valle. Scrivendone alla madre, il compositore disegnò sulla soprascritta della lettera un piccolo fiasco. Si rimise al lavoro. Un secondo impegno, a Roma, in quell'inverno. Ecco:

«Nobile Teatro di Torre Argentina. Roma, 15 novembre 1815. Col presente, fatto in privata scrittura, ma che avrà forza e valore come contratto pubblico, viene stipulato fra le parti contraenti quanto qui appresso: Il signor Duca Sforza Cesarini, impresario del suddetto Teatro, scrittura il maestro Gioacchino Rossini per la prossima stagione del Carnevale 1816: il quale Rossini promette e si obbliga di comporre e di mettere in scena la seconda opera (buffa) che sarà rappresentata nella suddetta stagione al teatro indicato, e su quel libretto, sia nuovo sia vecchio, che gli sarà dato dal suddetto signor Duca impresario». (Seguono le clausole concernenti la regìa, le prove, i mutamenti «alla voce» nella partitura, la direzione). «In ricompensa delle sue fatiche il Duca Sforza Cesarini si obbliga di pagargli la somma e quantità di scudi quattrocento romani, terminate le tre prime esecuzioni che dovrà dirigere al cembalo». In più, l'abitazione: un quartiere a palazzo Pagliarini, ai Leutàri, primo piano.

Circostanze varie, la difficoltà di radunare e scritturare i cantanti, ritardarono di due settimane l'inizio della stagione, l'apertura del teatro. L'opera del maestro pesarese, nel cartello, passò al terzo posto. Geltrude Righetti, di Bologna, coetanea ed amica d'infanzia del Rossini, venne accettata all'ultimo momento, in sostituzione della Gafforini già celebre, e però inamovibile dalle sue pretese. Geltrude fu la prima primadonna del *Barbiere*, la prima Rosina « sono obbediente – dolce, amorosa – mi lascio reggere – mi fo guidar: – ma se mi toccano – dov'è il mio debole – sarò una vipera – sarò una vipera... ». Álmaviva fu il tenore andaluso Emanuele Garcìa (era proprio nato a Siviglia) che Rossini aveva condotto seco da Napoli: una voce estesa, un'arte squisita. Un'« azione perfetta ». Luigi Zamboni, pure bolognese, e de' migliori buffi d'Italia, oltreché caratterista eminente, fu il primo Figaro. L'orchestra: una troupe di trentacinque sonatori (non si chiamavano ancora professori) guidati dal violino Landoni. E dopo la grana dei cantanti l'angoscia del libretto. Gli « amori di un ufficiale e di un'ostessa contrariati da un curiale », proposta di Jacopo Ferretti, furono tema respinto come troppo scemo e sguaiato. Il Rossini si rivolse a Cesare Sterbini, l'autore del *Torvaldo*, per averne « un libretto tolto dalla celebre commedia di Beaumarchais », sceneggiato « ad uso del moderno teatro italiano ». Cesare Sterbini, romano, minutante della Finanza presso la Regia Camera Apostolica, « nell'idioma greco, latino, francese e tedesco valentissimo », era nato nell'84 (morì nel '31). Non fu pedissequo al Beaumarchais. Offrì al pesarese con un diavolo per capello un canovaccio brioso: due atti: abile disposizione delle scene: vivi e veri i personaggi: libretto in tutto degno del maestro. Uno stile rapido, nervoso, che sembra eccitare alla deflagrazione il fuggitivo e scoppiettante saccadé rossiniano, e l'intermittenza, il commento ironico o patetico profondo, del relativo pizzicato. L'entrata di Figaro è invenzione dello Sterbini, una trovata scenica delle più felici. Secoli di vita provinciale italiana hanno potuto maturarla, aurore splendide: tutte le città del silenzio e della bacinella, tutti gli amanti e tutti i barbieri dal passo furtivo nella notte sul decoro municipale del selciato, lungo l'ombra della torre guelfa, o al tacito veleggiare della luna, o al canto del gallo:

> ah che bel vivere – che bel piacere
> per un barbiere – di qualità... – di qualità...
> ah bravo Figaro – bravo bravissimo,
> fortunatissimo – per verità...

Quanti giorni da musicare il libretto? «dodici giorni», ebbe a scrivere il Rossini. «Tredici giorni», disse poi a Riccardo Wagner nel colloquio del 1860. Lo Sterbini si accinse al lavoro il 16 gennaio 1816. La prima del *Barbiere* al Nobile Teatro di Torre Argentina, con relativi fischi, berci e ululati, il 20 febbraio. In toto: un mese e quattro giorni. Più di uno spunto il Rossini lo dové togliere ad imprestito dalle sue precedenti opere: altri se li ritrovava già nell'orecchio, come versi inediti in un cassetto. La ouverture attuale del *Barbiere* aveva appartenuto all'*Aureliano* (dicembre 1813, Rossini ventunenne) indi all'*Elisabetta regina d'Inghilterra* (ottobre 1815). Fu annessa al *Barbiere* dal maestro stesso alcuni anni più tardi. Si crede che la ouverture originale, su motivi popolari spagnoli fornitigli da Garcìa, fosse andata smarrita senza ricupero.

Seicento pagine, la partitura del *Barbiere*. Non così fitte, certo, né così nitide, come l'algebra delle partiture wagneriane. Qualche gocciolone d'inchiostro lungo le fughe e le rampicate delle note sul pentagramma; quasi d'un empito gocciolato giù dalla zàzzera (allora zàzzera) o dalla penna d'oca del maestro: di quell'inchiostro color castagna d'India che noi abbiamo ancora conosciuto presso i nostri buoni Barnabiti. Talora poche rondinelle sui fili del telegrafo: i gorgheggi della Rosina, come d'usignolo al ramo: soli e irraggiungibili nella limpidità della notte.

NOTA

1. *remissione,* termine tecnico ne rideatis, è la detensione laringea (nonché acustica, nonché psicologica, per l'emittente e per gli ascoltatori e gentili ascoltatrici) al repentino precipizio da nota acutissima alle note più gravi.

IL PETRARCA A MILANO

Fuori di mano, la basilica di Ambrogio, anche al tempo di Giovanni Visconti, si può concederlo: non tuttavia fuori le mura, come San Vittore al Corpo qualche centinaio di passi al di là dei muri e delle torri, dopo gli olmi del bosco, dopo il chiostro dei Benedettini. Le chiese, gli edifici di qualche mole, dovettero sorgere anche nei vecchi secoli ai prati: ai broli, agli orti: alla periferia, dicono oggi: dove non comportassero demolizioni costose vale a dire inattuabili. Periferia di allora, intendo: ché i nostri occhi di posteri li vedono o li ritrovano stretti e in qualche caso impigliati, codesti orti e broli, nell'« agglomerato urbano », aperti o proibiti alla folla. Sant'Ambrogio era là, dove le mura « nuove », ristorate dal provvido Azone, formavano (a poterlo includere) il saliente e l'angolo occidentale della cerchia.

Allo spiazzo che antistà l'atrio, detto di Ansperto, si accedeva dalla campagna per un ponte in mattone sulla fossa e per quella medesima « porta » a due archi, guardata dai due torracchi, restituita oggi nella forma d'un tempo: ch'era un po' l'adiutrice della Vercellina agli ortolani di Lorenteggio, di Baggio, a tutti i foranei di buona gamba che da Cesan Boscone vi approdassero, da Muggiano, da Quarto Cagnino. Se ne giovavano i frati, e alla cotidiana spesa i lor famigli, col cavallo: e i Lampugnani e i Carcano alle stagioni della caccia: e più d'un vagabondo in tutte le stagioni dell'anno, alle ore della luce, o meglio al crepuscolo. Denudata d'un intrico di casipole e di tetti che le si erano addossati un po' alla volta, con la fidente dimestichezza degli umili, l'opera ancora ci rimane dopo il finimondo: ed è, tra i memori segni degli anni, uno dei più cari, dei più civicamente eleganti. La via Carducci soprasta, o lungheggia, la fossa ricoperta: e piega ivi a sinistra e cangia il suo nome in De Amicis. La via di San Vittore la incrocia, insigne oggi per un turrito e merlato e pigmentato castello, non più visconteo né sforzesco: rompe la cinta, costituita ormai da una allineata di case « di civile abitazione », e permette al trentatré (tram) di giravoltare in piazza Sant'Ambrogio. La vecchia pusterla a due archi vive ora, è chiaro, il suo tempo archeologico.

Là proprio dove le vetture color verde elettrico descrivono il loro quarto di cerchio, in quel punto dobbiamo collocare in imagine (e rifarci agli anni) la pressoché romita dimora d'un letterato di qualche nome, che vi andò a stare contro ogni aspettazione degli amici di Toscana, a primavera inoltrata, correndo l'anno di salute 1353. Veniva di Provenza, per il Monginevro. Erano le primavere, le mature, era l'ultima di Giovanni Visconti, arcivescovo e signore di Milano. Di là dal muro, dentro la cui cinta sembrava ripararsi la casina, le vette d'alcuni pioppi e degli olmi: e dalla fossa, o dalle pozze, un amoroso crocidare di ranocchie, a sera, a giugno, verso l'estate imminente: le loro « rime sparse », i loro alquanto gargarizzati « sospiri ».

Alte al disopra i pioppi le merlature delle torri, delle due: donde i bergamaschi di Azone, ventiquattr'anni prima, avevano scaracchiato nottetempo i loro vituperii notturni sugli alemanni del Bàvaro: assediatore assetato insediato a San Vittore, nel chiostro: alloggiato, per quanto a malincuore, dai Benedettini: e regalato di cibarie, e di più d'una fiasca di quello, dal gentile, dal provvidente assediato, il signor Azone Visconte: actio vicecomes: il quale attendeva dalla sacra nonché bavara maestà due favori: sì, ôn para de piesè: primo, che dimesse le bizze lo patentasse, lui Azone, actionem, vicario imperiale di Lombardia: secondo, che immediatamente dopo la si levasse dai paraggi la sacra maestà.

Ecco. La vela della luna, anche allora, su tutti i coppi e su tutti i colmigni di Milano veleggiava il bel cielo della notte: i milanesi avevano guardie d'Introbio e di Chignolo d'Adda alle torri, sopra la pusterla di Sant'Ambrogio: e canti e vociacce dalle due torri, verso il chiostro, laceravano sguaiati la pietà serena della notte: « Oh Gabrione ebrione, bibe, bibe, ho ho! Bibe, bibe, Gabrione, babi, babò! ». Per ridirla nel castigato latino di Galvano Fiamma.

Ed era invece, stavolta, l'ospite del signor Giovanni, un letterato di fama: che sapea latino se non greco, e già di sola sua presenza avrebbe onorato la corte, la casa del Signore milanese: uno ch'era in grado, ne avesse avuto fantasia, di ripulire con qualche buon tratto di sua penna tutto il protocollo, di emendarlo d'ogni lombardesca ruvidezza, d'ogni solecismo: a rifar latine le rubriche dei diplomi, le lettere. E vi avrebbe intrefolato, nuovo e splendido stame, le proposizioni felici e impeccabili d'una lucubrata « eloquenza ». E favellava come tutti quelli di sua terra: come Cino, come Lapo, come quel Dante, ch'era geomante sommo e nel descriver cerchi maestro, risalito nero a Verona da tutti i fumi del profondo. Ed era, questo invitato del signor Giovanni, era volgar poeta a sua volta, e dei più dotti, e dei più abili a rimare: e a far le viste di sospirare per amore. Si chiamava Francesco, di nome, e Petrarca, diceva lui, di cognome.

Alcuni anni prima, nel 1346, dopo tutto un polverìo di cavallate o di fazioni, e tregue d'armi, e tumulti, e riandate a gualdana, e congiure, e patti, e rigiuramenti e rimancamenti di fede da tutt'e tre le parti, il Visconte s'era insignorito di Parma: Luchino Visconte: in barba al marchese Obizzo (da Esti) suo concorrente e nemico. Già. Luchino Visconte, un bel giorno, in Milano, aveva segnato pace con Obizzo. A Parma aveva mandato podestà un cavaliere, uno de' suoi meglio, Paganino da Besozzo. Per i buoni uffici del quale, Francesco, adeguatamente solleticato, ebbe occasione di corrispondere col nuovo, col potente Signore.

Dalle rive dell'Olona a quelle del Parma pontifrago, cioè rompitor di ponti, un'epistola più che gentile di Luchino. Si rallegra col poeta del di lui ritorno in Italia (era il ritorno del '46, non il definitivo del '53) nella città che ha rinnovato l'arme e la fede con l'arme e con la fede nuova della vipera. La gran vipera azzurra si sarebbe onorata di fare onore al poeta. E si fa cuore a domandare a Francesco, come ad orticultore appassionato, alcune « marze », cioè polloni, innesti, di piante fruttifere. Nella sua risposta (*Familiari*, VII, 15: ad Luchinum Vicecomitem Mediolani Dominum) il poeta include, a titolo di primo invio, un ben ritornito epigramma (in latino): altri versi promette: e manterrà di poi la promessa, accompagnando il nuovo carme (latino) con un bel cestello di pere: « pere glaciali »: di quelle che sogliono davvero spappolarsi, in sulla lingua, come un delicato sorbetto. Aveva, a Parma, messer Francesco, aveva casa e prebenduccia: beneficiuccio, conferitogli dallo spodestato Signore, il Da Correggio. Non è improbabile che gli premesse alquanto di salvarseli, col Signore nuovo e grosso: tanto il beneficio che la casa. Il complimento che in chiusura della citata VII, 15 egli rivolge a Luchino (dopo aver cicalato da par suo, e di letterati e di principi, oh! non a vànvera) discopre tuttavia una imagine politica: quella che del Visconte molti italiani dovevano formarsi, già in quegli anni, e magari a dispetto: « ... uomo dell'età nostra grandissimo, a cui nulla manca, per esser re, se non il titolo di re... ».

Causa non ultima della cattiva stampa che circonda i

Visconti fu l'avversione o addirittura l'odio dei toscani (loquaci e letteratissimi), cui riuscì esosa e minacciosa di fatto e in guerra aperta più tardi « la vipera che i melanesi accampa ». Figurarsi dunque, sett'anni dopo, nella primavera del '53, le rampogne degli amici di Toscana! non appena si riseppe che il venerato Francesco di ser Petraccio, piovuto a Milano per sostarvi un giorno dopo la scesa dalle Alpi, un giorno solo!, s'era lasciato invescare alle panie del Visconte: del signor Giovanni, stavolta... (Essendoché Luchino il politico, il duro soldato, era mancato ai vivi addì 24 febbraio 1349 nella piena maturità de' suoi 57 anni: chi disse di peste, ed è probabile: chi fantasticò di veleno: un velenetto fattogli espedire dalla moglie, la Isabella de' Fieschi, pellegrina a Padova in quel punto per le sue divozioni dopo il parto: di due fenomenali gemelli).

Per quel che è del signor Giovanni, si sa ch'era stato fatto arcivescovo (di Milano) e legato papale (di Lombardia) dall'... antipapa Niccolò V, Pietro Rainalducci da Corbara: d'accordo con il romano imperatore, col Bàvaro: al tempo ancora di Azone, 1329, e di prima gioventù. Sì, suo nipote Azone (figlio del fratello Galeazzo I) aveva aiutato a quattrini: sempre necessari per un'operazione del genere. Di poi, non appena Azone fu vicario imperiale, non appena il Bàvaro si ritrovò in angustie, o per più preciso dire nelle pesti, Giovanni arcivescovo di primo pelo, ma di pelo dei Visconti, aveva avuto l'accortezza di farsi sconsacrare, indi riconoscere e riconsacrare vescovo e signore di Novara dal papa: dal papa giusto: quello d'Avignone. Ora poi, morto Luchino, era Giovanni ad aver a mano Lombardia.

Anche il papa di quei lontani anni era morto. Ma ce n'era un altro al suo posto: Clemente VI. Giovanni, dal 1342 ridivenuto arcivescovo di Milano, nel 1350 (23 ottobre) non si tenne più dall'occupar Bologna, dopo la digestione di Parma: la città dei glossatori gli era stata ceduta dal Pepoli per duecentomila scudi d'argento, secondo alcuni: per dodicimila fiorini d'oro, secondo il

Villani. I fiorini d'oro erano fioriti indi sfioriti in tasca ai «soggetti», ossia sudditi, a quei meravigliosi paga-tasse ch'erano anche allora i milanesi. Ma Bologna... Clemente VI la voleva a qualunque patto per sé. E il patto fu che fulminò di scomunica maggiore il Visconte, e i tre nipoti secolui, Galeazzo, Matteo, Bernabò: e colpì d'interdetto lo stato, tutto il territorio che aveva obbedienza al Visconte.

Preso dalla più gran bizza, l'arcivescovo-serpente fece allora dettare a' suoi menanti e fece diffondere un po' per tutto quarantatré copie d'un libello: il testo del quale, in Avignone, fu recitato a consistoro. Aveva forma di lettera, dal Principe delle Tenebre indirizzata al «suo» terrestre vicario, il papa: data dal centro del Ninferno, alla presenza di tutto l'Esercito dei diavoli.

Oh! Il Vicario, Clemente VI, era un signore francese del Trecento a cui piacevano i fiorini, un Maumont: Giovanni, degno competitore del francese, era il Signore milanese a metà il Trecento, un Visconte: el padrôn del sachètt: e Ludovico il Bàvaro era imperatore sacro e romano, di nome, e tedesco e totalmente sfiorinato cioè squattrinato di fatto. Nessuna meraviglia che ai 17 luglio '52, contro un censo di fiorini d'oro dodicimila, dôdeṣ mila, il Visconte arcivescovo si rappattumasse col papa, avendone e Milano e Bologna, per intanto, e la legazione e la sospensione d'interdetto: e l'imperatore non ci potesse nulla.

Tutto questo... per dir quest'altro. Allorché il Petrarca, rivenendo d'oltr'Alpe nella primavera del '53, capitò a Milano e vi sostò a rifiatare, ad allungarsi in letto una notte dopo le mulattiere e le mule del Monginevro e tutto il polverone della Vercellina, Giovanni Visconti era, a Milano, il legittimo e reverito, nonché porporato Signore. Aveva l'aria, oltretutto, di voler ripristinare l'antica autorità milanese, di levare la voce di comando, l'antica: quella che era stata del vescovo: di Ansperto, di Landolfo, di Ariberto. E badava intanto alle fortune di famiglia, a raffermare la signoria familiare pei nepoti: tra le scartoffie del broletto vecchio, o ragionando loro degli amici e de' nemici, dell'imperatore e del papa, a notte, nelle attigue sue case: là donde Azone aveva chiamato Giotto a pitturare i muri, le stanze: e Giotto non aveva dipinto un fico secco. Una voce calda, suasiva: il serpente sullo stomaco: il crocione d'oro sul serpente: l'ametista al dito e la mano correvole e sagace in tutti i laberinti d'inchiostro: «johannes vicecomes», firmava a cartapecore, tra gale e cordoncini rossi, e arcipelaghi di ceralacche scarlatte: «archiepiscopus et dominus generalis mediolani». Le maiuscole nella grafia di allora non usavano: e dunque: «arcivescovo e signore generale di milano».

Se un vecchio scrittore-commediografo e poeta male in gambe,[1] al lasciare il suo bel nido parigino, lo salutava con quel verso accorato

Adieu, beau quartier des marais

(il quartiere elegante, nella Parigi di Anna d'Austria), un altro poeta[2] non meno malandato in salute rimpiangerà non meno tristemente, dopo duecento anni, i vecchi embrici e i vecchi muri d'una volta:

... le vieux Paris n'est plus: la forme d'une ville
change plus vite, hélas, que le coeur d'un mortel...

Le case si sfasciano, il piccone urbanistico le polverizza, e i disinfestanti decreti-folgore di Haussmann: l'avvocato musicomane reggeva da despota la prefettura della Senna per cavarne sebastopoleschi boulevards.

Altra volta i muri resistono, indelebili: testimonianze profonde della nostra vita e della nostra storia. L'animo del poeta li interroga, come un figlioletto interroga, balbettando, l'alto enigma del nonno. Rinnovandosi nei discendenti la pietà antica li immunizza. Tramite dal passato al futuro, la carità patria li acquista (recuperandone il senso) per il demanio dell'eternità. A Milano come altrove.

Silente scenografo, il tempo aveva radunato davanti agli occhi del Petrarca quegli edifici che parlavano al suo cuore commosso, al volto stupefatto, con l'autorità di che i «grandi» sembrano investiti allo sguardo indagatore di un bambino. Essi testimoniavano degli avvenimenti lontani, e dei fasti e delle meraviglie di un secolo ancora vivo, per la vivente storia delle anime.

Nella lettera a Giovanni Aghinolfi aretino, 1 gennaio 1354, ritorna con un accenno alla sua dimora di fianco a Sant'Ambrogio e precisa: «la sola basilica di Ambrogio si interpone fra la casa in cui abito e il sacello dove, dopo arcano conflitto, vincitore de' propri intimi dissidi, Agostino fu asperso con la sacra linfa dalla mano stessa di Ambrogio... e dunque fatto libero da tutto ciò che prima lo attraeva, lo preoccupava... (vitaeque prioris solicitudine)». Il che era avvenuto mille anni avanti, all'alba di domenica 25 aprile 387, dopo un intenso periodo di iniziazione interiore (per Agostino) dopo un inverno di raccoglimento a Cassiciaco, – Cassago in Brianza, secondo gli specialisti – nella villa di Verecondo: dopo tutte le perplessità e le vicende che i libri settimo, ottavo, nono delle *Confessioni*, così vivamente ci espongono. Il Petrarca non sa disgiungere dall'immagine della «vivente» basilica la memoria di quello che l'aveva eretta e consacrata al culto, né di quello che vi era stato accolto per la purificazione, per la conversione, agli anni di Valentiniano e di Teodosio. Oltre tutto è da dire che gli edifici romanici hanno, più degli altri, questa magica misteriosa facoltà di «emanare» il senso della loro epoca.

Altra dimora milanese del poeta fu, dal 1361, presso il chiostro vecchio di San Simpliciano: *Familiari*, XXI, 14, a Francesco Nelli, priore dei Santi Apostoli, Firenze: «... sappi dunque che addì 11 novembre» – San Martino era giorno di sgomberi – «dalla casa e dalla parrocchia di Ambrogio, dove oramai abitavo da sette anni, sono venuto a stare nei sobborghi, fuori della vecchia cinta: trasferendomi altresì dalla zona ovest alla zona nord, presso il chiostro di Simpliciano... »: e dunque al di là dei Fiori Chiari, che era, nella nuova zona, la stradetta del *terraggio*, interna al bastione, al di là di via del Pontaccio: via Pontaccio fu ed è strada esterna, al bastione antico e alla fossa: « ... tanto vivo e tormentoso è il desiderio di libertà, di solitudine, di quiete... E sebbene, così come le cose si son messe, poco raccoglimento ci sia per me da sperare » (fra gli onori e gli incarichi) « la disposizione della nuova casa è tale, che l'importuna insistenza (acies) di eventuali rompi-anima posso eluderla abbastanza facilmente: sgattaiolando al momento buono da un certo usciolo sul retro... ».

Da quell'usciolo misterioso il Petrarca si metteva alla campagna per le sue passeggiate solitarie: descrive i luoghi di delizia, le alberature suburbane, gioisce del silenzio: il footing era per lui l'esercizio prediletto: « solo e pensoso i più deserti campi... vo misurando »: era la liberazione, l'evasione, la « fuga » nel senso della moderna psicanalisi: « à revoir les copains, je me sauve!... ». L'uomo che i Visconti adoperarono come revisore del protocollo, come ambasciatore a Venezia, e a Carlo IV imperatore di passaggio, come epistolografo di lusso da persuadere il Bussolari (*Familiari*, XIX, 18) a non uccidere i bei cani di Galeazzo, – assediati con i relativi cristiani, in Pavia, da Galeazzo stesso – l'uomo che fu laureato poeta in Campidoglio, che Carlo IV, con sua bolla aurea, nominò Conte Palatino, per quanto poco valessero palatinato e contea, che tutta Italia ormai salutava ai fastigi della gloria, quel povero grand'uomo non era animato da altro desiderio... che di tagliar la corda per un usciolino segreto, della sua casa fuori mano, fuori mura.

I frati non gli piacquero: aveva fatto loro una visita, appena installato nella nuova abitazione. Richiestili di qualche particolare documento sulla vita di Simpliciano, gli recarono un opuscoletto minchioncello « sine gravitate, sine lepore, sine ordine », una rifrittura di notiziole risapute: ciò che valse ad allontanare il suo cuore. Felice scopritore degli antichi, avendo a mente i latini, egli era goloso di inediti. La memoria di Simpliciano, d'altronde, era sacra. Simpliciano era stato «padre di Ambrogio vescovo nel ricevere la grazia» (*ibidem*). È noto che Ambrogio, prefetto di Liguria e cioè funzionario imperiale, fu acclamato vescovo ch'era ancor digiuno di dottrina: «dovrò insegnare da questa cattedra quello che non ho ancora imparato». Simpliciano lo aiutò. Il Petrarca confida perciò che Ambrogio vorrà perdonargli il *trasloco*: che fu dei libri e delle robe, non della mente. Dal figlio (Ambrogio) il poeta risale al padre (Simpliciano), quasi «internandosi» nella spiritualità del «luogo» milanese.

Apprendiamo dalle *Familiari* che fu in villa verso l'Adda: e si recò a Mantova, e a Bergamo che lui nobilita in Pergamum, «città alpina d'Italia» (*Familiari*, XXI, 2, a Neri Morando forlivese). Ve lo accompagnò, e lo ospitò, un ammiratore bergamasco «un orefice assai abile nel suo lavoro, non molto provveduto di lettere» (in paragone d'un Petrarca!) «ma di ingegno penetrante, innamorato d'ogni cosa alta e bella: uno che ha tutta l'aria d'esser fastidito da quell'oro, proprio, con cui deve combattere ogni giorno...».

A Bergamo, onori eccezionali: gli si fanno incontro il preside della provincia, il capitano generale comandante la piazza, i più alti magistrati cittadini: lo vogliono a palagio, tutti i nobili lo assediano, lo stringono d'inviti pressanti. L'esimio orefice è in sudor freddo, nel timore che l'adorato messer Francesco si lasci vincere: che glielo portino via. (Estremamente vivi il racconto, la scena). «No. Mantenni fede all'amico, scesi alla casa del più umile. Ma, anche lì, non ti dico i preparativi fatti... Oh! la cena non era quella di un orefice, e nemmeno di un filosofo: era la cena di un re. Il letto, poi, tutto oro, con damaschi rossi, dove lui giura che nessun altro ha dormito, prima del sottoscritto, né dormirà mai, dopo del sottoscritto. E libri, libri: non del mestier suo, ma di uno che studia, che ama sopra ogni cosa le lettere... ».

Bergamo ha reso onore al Petrarca, Bergamo s'è fatta onore, insomma, come sempre: « città alpina d'Italia ».

Nella XXII, 12, ad Albertino da Cannobio medico, e suo medico, forse, dopo un terribile sfogo contro la mala pianta dei domestici, – sembra impazzito – a cui non lesina il titolo di « ladri e insidiatori della pace e sicari », ringrazia il buon dottore per il gentilissimo invito a passare alcuni giorni sul Verbano « alle radici stesse dell'Alpe, nei luoghi saluberrimi che t'hanno visto nascere... » (si noti la corresponsione segreta: dottore – salubrità dell'aria). Non so se poi ci andasse, a Cannobio; ma dal seguito della lettera, una umanissima contemplazione della morte, si direbbe di no.

Quanto ad aria buona, ebbe tuttavia buon naso a procurarsela. Ottenne poco fuori delle mura, cioè dell'« aggregato urbano », a circa tre miglia da porta Giovia, una dimora suburbana, per la identificazione della quale topografi e filologi discussero. Non è dubbio oggi che questa casa di campagna o villa o villula sorgesse alla Certosa di Garegnano, presso l'attuale imbocco delle autostrade. Ciò risulta dalla lettera (amabile, interminabile) a Guido Sette arcivescovo di Genova: non datata, ma certamente dell'estate 1357, come si deduce dal contesto (*Familiari*, XXI, 16). Solito e disperato accenno all'orrore della folla, e delle conoscenze importune. Tuttavia il popolo lo ama, e lui gli è grato dell'amore.

« È oramai quattr'anni che sono a Milano... Non soltanto il principe e i suoi », cioè Matteo II coi fratelli Galeazzo II e Bernabò, « ma tutto il popolo milanese mi vede più volentieri e mi tien più caro ch'io non meriti... ». E della villa, con gioioso respiro: « All'entrare dell'estate ho trovato scampo in un rifugio amenissimo, saluberrimo... Lo chiamano Gargnano » (lombardo Garegnân, Carinianum) « a tre miglia milanesi dalle mura. È una campagna elevata, ma circondata di sorgive ». Descrive il libero gioco delle acque: non capisce donde scaturiscano, dove defluiscano. « Vivo al mio solito: eccetto che in campagna, è ovvio, posso fruire d'una maggiore libertà. Superfluo dirti quanto mi senta alfine districato, stando in villa, da tutte le grane cittadine: superfluo abbandonarmi alla penna. Dovizia di verdure, frutti che mi cadono in mano dalla pianta. E i fiori, dai prati, e i pesciolini, dalle rogge, e gli uccelletti, dai nidi, e i lumachini, dai campi, e gli anatroccoli, dalle sponde, e leprotti e caprioletti e cinghialetti (dal mistero del bosco) fanno a gara nel venirmi a tutte l'ore a salutare, umili amici, a tenermi un po' di compagnia... ». Non è letteratura. Una ricca fauna selvatica, e la caccia in conseguenza, erano a quel tempo realtà. Il cinghiale era ben presente, allora, nei boschi lombardi. Con larghe radure, certo, ma dai monti di Varese e del Comasco l'abetina arrivava quasi alla Cagnola. Poi, della Certosa, che la pietà misercorde di Giovanni aveva fatto erigere davanti alla morte: « C'è il chiostro, qui a due passi, della nuova e di già nobile Certosa. Sicché tutto quello di cui uno può bisognare, quanto ai doveri di religione, è per me pronto in ogni momento del giorno. Avevo pensato di chiudermi, coi miei libri, tra i muri stessi del Cenobio. Poi ho fatto mente ai cavalli, ai domestici, senza di cui non è possibile vivere, almeno a Milano. Mi sono spaventato all'idea del chiasso che farebbero: quando si sono sgocciolati un bicchiere te li raccomando. No, no. Troppo grave offesa per il silenzio del chiostro. Ho preferito una casa: da dove, presente alla regola e incolpevole d'ogni molestia, posso farmi partecipe, ogni qualvolta lo desidero, delle divozioni della pia famiglia... ».

È il Petrarca della meditazione, del *De vita solitaria*: del silenzio, che il cenobio prescrive: che Proust ebbe, nel cuore di Parigi, dalla sua camera foderata di sughero: lui invece, il Petrarca, da uno spirito libero e liberatore del suburbio: quello che accompagnava il mutare delle luci: vaporato, al di là dei salici e dei pioppi, dai rivoli e dalle rogge del piano: del « dolce piano ».

NOTE

1. Paolo Scarron (1610-1660) figlio d'un consigliere del parlamento di Parigi, colpito a 27 anni da un reumatismo deformante che lo azzoppò – ma non gli tolse la voglia di menar la lingua e la penna – sposò a 42 anni la giovanissima e rossa Madamigella d'Aubigné, futura Madama di Maintenon, e defunse a 50. Fu cioè il primo marito della seconda moglie del Re Sole: la moglie morganatica.

2. Carlo Baudelaire. *Les fleurs du mal. Le Cygne.*

APPENDICE

APPENDICE

Avvicinare la mente del disegnatore e del meccanico del Rinascimento, cioè seguirla passo passo e quasi condotta per mano il cammino della indagine, diminuire la facilità dell'apprendimento «moderno», la lestezza banale dell'esposizione informativa, per adeguarci con l'animo a quel travaglio necessitante che sembra esser precedente alla espressione sua come a termine unico della conoscenza. Guardare al secolo dove tanto vigore di lui fu manifesto nelle opere, venute da così lontano forme e aspetti del mondo! Non è fatale cancellar via, dal nostro spirito, i segni consueti lasciativi da una disciplina tardivamente imitatrice, da un encomiabile politecnico. Avvicinare Leonardo! Ci ritroviamo, davanti a lui, come alla sorgente stessa del pensiero. Qui la natura acuta della mente si dà liberissima dentro la selva di tutte le cose apparite, dentro la spera di tutti i «phaenomena»: a percepire, a interpretare, a computare, a ritrarre; a profittare per «li omini» del profitto di ragione e di verità.

La «Leonardesca» adempie in certa misura ad un fine di conoscenze: vi venne adibito un lavoro grande e

LA «MOSTRA LEONARDESCA» DI MILANO

Avvicinare la mente del disegnatore e del meccanico della Rinascita, cioè seguir da presso e quasi condotti per mano il cammino della indagine; dimettere la facilità dell'apprendimento *standard*, la lestezza banale dell'esposto informativo, per adeguarci con l'animo a quel travaglio necessitante, che sembra esser pervenuto alla espressione sua come a termine unico della conoscenza. Guardare al secolo dove tanto vigore di lui fu manifesto nelle opere, venuti da così lontana forma e aspetti del mondo! Non è facile cancellar via, dal nostro spirito, i segni consueti: lasciàtivi da una disciplina tardivamente imitatrice, da un encomiabile politecnico. Avvicinare Leonardo! Ci ritroviamo, davanti a lui, come alla sorgente stessa del pensiero. Qui la nativa acuità della mente si dà liberissima dentro la selva di tutte le cose apparite, dentro la spera di tutti i «phaenòmena»: a percepire, a interpretare, a computare, a ritrarre: a profittare per «li òmini»: del profitto di ragione e di verità.

La «Leonardesca» adempie in certa misura ad un fine di conoscenze: vi venne adibito un lavoro grande e largo dispendio. Oblazioni cospicue permisero di fronteggiarlo.

Non mi starò ad irritare dei troppi refusi, (chiamiamoli così), nei cartigli e nelle didascalìe: gli uni e le altre per sé buonissimi, e appiccati con intelligente scelta al materiale prodotto: ma stolti amanuensi hanno in troppi luoghi disconciato la chiarezza dell'esègesi, con la dappochezza dei loro ottusi alfabeti. Né mi siederò a voler giudicare se e quanto convenga certa inquadratura dell'oggi a contenere la scena cinquecentesca, e i pensieri e i passi di chi si trovava a dover meditare, e anche officiare, fra le diplomaticissime brighe dello Sforza e del Borgia, del Medici e del Valois: ed era già disparito da una tal scena avanti le cannonate di Pavia, quelle del 1525, dico; ché non furon le sole.

La fotografia acquista necessariamente validità comoda, e riesce di grande opportunità didattica, a divulgare Leonardo: poiché la dovizie del suo lavoro ci è consegnata per gran parte nei manoscritti: qui alla Mostra copiosamente evidenziati negli ingrandimenti fotografici: e i disegni delle macchine, talora, tradotti in « modelli ».

Un passaggio, un tramite si doveva pur escogitare, a voler accogliere la specie e l'indole cinquecentesca del materiale esibito, nella testimonianza fotografica: che è carta del tutto nostra: ad agevolare la « ripresa » dell'appunto leonardesco nelle immagini di una tecnica largamente propagatrice.

Questo passaggio stilistico sembra ci sia offerto dalla riquadratura della Mostra: l'edificio, le sale, i dispositivi dell'esibizione, i modelli. A tutta quest'apparenza è demandato l'ufficio di mediare tra la rapida corsa dopolavoristica e quel lento e lontano fuoco, di tentare il recupero dell'antica scena per la nostra anima intasata di rotocalchi. Non era un problema de' più facili questo: scoprire un accesso al castello di Mago Atlante, traverso il quale insinuarvi le moltitudini vigorose disbarcate dai tram, o certe signore un po' distratte, e sùbito stanche:

dopo il sùbito entusiasmo de' loro zoccoletti e la breve vivacità dei loro piccoli gridi, così dolcemente inconsci.

La memoria grafica e pittorica reliquata a noi dal lavoro di Leonardo – (che appare immenso anche qui, nella facilità e perspicuità onde ci viene presentato) – si distribuisce lungo la successione dei reparti in un ordine chiaro, semplice. Quest'ordine veramente ci soccorre nel cammino, alleviandoci quello sgomento, quella confusione, che prende ognuno di noi davanti a un compito di troppo superiore alle sue forze, come in troppa acutezza di suono, o per troppa luce nell'occhio. Questi veramente mi paiono i pregi concreti della Mostra, si studia eliminare la distanza stilistica, nitifica il documento con l'ingrandirlo, comprova la qualità originale dell'opera, la sua vastità.

L'iconografia vinciana raduna le testimonianze più note: ed altre oscure, e pur nobilitate dal devoto fervore che le inspirò: tutte ci dicono l'interesse e l'ammirazione dei contemporanei per l'ingegno di Leonardo. Da Raffaello al Botticini, dal Verrocchio al Vasari. Curioso il Leonardo-Aristotele nel calco del marmo vaticano, e nel marmo milanese: quando alla *Scuola d'Atene* egli è invece effigiato nel Platone, come sembra, col libro del *Timeo* stretto al cuore. Presente l'autoritratto della Reale di Torino: e un busto fiorentino in terracotta della bottega di Giovan Francesco Rustici, presunto Leonardo trentacinquenne in maestà di filosofo, affilata immagine di toscanità e italianità senza vicini pensabili; venuta da Nuova York. Il supposto Leonardo giovinetto, nel *David* del Verrocchio – (la pubere acerbezza della persona fa pensare a certe modellazioni di Manzù) – è protetto da una gabbia di fili rettilinei che si involvono in un iperboloide: talché i più ignari di geometria meraviglieranno come questa superficie elegantissimamente incurva accolga in sé la non sospettata linearità. E Leonardo effigia sé medesimo, dicono, nel Taddeo della

Cena. Certo è che nell'aspro disegno della Reale di Torino i folti sopraccigli senili paiono impigliare lontani, metafisici raggi, che troppo «fièdano» la vista, acuta ed immensa ch'ella pur sia. E, primo entrando, il Leonardo degli Uffizî, di anonimo cinquecentesco: virilità cogitativa, nera berretta astrologico-matematica: e, dal nero sfondo matematico, l'acuta *facies* del pensiero, la luce del volto fisico fatto per «volgersi» a guardare le cose, la fluente barba indorata. E, nella tela del Botticini, Michele arcangelo con una spera di cristallo netto alla mano; deambulante, alato geòmetra.

Nella sala dei documenti e dei luoghi vinciani, dagli archivi di Stato fiorentino e milanese, real lettera che chiede Leonardo alla Repubblica; elenco degli ingegneri al servizio del Duca di Milano, comprendente Leonardo. E i libri, dall'archivio centrale di Firenze, con le portate catastali del comune di Vinci, per gli anni 1457 e 1469. Dove a carta tale, rigo tale, puoi leggervi abbastanza bene (vediamo il '57):

Antonio di ser Piero di ser Ghuido da Vinci – Quartiere Santo Spirito – Gonfalone Drago – una chasa per mio abitare, ecc. ecc.

Bocche:
– Antonio detto d'anni 85
– Monna Lucia mia donna d'anni 64
– Ser Piero mio figliolo d'anni 30
– Francesco mio figliolo, stassi in villa e non fa nulla, d'anni 22
– Albiera, donna di detto ser Pietro et mia nuora, d'anni 21
– Lionardo, figliuolo di detto ser Piero non legiptimo, nato di lui et della Chaterina, al presente donna d'achattabrighe di Piero del Vaccha, da Vinci, d'anni 5.

E altri molti documenti, e taluno di estremo interesse anche per noi, quale ad esempio il contratto fra Leonardo e Ambrogio De Predis, da una parte, e la Confraternita della Immacolata a Milano, dall'altra, per l'esecuzione di una pala d'altare: 25 aprile 1483: primo soggiorno milanese. Ne nascerà la doppia edizione della Vergine delle Rocce. E un ducale rescritto del Moro (29 giugno 1498) con il sollecito a voler ultimare la *Cena*; e la commessione della *Battaglia di Anghiari* a Leonardo da parte della Signoria Fiorentina, per il salone del Consiglio: (4 maggio 1504). E il carteggio tra il Duca di Ferrara e il suo uditore milanese Giovanni Valla circa il recupero della forma del cavallo modellato a Milano da Leonardo per il monumento a Francesco Sforza. Leonardo occupa di sé, e delle sue opere, i capi di Stato.

Seguono, in opportuno ordine, le sale della Firenze medicea, della Milano sforzesca, della Francia di Ludovico XII e di Francesco I. I fondi, alle pareti, sceneggiati in modo sbrigativo con archi e portici novecenteschi, e figure del tempo: per lo più ritagliate, le figure, da ingrandimenti fotografici di dipinti del tempo. Soluzione che parrebbe strana, oltre che banale; e forse ha qualche merito: a vincere la troppa distanza, come si è detto. Fanno gli onori di Firenze l'anonimo, di scuola del Pollaiolo, con la dama già attribuita a Leonardo: preciso ritratto e signoresco come potrebb'essere venuto a Leonardo: e con dolci perle: ma roseo, estivo, accaldato: poi fra' Bartolomeo della Porta col suo celeberrimo *Savonarola*: e lo Jacopo del Sellaio degli Uffizî, con indorati convivii biblici: e il Lorenzo di Credi degli Uffizî, con la *Venere*: la s'involve in quel suo velo-lenzuolo che non adempie a nessuno degli uffizî né del velo né del lenzuolo, rimpetto al caldo, severo, ardente, nasante e labiale fra' Girolamo suddetto, del convento di San Marco. Cassapanche nuziali: guardaroba de' vecchî secoli splendidi, con pitture e ori: e il tarlo che se li mangia.

Il genio e il costume degli Sforza rivivono nei medaglioni del padre, dei due Maria, e delle donne: la Visconti, la Savoja, la bellissima Estense. Par che debbano sorprenderci in peccato di curiosità e d'irriverenza; curvi noi sulle bacheche e avidi a penetrare i segreti e i pensieri mortali della famiglia; tacitamente erette alle nostre spalle, esse, nell'orgoglio e nella dignità diademata di perle, spietatamente ducali. Non sappiamo amarli. Questi insigni protettori delle arti e tutori dei loro nepoti orfani finiscono in Francia. Gian Galeazzo, lo spodestato erede del Ducato, muore venticinquenne nel '94, tutti pensarono di un qualche beveraggio o pranzo propinatogli o cucinatogli dallo zio Ludovico, gran cuoco della diplomazia italiana. Suo figlio Francesco, il « duchetto », muore nel '12, ventunenne, in Francia, nonostante i buoni uffici umanistici di Gregorio di Spoleto: ed era « bellissimo, savio et astuto garzon »: troppo gelosamente custodito lui pure. E i bei classici alluminati della Viscontea-Sforzesca viaggiano viaggiano, partiti dalle rive del Ticino – (le rive memori d'impero, secondo le salutò il Mascheroni, ripetuto dal Carducci) – per arrivar a insignire il catalogo della Reale di Parigi. I bronzi del Visconte di Lautrec (Odet de Foix, cugino del Gastone che sarà per cadere a Ravenna) frantùmano due torri al castello, a Pavia, delle quattro: dove in una appunto c'erano stati in armadio a chiave quei libri, prima di seguir nell'« esilio » il loro padrone spossessato. Né le alabarde svizzere, al Lambro, salveranno il ducato a Massimiliano duca, o alla duchessa, o al duchino, dalle fanterie francesi del Trivulzio, dagli stormi di Bartolomeo d'Alviano. Un'amarezza in me, lombardo, a considerare il nullo destino, dopo tanta trama di accorgimenti. In questa Lombardia sforzesca, con presagio di Francia e Trivulzio e fortuna insorgente dei molti Medici ex-fittàvoli – daranno Pio IV al Soglio, e Gian Giacomo il « Medeghino » arrabbiato alla sua ventura periferica, e la mamma a San Carlo, regista e catechista del Concilio, « haereticorum funditor », e scarnificatore e bruciatore di streghe – in questo ducato dalla smarrita fortuna sembra dissolversi in un lungo tramonto la luce della ragione rinascimentale: riverberata sul silenzio e sul popolo infinito dei pioppi dalle alte specchiature marmoree dei Solari e delle loro certose, dal rosso ed eccelso mattone bramantesco, che un pinnacolo cùlmina, a dire il luogo della preghiera e della grazia, il fine del dovere e dell'opera; con birilli poi dappertutto dove ce ne stanno, con occhio dolcissimo sulla pianura pervasa dall'irriguo. Il passo di Leonardo s'è smarrito di là dai pioppi, tra i sogni delle lunghe sere: diserta oggimai questi muri e il loro intonaco giallo, che attende la peste, la Spagna, e la Controriforma: muri dei signori e de' maestri spenti, su cui si dimentica lo staffile tricaudato dell'Ambrogio o «la vipera che i melanesi accampa»: araldica d'un tempo consunto.

E avanti. Vedi qui l'arme di Caterina Sforza maritata al Riario, signor d'Imola: figlia a Galeazzo Maria duca, e diavolessa in Romagna: che il Borgia la mandò assediare a Ravaldino: e lei, di su le mura, a chi le gridava la resa con minaccia di ucciderle i figli già prèsile, lei, quella tale risposta che tutti sanno, a gonna levata. Unita a più d'un armato, a più d'un valoroso, dopo le nozze e dopo la strage del marito, e madre infine – cooperante Giovanni di Pier Francesco dei Medici di Firenze – d'un altro Giovanni, quello dalle bande nere.

Nella sala di Francia è esposto il noto *Francesco I* del Louvre, con la caratteristica *facies* del tapiro, del resto tutto perle, il giustacuore, e oro e velluto: e un finto bronzo, assai bello, raffigurante il re stesso, calco da un bronzo di scuola francese, pure dal Louvre. L'arte francese del secolo XV si manifesta in altro ricco esemplare, cioè nel palio donato dal re Francesco medesimo alla chiesa di Pizzighettone, in memoria di sua prigionia, ivi durata dal febbraio al maggio 1525, prima che a Madrid. Dicesi vi accudissero, a quel trapunto, membri della famiglia reale. E poi l'elmo e la spada del Lautrec, da lui legati alla Madonna miracolosa di Treviglio. E il mantelletto del Re, in velluto e oro. E statuti, e lettere, e incunàbuli: usciti dalla preziosa raccolta della Trivulziana. E diplomi su pelli gialle di pecora; con enormi sigilli diplomatici, di disseccata e annerata ceralacca, incapsulati in custodie rotonde, di vecchio peltro grigio. Lettere e patenti reali su pergamena, firmate dalle grandi firme reali Charles o Loys: l'ottavo e il dodicesimo, Dio liberi! Patti conchiusi da Milano con Luigi XII, dall'Archivio di Milano. E a stampa, o manoscritti, i varî carmi, omaggi, e inni, per le varie fortune francesi. E un «decretum super flumine Abdua reddendo navigabili», a stampa, che ne rammemora quanto sia stata presente, a tutti i secoli della storia lombarda, l'idea e la pratica dei trasporti per acqua.

In una delle due tele, assai notevoli, di Bernardino de' Conti, è raffigurato «Io-Ia Trivultius Franciae Marescallus», il vincitore di Marignano, sul Lambro: battaglia di giganti, com'egli la chiamò: e costò il ducato allo Sforza sunnominato, il figlio del Moro. È un bel ritratto virile, d'un lombardo col bastone di comando, fenomeno piuttosto raro.

Poi la contemplazione della «biblioteca di Leonardo» ci dà brividi di delizia. A uno a uno, nelle lunghe bacheche, riscontriamo i docenti volumi: incunàbuli, manoscritti, stampati. Date 1478-1481-1485-1498-1499 e simili, e anche di dopo il 1500. Radunati qui da più biblioteche e private raccolte, non sono gli esemplari a lui appartenuti, ma esemplari delle edizioni da lui citate. Un Platone voltato dal Ficino, l'Alberto Magno, il *Prospettivo Milanese*, il *Liber astronomicus* di Guido Bonato, con capricorno e scorpione appiè il trono del catafratto Marte. E i *Trionfi* del Petrarca nell'edizione milanese 1494, e il *Convivio* dantesco nella fiorentina 1490. Vi vedi la *Cosmografia* di Tolommeo, e il *De re militari* del Valturio; e il *Tractato de' pondi*, di Francesco di Giorgio Martini, codice manoscritto della Laurenziana, su cartapecora, con postille marginali di mano di Leonardo. Poi l'Alberti e l'Archimede, il Vitruvio e il Cusano, e l'Euclide et tant'altri: geometria, cosmografia, architettura civile e militare, fisica (= medicina), musica, aritmetica: insomma le fonti di studio.

Dalle quali veniamo a penetrare nel mondo più intimamente proprio al naturalista, al fantasioso e purtuttavia cognito macchinista, all'idraulico, all'ingegnere, al sommo disegnatore del quattrocento-cinquecento. Davanti a noi, ora, le riproduzioni di molti de' suoi disegni e schizzi, e molti espunti dalle sue infinite annotazioni: (codici Arundel, Atlantico, Trivulziano, dell'Istituto di Francia, della Forster Library, del Museo Alberto e Vittoria, ecc. ecc.): i modelli di alcune sue macchine, i grafici e i grandi plastici, alle pareti, o su tavole, dei lavori da lui meditati. Fantasioso, certo, può dirsi il suo peregrinante ingegno, in quanto precorre bene spesso ogni possa dell'arte (nel senso di tecnica) e del secolo suo: ma qui, da questo tardo riscontro, appare anche confermata una misura di ragione, un rigore dell'osservazione: una conoscenza faticata e vissuta, e infine assai propria, di molte cose della natura. Non arbitrio o giuoco; ma un lento cammino della indagine, verso lontane, forse, ma già intravedute verità. Parlare d'un Leonardo ghiribizzone e pieno di fisime, che va scarabocchiando con quella dannata sua sinistra mano le macchine e le vedute impossibili, e tutte le favole d'una meccanica sognata insegue e raduna come l'Ariosto le sue belle e i suoi cavalieri fuggenti: parlare così, mi par troppo. Un Poe della meccanica? In qualche momento, può darsi.

La gran parte degli appunti fotografati o dei disegni di macchine, tradotti qui nei modelli, verte su problemi positivi: (p.e. edilizia e sollevamento dei materiali, tessitura, lavorazione del legno e dei metalli, trasporti, armi da lancio, bocche da fuoco, sollevamento delle acque, impiego delle cadute d'acqua, ecc., ecc.): che i predecessori e i contemporanei di Leonardo si erano positivamente proposti: che i futuri verranno poi ad approfondire e talora a diversamente risolvere, con mezzi nuovi, e più felici, e più liberi: nei termini d'una accresciuta perizia. Ma la perizia si accresce ereditando: e anche in senso limitativo, ereditando la cognizione dell'errore, del passo falso: tesaurizza le esperienze e le ragioni del passato, tantoché possiamo considerarla come un accumulo operato dal tempo, un intelletto delle consumate civiltà.

Così l'accogliere nel ricordo, e direi nel culto, questa fase germinale e infantile della meccanica dopo secoli adulta, mi sembra da parte nostra un'attenzione non priva di significato e di profitto. È facile cosa deridere chi operò nei principî, e forse all'infuori delle categorie di mestiere qualificate: chi non ebbe, dietro le spalle, officine, laboratorî, istituti di ricerca, né gli affollati politecnici dei quattro (Africa esclusa) continenti dove oggidì si algebrizza la gran truppa dei vitelloni elettrificandi, stabulati in aule-teatro ad esaurire dalla greppia-cattedra quella loro beata razione giornaliera di ingegneresco fieno, d'ora in ora, d'anno in anno, fino alla convàlida del diploma: e del bollo a secco. Tanto varrebbe deridere i soldati di Cesare perché non disponevano di cannoni a tiro rapido: o gli aiuti di Narcisso, l'antico bonificatore del Fucino, quando perforarono il monte senza far uso d'esplosivi: o i liberti-ingegneri dello stesso divo Claudio, quando voltàvano gli archi all'acquedotto senza poter ricorrere al calcolo dei lavori virtuali. L'atto di conoscenza ripete il suo valore dal dislivello che per sé supera, fra il prima e il poi: e non soltanto dal risultato finale a cui perverrà tutta la catena degli atti, che lo precedono e gli fan seguito. Né a quella meccanica di prima cognizione potevano accudir socialmente, come oggi alla nostra, i milioni d'operatori, da venti Nazioni del mondo, contendendosi i mercati e le strade, rubandosi le idee e i brevetti: che pur fingono di rispettare. Né, come oggi, l'avida istanza di tutta la collettività umana poteva agire sul demiurgo, a incitare e a rimeritare l'acquisizione tecnica con lo stimolo e il premio di tutto il mondo.

Costosi i libri, proporzionalmente; lunghi e disagiati i viaggi; ardue le conoscenze e le dimestichezze: operare al lume della Corte e della munificenza ducale, coi francesi in sulle mosse, col priore delle Grazie tra i piedi.

D'altri momenti del pensoso indugio leonardesco, o d'altre direzioni della ricerca – dispositivi d'offesa subacquea, macchina da volare, alcune macchine di sollevamento dell'acque – potremo dire o che precorrono di troppi secoli il tempo, o che troppo trascurano la «materia» (in senso platònico) per far luogo all'idea; o che il principio fondamentale della meccanica e della economia moderna, energia = lavoro, non ha assistito come potrebbe oggi a quella cinquecentesca vigilia. Ma la legge dell'energia è affermata con chiarezza dopo la metà del secolo scorso, da Mayer: se pur conosca precedenti leibniziani (1700) nella polemica degli impulsi e delle «forze vive» tra Newton e Leibniz: e anche un primo avvio ottocentesco, nella termodinamica di Sady Carnot.

No: l'appunto di Leonardo è «una cosa seria»: tale almeno ci appare nell'intento, dalla faticata pagina, e dalla immensità stessa dei codici. Un ghiribizzone da manicomio non dura tutta la vita a raccogliere, a commentare, ad esprimere, con tale pazienza imperterrita, con così acre lucidità. Leonardo appunta e disegna. Una diligenza caparbia gli guida quella dannata sinistra mano a quella dannata scrittura da rovescio: che ci verrebbe voglia, piuttosto, di riscoprire sulla cartasuga, come Don Bartolo il viglietto della Rosina. Aggiungasi la chiarezza del grafico, la stupenda evidenza del disegno. Leonardo è soprattutto un meraviglioso disegnatore: tutti sanno. E disegnava, del mondo che gli è così nitidamente apparito, ogni forma e parvenza: fiori, angeli, visceri, paesi, torri, farfalle, macchine, uomini in rissa e coagulo e cataratta di cavalieri ad Anghiari, e la Madonna sotto la stillante rupe, e il volto del Cristo.

Qui, tra le note, gli ingegni mille e i loro dentati elementi e zanche, sono evidenziati in un risalto, in una prospèttica illuminatrice: pochi tratti, ad alcuna pagina, e pure stupendi: o un vortice, o un ricciolo, ch'è un'acqua in risucchio, o un'ombra della valle, o il fastigio lontano dell'antica torre. Ma leggiamo le note, dico la loro trascrizione sinistrorsa; (ché quell'arabo destro-sinistro ci invelenisce le pupille): ed è repentino l'incanto. L'affermazione suscita d'un subito come esorcismo le vedute indelebili; e ci ammalia quella brevità sicura del detto, e il preciso contorno della reminiscenza, la libera configurazione della frase: o il rimando d'un giudizio-cristallo sui ragnateli delle idee e delle formulazioni consuete. Vivida, come folgore, è scaturita la immagine, dall'accumulo nubiloso dei pensieri. Italianissimo nella libertà serena onde guarda e considera, nello scaricarsi di dosso la soma e la puzza del gergo reverenziale, nel rifarsi alle sue parole sole, di sé germinate. O in una sorta di polemica gnoseologica ch'egli conduce sopra tumefatti bubboni ai diritti tagli, con la fredda lucidità del chirurgo.

Stupiamo noi una così giovanile aderenza all'obbietto, al fatto; un così stupìto amplesso della natura: e la innocente sillaba, quasi d'un bimbo, nel tempio, che proferisca verità eterne, ignote ai dottori. Sì, certa modalità infantile onde il pensiero di Leonardo si estrinseca, è l'infanzia stessa dell'arte: (nel senso di tecnica). Vi ha una sua parte il secolo, ed è poi necessariamente ingenuo quell'appunto che stendiamo per memoria, e quasi nel segreto. Ma una tal qualità della frase è legata, credo, al momento più lucidamente euristico del pensiero, è la limpidezza dell'acqua nella sua fonte. Nessuna pseudo-organizzazione del pensiero: nessuna messinscena sistemàtica. Il costoso addobbo sistemàtico, a cui tanta gente, e anche di prim'ordine, dedica tanto clamorosa e tanto inane fatica, è perfettamente sconosciuto all'italiano Leonardo.

Talora una certa vena autoapologètica, un certo piglio di vanteria, che sembrerebbe sfociare a grandezze celliniane: ma ecco una specie di censura interviene autorevolmente, a raffrenarlo in buon punto: è il desiderio di limpidezza e di sicurtà, proprio all'enunciare dei matematici. «Ho ancora modi di bombarde comodisime e facili a portare e con quelle buttare minuti [*materiale minuto, grandine di pietrisco*] assai a similitudine quasi di tempesta e con el fumo di quella dando grande spavento all'inimico con grave suo danno e confusione». (Nel padiglione dell'Esercito e del Genio Militare, assai bene ordinato). E una curiosa battuta umanitaria: «Io non scrivo il mio modo di stare sotto l'acqua quanto i' posso star senza mangiare e questo non pubblico o divolgo per le male nature delli òmini i quali userebbono li assassinamenti nel fondo de' mari».

Si tratta degli studî per lo scafandro e per il giunto snodàbile del tubo ad aria: e cioè: «Modo nuovo di mantice il quale serve benissimo. Questo è perfettissimo da calafatare in qualunque parte del viaggio senza mostrare carena». (Cod. Arundel).

Le sale dell'idraulica e delle bonifiche, quelle dell'astronomia, della matematica, della geografia, dell'anatomia, della botanica, dell'ottica, delle arti meccaniche, del volo, dell'architettura, della ingegneria militare, esibiscono copia immensa di disegni e modelli, di vividi espunti del pensiero annotato. Le sistemazioni idrauliche di Toscana, il canale navigabile Firenze-mare, le imbrigliature de' fiumi, l'impianto delle strutture di sponda, la manovra delle porte di livello e di dèroga (= chiuse), il comportamento idrodinamico dei varî fili d'una corrente, sono altrettanti temi che la «Leonardesca» ci pone sott'occhio in una luce evidente, motivi anco a noi d'una curiosità fresca ed avida, come agli artefici che se ne ingegnàrono per primi.

Leggiamo e guardiamo in una sorta d'incanto, verso tutte le direzioni della prassi, della conoscenza, del mestiere, del metodo.

«L'acqua disfà li monti e riempie le valle: vorrebbe ridurre la terra in perfetta sfericità, s'ella potessi». (Geologia). «Li fiumi consumatori de' lati di essi monti scoprono li gradi di essi nicchî[1] e li antichi fondi del mare sono fatti gioghi de' monti». (Teoria dell'orogenesi).

«L'acqua è il vettore della natura»: (come in Talete Milesio). Del paracadute, ch'egli disegna e calcola nelle dimensioni più opportune, e che qui si presenta in modello, a scala ridotta: «Se un uomo ha un padiglione di pannolino intasato» (leggi: tela di lino resa impermeabile con cera o altro) «che sia 12 braccia per faccia ed alto 12» (cioè in forma di piramide quadra) «potrà gittarsi l'uomo d'ogni grande altezza, senza danno di sé». L'elicottero è mirabilmente definito: «Stromento a vite che voltato con prestezza si fa femmina nell'aria e monterà in alto». E, applicando all'aerodinàmica il principio di azione-reazione: «Tanta forza si fa colla cosa incontro all'aria, quanto l'aria contro alla cosa». Ed enuncia la legge d'inerzia: «Ogni moto attende al suo mantenimento: ovvero ogni corpo mosso sempre si move, in mentre che la potenzia del suo motore in lui conserva».

Chiama «confregazione» ciò che noi chiamiamo «attrito»: e ne studia le leggi, e le enuncia con mirabile perspicuità: «Ecci una 4ª confregazione, tra la quale è la rota del carro, che si muove sopra della terra, che non frega, ma tocca». (Attrito volvente). «Varî corpi hanno varie confregazioni». (Coefficienti d'attrito). Prelude, studiandolo in due casi particolari, al teorema di Varignon (1644-1722), relativo ai momenti statici e alla composizione delle forze.

E, in sede metodologica o parenetica: «Quando ti accada di trattare delle acque, consulta prima la natura e poi la ragione». E, cartesianamente: «Nessuna umana invenzione si può dimandare vera scienza s'ella non passa per le matematiche dimostrazioni». E ancora: «La scienza strumentale ovver macchinale è nobilissima... poiché mediante quella tutti li corpi animati fanno le loro operazioni». Prevenendo Galileo: «Chi si promette dalla esperienza quel che non è in lei, si discosta dalla ragione».

Occupato d'astrofisica e di geodesia, «fa ochiali da veder la luna grande». Determina il carico di rottura dei cordigli adibèndovi una «macchina a tramoggia», (cioè munita di tramoggia a riempimento graduale), in cui vedi l'embrione delle nostre macchine per la prova di resistenza dei materiali. Combina orologi ad acqua, un trapano orizzontale (modello), un tornio da filettare (modello), un compasso parabolico, molto semplice questo. Balestre e carri falcati; mura e città e castelli e santuarî e casematte e canali. Tutto un assortimento d'architetture di chiese, pronte a magazzino.

Medita l'invaso totale della Val di Chiana, allora in parte e a quando a quando allagata, (prosciugata nel '600), a integrare le portate dell'Arno e a render perennemente navigabile il progettato canale Firenze-mare (Codice Windsor, 12-278). Medita la bonifica delle Pontine tracciando un collettore d'acque-alte parallelo alla via Appia; e vi immette i quattro corsi naturali discendenti dalle montagne di Ninfa e di Sezze, nonché l'odierno Ufente, da lui chiamato Portatore, e l'odierno Amaseno. Un canale sussidiario, con andatura normale a quel primo, sfocia come Rio Martino al di qua del Circeo, a pochi chilometri dal luogo, già romito, ov'è oggi Sabaudia.

Architetto urbanista dopo l'Alberti e dopo le lucubrazioni teoriche di Francesco di Giorgio Martini, rileva la pianta di Milano; e inizia i lavori di abbellimento della piazza di Vigèvano, oggi ancora così speciosamente sforzesca. E osserva: «... in 10 città si potrà fare 5000 case con 30.000 abitazioni e disgregherai tanta congregazione di popolo che a similitudine di capre l'uno addosso all'altro stanno, empiendo ogni parte di fetore, e si fanno semenza di morte». Battuta che fa pensare allo Shakespeare.

La sala della botanica e quella dei disegni anatomici ne rivèlano, a starci, con qual validità lo «spirito pittorico» abbia potuto stimolare e assecondare, in Leonardo, la conoscenza positiva del mondo biologico. Dacché se il suo genio di recuperatore della forma può ritenersi anche al tutto slegato dallo stimolo (solo casualmente parallelo) della curiosità scientifica, di cui egli brucia, è pur vero che quest'ultima riceveva dal compagno quelle facilità e quell'appoggio che il cieco ottiene, progredendo, dal suo bastone o dal suo accompagnatore veggente.

Si può presumere che una mano inesperta al disegno dimentichi le anse addominali nel groviglio ignobile dell'indistinto, ma Leonardo non può sbrigarsene con un bel nodo alla marinara, e « deve » ritrarle *come* sono: e però dirci, al postutto, *che cosa* sono. Il suo recùpero grafico acquista pertanto un valore illuministico, di vera e propria « spinta al progresso ». Il demone del disegno penetra tra la corteccia e il tronco, svola dalla foglia al ramo, sugge, al fiore, il suo mistero creante: discopre budella e corata agli « òmini ». Sostituisce alla inane simbologia di Mondino, di Hundt (*Anthropologium*, 1501), di Peyligk (*Philosophiae Naturalis Compendium*, 1499) – dove p. e. l'intestino è raffigurato da una fettuccia, annodata in fantastici groppi – la potente significazione della realtà. Ferve già l'opera degli anatomisti italiani. E Leonardo, a loro imitazione, incide cadaveri: e stupendamente ritrae. Così l'anonimo Gaddiano del codice Magliabechiano XVII, a carta 17, annota di lui: « ... et già ne dixe aver fatta notomia de più de XXX corpi tra maschi et femine de ogni età ».

Su quello che dell'opera più propriamente artistica di Leonardo (e del Luini, del Solari, degli epigoni) accoglie il palazzo dell'arte in questo notevole raduno della non più sforzesca né cinquecentesca Milano – il razional trapezio signoreggia la città dai tram perfetti, sbloccata de' « navigli » e de' dazî, elettrificata – il notiziario e la critica non hanno mancato della dovuta attenzione.

Il fine pratico di queste mostre, come le chiamano, dovrebb'esser quello a cui tutti più o meno divotamente si viaggia, cioè l'esibizione della totalità della opera in una sede circoscritta, che ne abbrevî la fatica ed il tempo della ricerca e ne dispensi da tribolata locomozione e peregrinazione traverso i continenti e le steppe, lungo le gallerie interminabili de' musei, alla ricerca famelica dell'un per uno. E il raduno, proprio, ha il merito di concederti la fisionomia di questa intera opera, il tono resultante o i toni di sfondo. Dalla giustaposizione è consentito il raffronto; l'assorbimento e l'eventuale giudizio (se un giudizio mai ci può essere) sono facilitati dalla pluralità dei dipinti, dal venirne facilmente a galla i caratteri, l'origine, i limiti comuni.

Mancano comunque all'appello sia la *Gioconda* che la *Vergine, Sant'Anna e il Bimbo*, dal Louvre, sia la *Vergine delle Rocce* che la sua copia londinese. Assente è del pari la dama dell'ermellino o dama di Cracovia e la oggi non più attribuita Madonna Litta, dell'Ermitage: quella che dà il latte al Bimbo: non ché la discussa *Madonna del Fiore*, pure dell'Ermitage, alienata, sembra, ad opera dei Sovieti. A non citare che i pezzi più grossi, de' mancanti.

Dal Louvre sono invece presenti la cosidetta piccola *Annunciazione*, in predella; e *La Belle Ferronnière*, oggi attribuita al Boltraffio da chi non la ritiene «collaborata» secolui; e finalmente il celeberrimo *Battista*, l'equivoco e dulcoroso pollastrone che segnerebbe il culmine del processo astrattivo, platonizzante, del divino Leonardo. L'ascesi si spoglia d'ogni brama, e d'ogni possibilità di brama, che non abbiano indirizzo celeste. Ma, in luogo di pelle ed ossa, le rimane attaccata una tal quale floridezza, dirò meglio una discreta dose di ciccia. Questo Bacco angelizzato privo di polarità sessuale, accostatosi all'ultimo momento alla sua croce-idea, ci appare davvero in una fattura, in un'ombra stupenda: l'analisi delle quali è stata ampia e infinita da parte della critica; che vi vede, fra l'altro, il punto d'arrivo, la prova-limite della tecnica del chiaroscuro.

Delle pinacoteche italiane c'è tutto: dal *San Gerolamo* giallo della Vaticana alla dicroma *Adorazione* degli Uffizî, la incompiutissima, all'*Annunciazione* degli Uffizî, alle due copie romane della *Leda*, la Borghese e la Spiridon, alle due notissime attribuzioni dell'Ambrosiana, cioè la dama dalla reticella di perle e il musico. E, sempre nel suesposto punto di vista, quello del raduno e della facilità di conoscenza, del raffronto e dello studio, segnalo tutto l'assembramento, nel salone d'onore, de' molti e maravigliosi disegni: da Windsor, Uffizî, Louvre, Regi Gabinetti delle Stampe di Roma e Milano, Regia Galleria dell'Accademia di Venezia; e il famosissimo profilo a sanguigna per il ritratto di Isabella da Este maritata Gonzaga, della Leighton di Londra, ecc., ecc.; comunque una sì stupefacente raccolta, quale credo arduo pervenire ad aver sott'occhio in nessuna occasione della vita.

Nelle sale della scultura e del Verrocchio (dove, anche, documenti del grande maestro di Leonardo, e alcuni gruppi equestri del Rustici e un delizioso Desiderio da Settignano) c'è un busto femminile in ceramica, a Leonardo attribuito: che palesa infatti qualche lontana simiglianza con la Ginevra Benci di Vienna; e c'è il piccolo bronzo di Budapest, un impennato e spiritatissimo cavallo, ch'è il solo, impostato così, di quanti monumenti equestri abbia visto, cioè su larga, batràcica, giustissima divaricazione delle gambe posteriori. E vi son riprodotti alcuni studî, in più varianti, per i monumenti di Francesco Sforza e di Gian Giacomo Trivulzio – (dove si vede che, morto un papa, se ne fa un altro, anche pel divino Leonardo); – e in cotali studî e varianti la ripetuta lineatura dei colli e delle zampe equine, nel successo temporale delle immagini, e dei bracci e delle teste de' cavalcatori, ti suggerisce considerazioni varie, a tutto vantaggio di Leonardo, circa la possibile fonte d'un certo «cinematismo» pittorico dell'altro jeri. E tutto il disegno di Leonardo, dolcissimo o veemente disegno, ci comunica il brivido d'una inarrivata possibilità. E anche il tratto e il chiaroscuro delle tele, lo sfumato vanir nell'ombra de' fulgori carnali, o de' pensosi volti del Bimbo, i più tipici modi della tecnica pittorica di Leonardo, li diresti venuti da questo suo ridisegnato disegno. Ma lasciamo le idee, che dimandano ben altri sofi, a volerle trattare.

Lo studioso degli aspetti e dei problemi dell'arte si potrà ridur qui al consumo delle ore e dei giorni tra Verrocchio e Luini, e dietro a tutti i leonardeschi di Lombardia e non Lombardia: a riconoscere le poche cime della catena, qualche mirabile Solari o Foppa, alcuni buoni santi verdastri del buon Fossano, con qualche onesto bubboncello, tùmido di pestilenziale veridicità; e poi tutta la folla indicibile degli altri, tutta la catabrèga (a dirla da lombardo) più o meno scolaresca o seguace o divota o sciocca: ch'è un vero gusto, messe via le ragioni dello studio, guazzarci dentro una mezza mattinata almeno, con addosso un po' di pepetto cattivo, poco poco. Se la grazia pensierosa e profonda, l'agiografica mestizia d'un Foppa ti persuade della fede dei padri; e dove la ruvidità paesana e pur delicata di taluni più felici momenti dell'Oggiono t'investe come un'aura serena, da calma chiara poetica veduta; e allorché ti accende in civil senso di partecipazione e d'onore la matura finitezza, il disegno rilevato ed esatto d'Andrea Solari (*Testa del Battista – Il cancelliere Morone*) o ti benigni tu d'annuire, sì, sì, alla solida compostezza d'un Bergognone (il Fossano); o riscopri esaltandoti il miglior De Predis (il collaboratore delle Rocce: e l'attribuitogli ritratto virile di Brera e il «collaborato», con Leonardo, musico ambrosianesco, quando ti afferrano, non ti mollano poi tanto facilmente); se certa Susanna del Luini (nella sala del Luini) e certa cortigiana di Bartolomeo Veneto (dalla raccolta milanese dei Duchi Melzi d'Eril) e insomma alcune più indovinate frequenze della «scuola» o maniera o scìa o che altro fosse, ti procacciano qualche buona fitta improvvisa all'«indomito cuore», qualche momento di scompiglio o subbuglio del tuo vecchio sangue; nel resto senti proprio che si avvicina il Borromeo. Ma il momento in cui la cattiveriòla ti si tramuta addirittura in uno spasso, e de' più nutritivi, poi subito però in una disperata tristezza e uggia di scaduta vita, quel momento e quel luogo è nella sala delle copie, delle imitazioni: cinque e seicentesche.

Fanno gli onori di casa Bernardino de' Conti con copia della Madonna Litta che allatta: e copia, cioè moltitudine, di «maestri leonardeschi» e «maestri lombardi» e qualche «tardo imitatore», oltre ai varî Bevilacqua, Magni, Maineri, e simili valentuomini. C'è un bel Sodoma (attribuito) e, ahimè, un Luini autentico. Una copia delle Rocce, dalla raccolta milanese dei Marietti-Sormani, offre impagabile documento della pietosa, casalinga, morigerata e maìdica stupidità di certa pitturella cosiddetta lombarda: dico maìdica perché proprio ha l'aria di preannunziare il mais, o formentone, e costituisce a proprio personaggio tipo la moglie del buon sarto dei *Promessi Sposi*, addobbata in Sant'Anna o in Sant'Elisabetta.

A un primo entrare, in questa sala delle copie, tu ti senti come ti avessero portato di nuovo a balia, in Brianza. La sensazione è quella. A dar a rifare il Petrarca all'autore della Vispa Teresa, «maestro lombardo del secondo ottocento», credo che si riescirebbe a un medesimo rapporto, giuppersù. Del resto c'è la divozione, c'è il culto, c'è anche il racconto delle pitture del Maestro vero, lontane e perdute, perché i re predoni se le son rapinate per loro, o addirittura ci hanno rapinato Leonardo. Anche nei cuori de' mercanti è lunga, indimenticata la luce.

E infine, dal punto di vista conoscitivo, poche altre pezze d'appoggio mi sembrarono così utili, così valide per uno spaventoso ammonimento. Il genio non emerge di folla se non per qualifiche inapparenti singolarmente, per segni a uno a uno impercetti: di cui l'infinita somma è grandezza. Le categorie del mestiere lo circondano, lo accolgono come fosse uno della brigata. E i giovini, in Giulio Romano, hanno le stesse membra che in

Raffaello. I « Maestri » lombardi pitturano: e fanno tutto quel che possono per tenersi a ricalcare « quelle » orme. Buona volontà non gli manca, un certo fiato neppur quello. Ma dal Vinci li separerà sempre una distanza enorme.

NOTA

1. Conchiglie fossili.

NOTA AL TESTO
DI LILIANA ORLANDO

Ringrazio Paola Italia, Giorgio Pinotti, Claudio Vela per il loro contributo di attenzione a questo lavoro; Giancarlo Maggiulli per la vigile lettura; Arnaldo Liberati e Maurizio Mattioli per aver consentito la pubblicazione di materiali inediti; il Centro Apice e l'Archivio Storico di Intesa Sanpaolo per avermi agevolata nelle ricerche. A Gianni Antonini, primo editore di *Verso la Certosa*, sono particolarmente debitrice, per la generosità con cui, ora e in passato, mi ha facilitato l'accesso alle carte gaddiane dell'Archivio Ricciardi. Voglio infine ricordare, con pensiero riconoscente, Dante Isella, che in anni di formazione universitaria – ormai lontani – mi ha sollecitato l'interesse per l'opera di Gadda, iniziandomi ai segreti della sua officina.

TAVOLA DELLE ABBREVIAZIONI

1. *Opere di Gadda*

A = Carlo Emilio Gadda, *Gli anni*, Parenti, Firenze, 1943.

AG = Carlo Emilio Gadda, *Accoppiamenti giudiziosi, 1924-1958,* a cura di Paola Italia e Giorgio Pinotti, Adelphi, Milano, 2011.

MA = Carlo Emilio Gadda, *Le meraviglie d'Italia – Gli anni*, Einaudi, Torino, 1964.

MdI = Carlo Emilio Gadda, *Le meraviglie d'Italia*, Parenti, Firenze, 1939.

VlC = Carlo Emilio Gadda, *Verso la Certosa. Con un disegno di Leonetta Cecchi Pieraccini*, Riccardo Ricciardi, Milano-Napoli, 1961.

Opere I = Carlo Emilio Gadda, *Romanzi e racconti*, I, a cura di Raffaella Rodondi, Guido Lucchini, Emilio Manzotti, Garzanti, Milano, 1988.

Opere II = Carlo Emilio Gadda, *Romanzi e racconti*, II, a cura di Giorgio Pinotti, Dante Isella, Raffaella Rodondi, Garzanti, Milano, 1989.

Opere III = Carlo Emilio Gadda, *Saggi giornali favole e altri scritti*, I, a cura di Liliana Orlando, Clelia Martignoni, Dante Isella, Garzanti, Milano, 1991.

Opere IV = Carlo Emilio Gadda, *Saggi Giornali Favole e altri scritti*, II, a cura di Claudio Vela, Gianmarco Gaspari, Giorgio Pinotti, Franco Gavazzeni, Dante Isella, Maria Antonietta Terzoli, Garzanti, Milano, 1992.

Opere V = Carlo Emilio Gadda, *Scritti vari e postumi*, a cura di Andrea Silvestri, Claudio Vela, Dante Isella, Paola Italia, Giorgio Pinotti, Garzanti, Milano, 1993.

2. *Epistolari*

Cecchi-Ricciardi = *Carteggio Emilio Cecchi - Casa editrice Ricciardi (1938-1966)*, a cura di Anna Maria Salvadè, AITER (Archivio Italiano Tradizione Epistolare in Rete), aiter.unipv.it.

Confessioni = Piero Gadda Conti, *Le confessioni di Carlo Emilio Gadda*, Pan, Milano, 1974.

Contini-Gadda = Gianfranco Contini - Carlo Emilio Gadda, *Carteggio 1934-1963*, a cura di Dante Isella, Gianfranco Contini, Giulio Ungarelli, Garzanti, Milano, 2009.

Lettere a Angioletti = Carlo Emilio Gadda, *Lettere a Giovan Battista Angioletti (1946-1959)*, a cura di Liliana Orlando, in QI, 3, 2004, pp. 47-76.

Lettere a Bigongiari = Carlo Emilio Gadda, *Lettere a Piero*, a cura di Simona Priami, con quattro saggi su Gadda di Piero Bigongiari, Polistampa, Firenze, 1999.

Lettere a Einaudi = Carlo Emilio Gadda, *Lettere all'editore Einaudi (1939-1967)*, a cura di Liliana Orlando, in QI, 2, 2003, pp. 57-129.

Lettere a Garzanti = Carlo Emilio Gadda, *Lettere a Livio Garzanti (1953-1969)*, a cura di Giorgio Pinotti, in QI, 4, 2006, pp. 71-183.

Lettere a Ricciardi = Carlo Emilio Gadda, *Lettere all'editore Ricciardi (1957-1961)*, a cura di Liliana Orlando, in QI, 1, 2001, pp. 43-87.

Lettere a Roscioni = Carlo Emilio Gadda, *Lettere a Gian Carlo Roscioni (1963-1970)*, a cura di Giorgio Pinotti, in QI, 1, nuova serie, 2010, pp. 51-89.

Lettere a Tecchi = Carlo Emilio Gadda, *A un amico fraterno. Lettere a Bonaventura Tecchi*, a cura di Marcello Carlino, Garzanti, Milano, 1984.

Lettere a una gentile signora = Carlo Emilio Gadda, *Lettere a una gentile signora*, a cura di Giuseppe Marcenaro, con un saggio di Giuseppe Pontiggia, Adelphi, Milano, 1983.

Lettere a Vittorini = In *Caro Bompiani. Lettere con l'editore*, a cura di Gabriella D'Ina e Giuseppe Zaccaria, Bompiani, Milano, 1988.

Lettere ai Fornasini = Carlo Emilio Gadda, *Cara Anita, Caro Emilio. Ventisei lettere inedite*, a cura di Federico Roncoroni, Edizioni Benincasa, Roma, 2002.

Lettere alla Mondadori = Carlo Emilio Gadda, *Lettere alla Mondadori (1943-1968)*, a cura di Giorgio Pinotti, in QI, 3, nuova serie, 2012, pp. 41-98.

3. *Studi e strumenti*

Bibl. = *Bibliografia degli scritti di C.E. Gadda*, in *Bibliografia e Indici*, a cura di Dante Isella, Guido Lucchini, Liliana Orlando, Garzanti, Milano, 1993, pp. 9-67 (secondo tomo di *Opere* V).

Catalogo = Gioia Sebastiani, *Catalogo delle edizioni di Carlo Emilio Gadda*, con un saggio di Giulio Ungarelli e una piccola antologia « editoriale » gaddiana, Scheiwiller, Milano, 1993.
Nota A = Nota al testo di *Gli anni*, a cura di Liliana Orlando, in *Opere* III, pp. 1251-67.
Nota AG = Nota al testo di *Accoppiamenti giudiziosi*, a cura di Raffaella Rodondi, in *Opere* II, pp. 1227-91.
Nota al testo di AG = Nota al testo di *Accoppiamenti giudiziosi, 1924-1958*, a cura di Paola Italia e Giorgio Pinotti, Adelphi, Milano, 2011.
Nota MdI = Nota al testo di *Le meraviglie d'Italia*, a cura di Liliana Orlando, in *Opere* III, pp. 1229-50.
Nota VlC = Nota al testo di *Verso la Certosa*, a cura di Liliana Orlando, in *Opere* III, pp. 1269-95.
QI = « I quaderni dell'Ingegnere. Testi e studi gaddiani ».

4. *Fondi archivistici*

Archivio Intesa Sanpaolo = Archivio Storico Intesa Sanpaolo (Milano), patrimonio Banca Commerciale Italiana (ASI-BCI), Carte di Raffaele Mattioli, cartella 121, fasc. Gadda Carlo Emilio.
Archivio Liberati = Archivio di fondi gaddiani di Arnaldo Liberati, Villafranca di Verona.
Archivio Ricciardi = Università degli Studi di Milano, Centro Apice, Archivio Riccardo Ricciardi Editore, Serie 1.1, fasc. Gadda Carlo Emilio.
Archivio Ricciardi[2] = Università degli Studi di Milano, Centro Apice, Archivio Riccardo Ricciardi Editore, Serie 1.1, fasc. Marzotto Gaetano.
Fondo Garzanti = Fondo Gadda nell'Archivio Garzanti, Biblioteca Trivulziana di Milano.
Fondo Roscioni = Fondo Gadda nell'Archivio Gian Carlo Roscioni, Biblioteca Trivulziana di Milano.

Roma, 21 dicembre 1957. Cerimonia di conferimento del Premio Editori: Gadda legge il discorso di ringraziamento.

UN RISARCIMENTO LETTERARIO

Nella storia editoriale di Gadda *Verso la Certosa* merita un rilievo più significativo di quello che le è stato riservato fino ad ora, complice il suo esordio un po' defilato in «una edizione *sibi et paucis*», da subito salutato come «una festa in famiglia [...] più che un fatto sensazionale». Il giudizio – non si vuol dire riduttivo, ma cauto certamente – è contenuto in una breve recensione di Montale, che pur implicitamente addebitando a *Verso la Certosa* una certa marginalità, per la sua configurazione di raccolta nata dalla «cernita di vecchie prose ormai irreperibili», riconosce – e *pour cause* – come Gadda sia «tale scrittore di cui non si vorrebbe ignorare nulla, ed anche in questi scritti d'occasione egli è del tutto presente col suo umore, le sue idiosincrasie e il suo inestinguibile furore filologico».[1]

L'opera in effetti non ebbe larghissima diffusione quando, nel 1961, fu licenziata dall'editore Riccardo Ricciardi con la tiratura limitata di millecinquecento copie; reperibile ormai solo nel mercato antiquario, il raffinato volumetto in diciottesimo era uscito dai torchi di un tipografo d'eccezione come Giovanni Mardersteig, titolare della stamperia Valdonega di Verona dal 1948 (e già fondatore nel 1922, a Montagnola-Lugano, di quella tipografia eloquentemente denominata «Officina Bodoni»).[2] L'impostazione grafica è di elegante sobrietà: legatura in brossura, copertina avana, titolo in sanguigna, e all'interno, in una tavola fuori testo, il ritratto di Gadda, disegno a carboncino appositamente eseguito da Leonetta Cecchi Pieraccini; il lavoro della pittrice, giunto a completare l'elaborazione del volume – non certo spedita, come si vedrà, e con vari accidenti di percorso – è accolto con piena approvazione dell'interessato: «A me il ritratto piace, è abbastanza somigliante, è preferibile a una estrosa caricatura o ad una arbitraria calunnia. Dà un po' quel senso di "testa per aria" e di vista affaticata dall'età che rispondono a fatti e stati d'animo reali».[3]

La collana che ospita *Verso la Certosa* è la «Sine titulo», inaugurata nel 1954 con la raccolta di Emilio Cecchi *Appunti per un periplo dell'Africa*, scritti di viaggio inediti risalenti al 1939; e che potrà annoverare nel corso di un ventennio i nomi di Palazzeschi, Antonio Baldini, Manara Valgimigli, Bacchelli, per arrivare a Sbarbaro con le prose *Fuochi fatui* e a Montale con *Fuori di casa*, e ancora Titta Rosa, Fubini, Praz, Schiaffini. Si trattava dunque di una collezione d'alto profilo, che il banchiere umanista e mecenate Raffaele Mattioli aveva voluto affiancare, quasi come una sua personale creatura, alla più celebre e più imponente «La letteratura italiana – Storia e testi», con cui aveva promosso nell'editoria di prestigio lo stampatore napoletano e amico Riccardo Ricciardi, finanziandone le edizioni.[4] E proprio nel nome di Raffaele Mattioli si apre *Verso la Certosa*, allestito espressamente per debito di gratitudine nei suoi confronti. I debiti di gratitudine, in verità, si estendevano indietro nel tempo, agli anni sofferti dei bombardamenti su Firenze, quando Gadda, «profugo da cameretta che i doni del cielo avevano rintronata quanto a ciel piacque tra i muri dìruti e la macerie del Campo di Marte nella immite primavera del '44»,[5] era stato accolto nella fattoria di «don Raffaele» a Nozzole presso Chiocchio, tra le colline fiorentine del Chianti; per beneficiare ancora del suo soccorso finanziario durante il forzato soggiorno a Roma, dove era stato «"trasportato" (dietro sua scelta) con una colluvie di profughi verso il sud a cura del Comando inglese», ed era rimasto ospite nella Pensione White di Olga Gargiulo, moglie del critico Alfredo Gargiulo, «favorito contabilmente con piccoli prestiti (8000 mensili, a valere sui suoi risparmi milanesi) dall'umanità di Raffaele Mattioli, allora direttore generale della Comit».[6]

Anni dopo, nel 1953, l'edizione di *Novelle dal Ducato in fiamme* si fregia, a epigrafe, di una dedica «A Raffaele Mattioli |

despota dei numeri veri | editore dei numeri | e dei pensieri splendidi | in segno di ammirata gratitudine »; corrispondenza d'alti sensi, che si riverbera nelle parole di ringraziamento del destinatario: « Come che sia, il gentile pensiero della dedica, e il vivo e ben gaddiano sapore di essa, valgono a chiudere senz'altro con un saldo di amicizia a Suo favore l'immaginaria partita di "dare e avere" (tanto per adottare il linguaggio dei "numeri veri") ».[7]

Ed è ancora una circostanza puntuale, nel 1957, a riaprire la gara dei sentimenti all'insegna della disinteressata liberalità, allorché Mattioli, in primo luogo uomo di lettere e poi di cifre (per parafrasare la definizione di Croce), sovvenziona il « Premio degli Editori », istituendolo ad hoc, per risarcire Gadda della mancata assegnazione del Premio Marzotto per la Letteratura e il Giornalismo, a cui aveva concorso con il *Pasticciaccio*.[8] A Mattioli saranno poi ancora riservati in dedica il racconto *San Giorgio in casa Brocchi*, incluso in *Accoppiamenti giudiziosi* (1963), e un inedito risalente agli anni Trenta, *Viaggi di Gulliver, cioè del Gaddus – Alcune battute per il progettato libro*, nel 1970.[9] La partita si doveva chiudere di lì a poco, nel 1973, per ineluttabile sentenza: Gadda, Mattioli e Ricciardi verranno a mancare, singolare coincidenza, a breve distanza l'uno dall'altro.

L'eco di consensi suscitata dalla pubblicazione del *Pasticciaccio* a fine luglio 1957 non era dunque valsa a favorire al romanzo il riconoscimento del Premio Marzotto del successivo ottobre. Beneficiari ex aequo ne erano stati Umberto Saba per *Ricordi – Racconti 1910-1947* (Mondadori) e Mario Luzi per *Onore del vero* (Neri Pozza):

« Avevo concorso al "Marzotto" un po' in astratto, » confesserà Gadda a Mattioli « solo per non essere incolpato di pigrizia o di incuria, nella mia povertà, solo in omaggio al detto "chi s'aiuta Dio l'aiuta". Devo aggiungere che i termini di scadenza del concorso avevano agito da stimolo a farmi concludere il lavoro. Ho poi accolto la notizia dell'esito con assoluta serenità: amo e stimo Luzi, amo la poesia di Saba ».[10]

Meno pacificata nel tono, e carica dei consueti umori polemici la quasi concomitante lettera di resoconto dell'evento indirizzata a Piero Gadda Conti:

« La commissione era di cinque giudici: i due favorevoli a me; Pagliaro, filologo, Panfilo Gentile, pubblicista liberale +

Soprano professore di lettere e rappresentante della Ditta nella commissione. Panfilo pareva acquisibile alla santa causa gaddiana, ma pencolava male e finì per pencolare peggio. Tre contro due e la cosa ebbe requie nelle tasche di Carlo Levi, delegato dagli eredi Saba a ritirare la busta. Onoro l'opera e la memoria di Saba, che mi piace molto. Osservo che i premiatori fascisti di oggi non avrebbero neppure osato farne il nome quando Saba era vivo, e perseguitato, e fuggiasco. [...] Se non fosse per quei quattro soldi che rappresentano l'unica vera medicina di cui ho bisogno non avrei nemmeno concorso. Prendere un alloro zanelliano da ex-squadristi o da borsaneristi me ne frega un fico secco. Alla mia bocciatura formalmente, ha concorso la seriosità rondistico-accademico-meridionaldecorosa così tipica dell'anima italiana. I pretesti e le ragioni formali non mancano certo. Io sarei reo di "codardo oltraggio" nei confronti del defunto mascalzone che ha rovinato l'Italia e ha infamato per sempre il nome italiano».[11]

Immediata anche l'indignazione di molti estimatori e amici di Gadda; tra i primi Emilio Cecchi, che in una tempestiva lettera a Mattioli (17 ottobre 1957) invoca con calore un intervento che ponga rimedio «a un affronto come questo, ch'è stato fatto alla giustizia e al buon gusto».[12] La pronta adesione di Mattioli e la sua disponibilità a sostenere finanziariamente l'istituzione di un nuovo concorso (il Premio degli Editori rimase un *unicum* nella storia dei premi letterari italiani) trova un entusiastico consenso in Sansoni e Garzanti, editori delle più recenti opere di Gadda.[13] La neo-costituitasi commissione, presieduta da Cecchi e composta da Carlo Bo, Pietro Citati, Giuseppe De Robertis, Gianfranco Contini ed Eugenio Montale, non ha incertezze ad assegnare all'unanimità il premio, che viene conferito a Gadda il 21 dicembre, a Roma: «la premiazione è riuscita splendida,» scrive Cecchi a Mattioli «senza pedanterie, rapida, col più bello e fine pubblico di Roma (anche i Sansoni hanno fatto le cose splendidamente). C'erano Schiaffini, Contini, Citati e io, oltre ad alcuni editori. Bo e De Robertis ammalati. Nessuno ha mai fatto segno che lei esistesse; ma nel cuore di alcuni di noi lei era il più presente di tutti. Lei può essere orgoglioso di aver messo in moto una macchina come questa!».[14]

Il rituale discorso di ringraziamento che Gadda tiene durante la cerimonia non tralascia di ripercorrere il motivo ricorrente della «vita più volte percossa dal male, dagli urti e dalle negazioni dell'avversità e del dolore» e di una sua «certa renitenza a guarire delle piaghe di memoria»: «gli anni fuggiti via più correnti che saetta» lo hanno lasciato «atterrito superstite, a leggere il libro degli eventi umani: a riconsiderare i non pochi errori commessi, i doveri inadempiuti».[15]

Come al solito incline a schermirsi dall'onore, e più propenso a manifestare l'effetto traumatico dell'avvenimento, Gadda si esprime, nelle lettere inviate agli amici, in termini drammaticamente iperbolici («postumi dello choc», «grande baccanale del premio», «piccolo pandemonio»),[16] pur senza nascondere, come fa rivolgendosi a Contini, un certo qual divertito autocompiacimento:

«[...] l'officiatura laureante, remunerante, mi ha colto in una stagione di tremore interno e di dubbio, ha terremotato le buone fondamenta della mia modestia, mi ha rapito nel vortice dei doveri e degli alcoolici, dei lampi e delle interviste. [...] Io volevo dirti tutta la mia gratitudine per aver voluto far parte della giuria, dandole, in più di quanto aveva, il pregio del tuo nome. Certo non accade facilmente di avere a giudici unanimi quelli che mi hanno insignito di un lauro così splendido, e così greve di "effetti": anche questo pensiero ha contribuito a turbarmi, poiché proprio mi è sembrato che il lauro di troppo superi il valore della cosa, e della capa laureata. Donde quella condizione di dubbio e quasi di rossore (consapevole rossore) di cui sopra. Il tempo rimedia a molte cose: e rimedierà ai miei mali e alle mie angosce di milionario».[17]

Questo l'antefatto, con il conseguente impegno, in atto di riconoscenza verso Mattioli, a predisporre un lavoro per la ricciardiana «Sine titulo». L'esito, a distanza di tre anni, non previsto però secondo la configurazione iniziale, sarà la pubblicazione di *Verso la Certosa*.[18]

DI LIBRO IN LIBRO VERSO LA CERTOSA

Il proposito è già contrassegnato da questo preciso intendimento, assolvere al debito di riconoscenza verso il munifico mecenate, quando, informato dell'istituzione del premio di cui dovrebbe essere «il fortunato bersaglio», Gadda scrive a Mattioli in tono affettuoso e al tempo stesso accorato: «Vorrei porgerle un lavoruccio "caratterizzato", araldo di tutti i difetti e delle pochissime virtù di che si contrassegna la mia attività di scrivente. Ci metterò l'anima». Sembra pensare a un testo quasi privato, «racconto o saggio per una plaquette numerotée da pubblicarsi nella collezione da Lei curata»; un segno tangibile, con cui rendersi «degno, o se non altro il meno indegno possibile, dell'aiuto prezioso [...] porto con tanta gentilezza, con così civile e fraterno senso di umanità». Sono questi alcuni passaggi salienti della lettera del 2 dicembre 1957,[19] di cui la ritrovata minuta, fitta di correzioni, attesta, nella tormentatissima stesura, la ricerca del giusto calibro espressivo.[20]

Accantonata l'ipotesi del saggio (un'estrapolazione forse dai materiali «già raccolti ed elencati» e «consegnati per la lettura a Pietro Citati» per un volume concordato con Garzanti fin dal 1956,[21] che si concretizzerà come *I viaggi la morte*), è data come acquisita, nel gennaio successivo, la scelta del «lungo racconto, o romanzo breve» *Accoppiamenti giudiziosi* – parzialmente pubblicato sulla rivista «Palatina» di Parma –, che Gadda assicura di completare entro il luglio seguente, rivendicandone l'originalità perché «per metà inedito in rivista, e totalmente inedito in volume».[22] Promessa imprudente, destinata a confliggere, come tante altre che si assommano in questi anni, con gli impegni ufficiali e ufficiosi presi con diversi editori. E infatti questo primo progetto di pubblicazione per Ricciardi non andrà in porto a causa delle rimostranze di Garzanti, forte di un suo diritto di prelazione sul «lungo racconto»:[23] Gadda glielo aveva offerto infatti nel febbraio 1956, configurando già allora la possibilità di una doppia pubblicazione, in rivista e in volume.[24]

Una diversa scelta è dunque condizione obbligata: assolto l'impegno nei confronti di Garzanti con la stampa dei saggi (*I viaggi la morte* esce nell'ottobre 1958), l'incompiuta *Cognizione del dolore*, apparsa a puntate su «Letteratura» tra il 1938 e il 1941, sembra l'alternativa perfetta da proporre a Mattioli.[25] Iniziativa anche questa poco accorta, e forse ancora più incauta della precedente, perché il «frammento di romanzo» era già stato concesso a Einaudi, con cui erano state avviate trattative fin dal 1952 e stabilite negli anni seguenti precise modalità di pubblicazione; sancite, verso la fine del 1957, con un anticipo in denaro sull'uscita del volume, prevista per il '58.[26] Convinto che i due editori si sarebbero accordati, o forse che Einaudi avrebbe alla fine accettato una situazione di fatto, soltanto il 14 febbraio 1959 (quando da tempo parte dei materiali della *Cognizione* erano stati consegnati a Ricciardi per la stampa) Gadda si rivolge a Giulio Einaudi per ottenere l'autorizzazione, tentando una mediazione: «La soluzione, che mi permetto di proporLe, delle gravi implicazioni in cui mi trovo, ha un riscontro in ciò che ai volumetti Ricciardi non viene fatta alcuna propaganda salvo le indicazioni di catalogo: che "La cognizione del dolore" è scrittura incompiuta [...] Al di là delle mille copie, i diritti di proprietà della "Cognizione del dolore" rimarrebbero alla Società Einaudi».[27]

Einaudi, disposto a comprendere le ragioni di Gadda ma non a rinunciare al nuovo romanzo, ribadisce invece il proposito di pubblicare il libro entro breve termine, concedendogli in alternativa la facoltà di stampare presso Ricciardi *Le meraviglie d'Italia* e *Gli anni*, di cui aveva già da tempo acquisito i diritti: «Già l'anno scorso volevamo fare la *Cognizione del dolore*. Tenemmo la cosa in sospeso perché Pietro Citati ci aveva parlato d'un centinaio di pagine inedite. Ora che abbiamo saputo da Citati che la parte inedita non è pronta per essere pubblicata ora, e che Lei ci dice che è disposto a vedere pubblicata solo la parte che uscì su "Letteratura", noi desidereremmo fare il libro subito. E a Ricciardi – editore specialmente di opere saggistiche – concederemmo di pubblicare *Le meraviglie d'Italia – Gli anni*. [...] Penso che l'uscita di *Cognizione del dolore* (che potremmo pubblicare, se Lei desidera, come primo tomo di una Sua opera *in progress*) merita il rilievo di un grande avvenimento letterario e ci piacerebbe presentarlo nella prossima primavera».[28]

Da qui prende avvio il progetto che approderà alla stampa di *Verso la Certosa*, la cui elaborazione ed esecuzione, protrattesi fra alterne vicende ancora per quasi tre anni, saranno seguite, con la cura e il rigore di un direttore editoriale d'altri tempi, da Gianni Antonini, generoso nell'accogliere con paziente disponibiltà i dubbi e i nevrotici timori di un non facile interlocutore come Gadda.[29] «Lei può immaginare il mio stato d'animo, quando mi son visto costretto a proporre al dottor Mattioli un diverso lavoro» gli scrive inaugurando la sequenza delle lamentele, e bisogna credergli, perché è senz'altro vero che in questi anni Gadda vive come un conflitto – anche se per responsabilità sua – la collaborazione con gli editori.[30] «Mi occupo in questi giorni per la scelta dei testi, cioè per qualche omissione inserzione o aggiunta dagli o agli Anni: anche il titolo andrà "riveduto" [...] Una prefazione "incorporabile" nel testo dovrò scrivere ex-novo».[31] Va precisato che si era trattato, per Gadda, di seguire una direzione obbligata nella scelta, perché di fronte alla puntuale richiesta alla casa torinese di cedere a Ricciardi i diritti sulle *Meraviglie* e gli *Anni*, Einaudi (11 marzo 1959) aveva limitato la cessione agli *Anni*.[32]

UNO SGUARDO RETROSPETTIVO AL 1943: «GLI ANNI»

In concomitanza con gli eventi più tragici della storia nazionale era apparsa, nella Collezione di «Letteratura» diretta da Alessandro Bonsanti, la raccolta di prose *Gli anni*, nell'esiguo numero di duecento esemplari stampati su «carta della Cina»; tre disegni originali di Filippo De Pisis ne impreziosivano la raffinata veste editoriale: «Dai Parenti è uscito, in luglio, il mio libro *Gli anni*, in carta bellissima» scriveva Gadda al cugino Gadda Conti nel gennaio '44; e qualche mese dopo ancora ribadiva, quasi a voler sottolineare il coraggio di una operazione editoriale temeraria per i tempi calamitosi: «Desidero mandarti anche l'altro mio libro *Gli anni* stampato dai Parenti su carta di lusso, in 150 copie».[33] In effetti il volume rimase il primo e l'ultimo di una progettata serie di pubblicazioni a tiratura limitata, che avrebbero dovuto essere accompagnate da disegni, litografie, acqueforti di artisti famosi.[34] Raccoglieva dieci testi, nove dei quali già anticipati su quotidiani e riviste tra il 1936 e il 1941. Sono, nell'ordine, *Il viaggio delle acque, Terra lombarda, Spume sotto i Piani d'Invrea, Del Duomo di Como, Dalle specchiere dei laghi, Carabattole a Porta Ludovica, Verso Teramo, Tecnica e poesia, L'uomo e la macchina, Anastomosi.*[35] Il solo inedito è *Verso Teramo*, coevo quasi certamente alla sequenza degli articoli sull'Abruzzo pubblicati sulla «Gazzetta del Popolo» tra il 1934 e il 1935 e raccolti poi nelle *Meraviglie d'Italia.*[36] Per la maggior parte essi si configurano come brevi *poèmes en prose* di registro lirico-elegiaco: la memoria dell'infanzia – sognata e sofferta –, il richiamo ai luoghi delle radici, l'esperienza del lavoro nelle sue implicazioni di ingegnosità e perizia tecnica, ne rappresentano i temi dominanti. Al brano di apertura, *Il viaggio delle acque*, compete una funzione catalizzatrice dei motivi della raccolta, e l'allusione, nel titolo, al percorso della memoria, guidato dall'itinerario del fiume, nello spazio geografico e nel tempo storico; all'ultimo, *Anastomosi*, la funzione di epilogo: nel resoconto dettagliato di un intervento chirurgico si annullano i confini dell'evento reale, l'opera del chirurgo diventa l'opera della civiltà che ricostruisce l'opera della natura.

Interessante qui rilevare che avrebbe potuto arricchire il volume un altro testo, *La «Mostra Leonardesca» di Milano*, apparso su «Nuova Antologia» nel 1939.[37] Ne fa fede una lettera di Contini, dell'autunno 1942, che presuppone una sua amichevole consulenza sulla composizione della raccolta; il giudizio risoluto che vi è attestato non ha tuttavia avuto influenza sulla scelta del brano: «[...] il pezzo della Leonardesca per me è nettamente superiore ai Comprensorî che conosco e al Duodeno. Perciò nel volume sarà, per quanto riesco a farmene un piano regolatore, il meglio pezzo, o uno dei meglio».[38] *La «Mostra Leonardesca»* non entrerà negli *Anni*, ma, come si vedrà più avanti, la sua inclusione in altre iniziative editoriali, e soprattutto in *Verso la Certosa*, sarà per lungo tempo tenuta in conto.[39]

Alla organizzazione dei materiali per *Gli anni*, e quindi alla revisione delle pagine dei giornali, Gadda si volse dunque verso gli ultimi mesi del '42, tanto da poter comunicare a Contini, nel dicembre, di essere ormai «in gravidanza avanzata di un volumetto Parenti».[40] Il lavoro fu completato in tempi relativamente brevi, con la consueta lavorazione tipografica a tappe successive: le bozze conservate nel Fondo Garzanti[41] offrono la prova di un'anteriore composizione dei primi sette testi del volume e della complessità del lavoro correttorio che emerge dalla stratificazione degli interventi, un'operazione di capillare revisione stilistica che si conforma alla fisionomia che il libro va assumendo. Filo conduttore e chiave di lettura è il motivo del «tempo e le opere», quasi un sottotitolo di quello ufficiale, così esplicitato da Gadda nel breve testo che accompagna l'annuncio pubblicitario dell'uscita dell'opera, apparso su «Letteratura»: «[...] gli anni, cioè alcuni momenti della fatica del dolore e della conoscenza registrati in una parodia che si leva dal tempo e dalle opere. Non sempre vestite di facilità, queste "liriche in prosa" del famigerato calligrafo sono un riflesso del vivere contro i suoi cieli piuttosto cupi... ».[42]

DAGLI « ANNI » ALLE « MERAVIGLIE D'ITALIA » (E OLTRE)

Riprendiamo il filo del discorso interrotto: le trattative con Einaudi del marzo 1959 avevano segnato, come si è detto, una direzione irreversibile nella composizione del volume Ricciardi. Il nucleo portante di *Verso la Certosa* ha già, con la scelta dagli *Anni*, una solida base, non suscettibile di mutamenti – semmai di aggiunte progressive. L'impianto del volume, in questa fase preliminare, è dunque quello mutuato dalla pubblicazione del 1943, e ne definisce il carattere, consono al progetto originario di opera « privata », di « plaquette numerotée », connotata dalla scelta di brevi prose poetiche (otto delle dieci degli *Anni*) attraverso cui sono filtrati i temi più intimi.[43] Significativa anche la prima ipotesi, pur discussa, di conservare il titolo originario dell'opera, comunque pertinente al nuovo insieme che si andava configurando.[44]

La linea della nuova raccolta è suggerita anche dalle successive scelte di due testi apparsi in rivista, *Il Petrarca a Milano* (« un omaggio, tenue, al Petrarca e a Milano, scritto con amore anni sono »)[45] e *La « Mostra Leonardesca » di Milano*; affini nella singolarità del genere, le due prose sono un partecipe riconoscimento alla storia milanese e una orgogliosa celebrazione del genio dell'arte e della tecnica, e appaiono conformi ai capitoli degli *Anni*. Il testo del *Petrarca*, rimasto inedito fino allora (marzo 1959), era stato elaborato almeno un decennio avanti, secondo quanto Gadda annota sui materiali relativi, ora reperiti nell'Archivio Liberati.[46] Della *« Mostra Leonardesca »* si sa che era già stata candidata a integrare il volume saggistico progettato per Einaudi nel 1954.[47] Questa prima selezione non sembra contemplare altre integrazioni; su di essa infatti è condotto il calcolo dello spessore del volume (« 220-240 pagine ») e del tempo occorrente per la revisione del testo (« dieci-dodici giorni », secondo l'ottimistica previsione).[48]

L'operazione è però ben lungi dall'essere conclusa: sul tavolo di Gadda si affastellano, come sempre, più oggetti in concomitante lavorazione, che egli crede, in buona fede, di poter portare a compimento nei tempi stabiliti: come la *Cognizione* e come gli *Accoppiamenti*, lavori che saranno condotti in simultaneità, e sui quali continuamente Gadda si premura di rassicurare i suoi editori, senza escludere la stesura del séguito del *Pasticciaccio*,[49] oltre alle mai dismesse pubblicazioni in riviste e giornali e agli impegni connessi a sue opere già edite, come le consulenze per la traduzione francese del *Pasticciaccio* e per la sceneggiatura del film tratto dal romanzo.[50] Va detto che in questa babele di preoccupante disordine editoriale, preziosa è stata l'opera di mediazione di Pietro Citati, giovane collaboratore di Garzanti dal 1956 al 1966, e quindi in diretto e costante contatto con Gadda, pronto ad assisterlo per problemi tecnici e procedurali, nonché a soccorrerlo « con vera amicizia in una crisi [...] dovuta a motivi psicologici » che lo coglie proprio in quella primavera del '59.[51]

Si deve probabilmente a Citati l'aiuto nella scelta dei pezzi e nell'allestimento del volume Ricciardi, che si arricchisce via via di altri materiali, estratti inizialmente dalle *Meraviglie d'Italia* (implicito quindi, anche se non documentato, il successivo assenso di Einaudi a disporre di quella pubblicazione).

ARRETRANDO ANCORA NEL TEMPO: « LE MERAVIGLIE D'ITALIA » (1939)

Esaminiamo la configurazione delle *Meraviglie d'Italia*, accennando anche alla sua complessa vicenda editoriale. Terzo libro di Gadda, era uscito nel 1939 dalle tipografie fiorentine dei « Fratelli Parenti », i « non mai abbastanza lodati Fratelli »,[52] stampatori anche delle prime due opere gaddiane, *La Madonna dei Filosofi* e *Il castello di Udine* e, come si è detto, della successiva, *Gli anni*. Il volume, edito con tiratura limitata a 405 esemplari per la Collezione di « Letteratura », quattordicesimo della serie, pur stampandosi « dopo il ventiquattresimo » (come si legge nella giustificazione della tiratura) reca la data di stampa « 14 luglio ».[53] Preceduto da un ritratto dell'autore eseguito da Francesco Messina e dalla dedica alla memoria della madre, raccoglie ventisette prose apparse tra il 1934 e il 1939, soprattutto sui quotidiani « Gazzetta del Popolo » e « L'Ambrosiano ». Unico inedito *Frammento – Sostando nella necropoli comunale.* Sono « annotazioni » di vita collettiva e privata, suddivise in base a una selezione tematica quadripartita: la prima e più consistente sezione raggruppa gli « articoli milanesi », con la rassegna delle attività produttive, commerciali e finanziarie della città, con la rivisitazione di luoghi e avvenimenti cari alla memoria, ma senza escludere gli aspetti più deprecabili dell'edilizia contemporanea; la seconda raccoglie pagine nate dai ricordi del lavoro di ingegnere all'estero, in Argentina tra il 1922 e il 1924 e nella Lorena francese dopo il 1925; segue un gruppo compatto di sei servizi giornalistici ricavati da un viaggio in Abruzzo in veste di « inviato speciale » per conto della « Gazzetta del popolo »; l'ultima sezione offre uno spaccato del lavoro italiano degli anni Trenta: dalle risaie della Lomellina, alle cave di marmo delle Alpi Apuane, alle miniere carbonifere dell'Istria. Questo l'indice: I *Una mattinata ai macelli, Alla Borsa di Milano, Mercato di frutta e verdura, Ville verso l'Adda, Pianta di Milano – Decoro dei palazzi, Nella notte, Cronaca della serata, Casi ed uomini in un mondo che dura quindici giorni, Una tigre nel parco, Sul Neptunia, Libello, Ronda al Castello, Frammento – Sostando nella necropoli comunale.* II *Da Buenos Aires a Resistencia, Un cantiere nelle solitudini, Il pozzo numero quattordici.* III *La funivia della neve, Apologo del Gran Sasso d'Italia, Fatti e miti della Marsica nelle fortune de' suoi antichi patroni, Un romanzo giallo nella geologia, Genti e terre d'Abruzzo, Le tre rose di Collemaggio.* IV *Dalle mondine, in risaia, Carraria, Il carbone dell'Arsa, Arsia. Viaggio nel profondo, Sull'Alpe di marmo.*[54]

Una raccolta così composita si fregia anche di un titolo, *Le meraviglie d'Italia,* dalle molteplici valenze – in cui si assommano dichiarata ammirazione, enfasi, ironia – e che evoca illustri precedenti, dai *Mirabilia urbis Romae,* medioevali guide a uso dei pellegrini, al *De magnalibus Mediolani* del milanese Bonvesin da la Riva. L'esito del volume corrisponde però solo in parte al progetto originario, che intendeva associare ai contributi di carattere giornalistico una significativa porzione narrativa: due racconti (il primo, *San Giorgio in casa Brocchi,* già apparso in « Solaria » nel giugno 1931, l'altro, *La cognizione del dolore,* senza dubbio una sezione, al momento ancora inedita, di quello che sarà il romanzo dal titolo omonimo) avrebbero dovuto incorniciare una scelta di articoli d'argomento chiaramente individuato, attraverso i quali si profila già in questa fase embrionale la struttura delle future *Meraviglie.* Appunti autografi reperibili tra le carte gaddiane del Fondo Roscioni, con buona probabilità ascrivibili alla fine del 1937-inizio del 1938, rivelano il sommario del volume in cantiere e il titolo dell'opera, ricavato dal racconto conclusivo: « *Carlo Emilio Gadda* | *La cognizione del dolore* | Iª Parte: San Giorgio in casa Brocchi | IIª Parte: Le torri: mattino e tramonto | IIIª Parte: La filovia del Gran Sasso e altre meraviglie d'Italia. E d'America | IVª Parte: La cognizione del dolore ».[55] Strana commistione, suggerita forse dall'urgenza, in Gadda, di riproporre in volume il *San Giorgio,* assecondando un desiderio da tempo maturato,[56] e contrapporgli, corrispettivo oppositivo di tono e contenuto, un nuovo testo, il « racconto » *La cognizione del dolore.*[57]

La soluzione adottata è però transitoria. Nei mesi successivi il « racconto » *La cognizione del dolore* che Gadda stava elaborando acquista progressivamente spessore e autonomia, tanto da essere infine svincolato dalla eterogenea struttura ideata. È certo che nel luglio '38 Gadda ha ormai differenziato due lavori in vista di una prossima pubblicazione: una raccolta di prose giornalistiche dal titolo *Le meraviglie d'Italia* (titolo già affiorato in sordina nel primo sommario del volume) e il romanzo *La cognizione del dolore.* La nota pubblicitaria del fascicolo di « Letteratura » (7, luglio 1938) in cui appare la prima puntata del « romanzo » *La cognizione del dolore* annuncia infatti l'imminente uscita di due volumi, presentando distinti per la prima volta i due titoli gaddiani in preparazione.

Il nuovo assetto dato alle *Meraviglie* implica l'esclusione dell'altro testo narrativo *San Giorgio in casa Brocchi,* mentre s'impone il potenziamento, nella scelta numerica, delle prose giornalistiche. Fedele all'impianto quadripartito dello schema originario, l'opera è arricchita nella sezione milanese dall'aggiunta di alcuni scritti, anche quando la composizione tipografica del volume è già avviata, mentre la prevista aggregazione concentrata della « IIIª Parte » si distribuisce nella seconda, terza e quarta sezione.

L'uscita del volume è accolta da un ragguardevole numero di recensioni e interventi critici.[58] Contini ne fa una presentazione pubblica a Losanna, preceduta da quella del *Mulino del Po* di Bacchelli: « Nella città di Sainte-Beuve » gli comunica « ho parlato di C.E.G. con paritetico successo ». Linati, in una lettera di ringraziamento per l'omaggio del libro, sottolinea in particolare che i suoi « ricordi tecnici » (allude all'esperienza di lavoro all'estero di Gadda) « afferrano parola per parola, col fascino di cose vissute con amore, con dolore »; e aggiunge: « C'è un piacere divino dell'esperienza, nelle tue pagine, che è ammirevole ».[59]

IL PROGRESSIVO DISPORSI DELLE TESSERE NEL MOSAICO DI « VERSO LA CERTOSA »

Le meraviglie d'Italia sono dunque il nuovo serbatoio che alimenta, seppure in maniera meno consistente, la nuova raccolta. Vengono estrapolate tre prose, una sorta di campionatura dei soggetti del volume: *Alla Borsa di Milano* (dalla prima sezione), uno sguardo divertito e autoironico sul fervore frenetico del tempio della finanza; *Le tre rose di Collemaggio* (dalla terza sezione), un appunto lirico dell'itinerario in Abruzzo (forse in omaggio all'abruzzese Mattioli, nato a Vasto); *Dalle mondine, in risaia* (dalla quarta), un'immagine del « lavoro italiano » colta nella campagna della Lomellina. In aggiunta è prevista l'inclusione di *Dolce Versilia* (avrà poi il titolo definitivo di *Versilia*), apparso sul quotidiano romano « Il Popolo » nel 1950 e inedito in volume. Particolare degno di nota, di questo articolo era stata allestita una composizione tipografica presso Einaudi, forse in funzione del preventivato – e sanzionato da contratto – « volume saggistico »; e si era fatto carico di recuperarne le bozze dall'editore torinese lo stesso Citati, tramite Calvino.[60] È lecito domandarsi quanto del progettato volume Einaudi fosse già pronto per la stampa e se la notazione « 1 / 21 » che compare nella bozza prima del titolo abbia il significato di numerazione progressiva di una sequenza di capitoli; e se, più verosimilmente, l'articolo non fosse stato destinato a quell'altro « volume di altri saggi abbastanza vivi, e già usciti in riviste [...] "inediti in volume" » già prospettato a Einaudi e poi ceduto a Garzanti per risolvere, con salomoniche ripartizioni, la contesa tra i due editori.[61]

Un tassello (inedito) che si aggiunge, a conferma di ciò, nel quadro lacunoso della nostra conoscenza è ricavato da un appunto nel fascicolo di *Versilia* conservato nell'Archivio Liberati, in cui si legge « Dolce Versilia | Articolo omesso | da | "I viaggi la morte" ».[62]

L'intervento di Citati, provvidenziale per la selezione dei titoli dei *Viaggi la morte,*[63] ha un peso, come si è già detto, anche nella organizzazione del volume Ricciardi, se non altro nell'incoraggiare un Gadda sempre più affaticato e smarrito ad affrontare quel « vasto, preciso programma di sistemazione » dei suoi lavori, per i quali si sente obbligato a tener fede agli impegni editoriali, pur con l'amarezza – certo ingiustificata se si considerano i risultati – di sentirsi chiamato a rattoppare « scampoli del passato ».[64]

Non sorprende che il primo ufficioso schema-indice del volume prevedesse una struttura impostata su quattordici testi (il numero ideale della privata 'cabala' gaddiana: quattordici erano anche le prose di *Novelle dal Ducato in fiamme*), e che tale fosse rimasto fino alla consegna per la prima composizione Ricciardi:[65] unica variazione, la possibile inclusione dell'articolo *Il Duomo di Milano* (apparso su « La lettura » nel 1936 con il titolo *Anno XIV, restauri del Duomo*)[66] in alternativa alla prosa *Del Duomo di Como,* che alla fine gli sarà preferita; la stretta affinità tematica dei due pezzi (si parla di restauri anche per la cupola juvariana del duomo di Como, andata in fiamme nel settembre 1935) li poneva in reciproca concorrenza.

Non sorprende nemmeno la procedura di inviare in graduale successione i materiali per la composizione tipografica: è una costante nel lavoro di Gadda documentata per molte sue edizioni (è possibile ad esempio verificare come anche la costruzione delle *Meraviglie* e degli *Anni* fosse avvenuta per tappe).[67] Un anno intercorre (settembre 1959-settembre 1960) tra l'invio dei primi undici testi (undici perché mancanti all'appello *Il Petrarca, La « Mostra Leonardesca », Versilia,* non ancora messi a punto) e le integrazioni successive: un anno di sedimentazione del lavoro per Ricciardi, nel quale Gadda, stretto dalle pressanti sollecitazioni di Garzanti a finire la seconda parte del *Pasticciaccio* e a concludere la raccolta dei « Racconti », promessa (incautamente) per l'estate del '60, si illude anche di condurre a termine *La cognizione del dolore.*[68]

Gli undici testi, corretti sui due volumi da cui sono estrapolati, e integrati con fogli aggiuntivi,[69] sono gli stessi primi undici che appariranno nell'edizione definitiva di *Verso la Certosa*; gli innesti successivi, a un anno di distanza, provenienti ancora dalle *Meraviglie* (nella fattispecie dalla sezione « milanese »), sono *Alla Fiera di Milano* e *Sul Neptunia: marzo 1935*, e completerebbero, con gli altri tre già previsti, il quadro della raccolta. Il primo testo palesa il suo contenuto nella schietta referenzialità del titolo, che sostituisce quello sottilmente interpretativo dell'edizione del 1939, *Casi ed uomini in un mondo che dura quindici giorni*, a sua volta sostituzione di *Case ed uomini...*, con cui l'articolo era apparso su « L'Ambrosiano » nel 1936.[70] Il secondo, *Sul Neptunia*, è la cronaca di una « crociera dopolavoristica » (così recitava la seconda parte del titolo sul periodico « Corrente di Vita giovanile », che l'aveva ospitato nel 1939).[71]

VERSO L'INDICE DEFINITIVO. DA « IL VIAGGIO DELLE ACQUE » A « VERSO LA CERTOSA »

Merita qui ricordare un particolare inedito inerente alla progettazione del volume, ricavato da una pagina-programma di lavoro emersa dai materiali dell'Archivio Liberati e databile inizio ottobre 1960, che configura (tra le possibili aggiunte di altri brani dopo gli undici già composti e già corretti in bozze, e oltre a quelli che effettivamente completeranno l'edizione) l'ipotesi di inserimento di un testo intitolato *Nella notte (spazzini a Milano)*. Si tratta di una breve prosa estratta dalle *Meraviglie*, di cui è conservata una diversa redazione manoscritta, preparata in servizio della pubblicazione sul « Corriere d'Informazione » (1957) con il titolo *Notturno asfaltato*.[72] Gadda aveva riscritto il testo del '39 accentuandone le componenti liriche e togliendo qualche passaggio di tono dimesso o colloquiale in favore di un registro più sostenuto, coerentemente con l'operazione di revisione stilistica condotta su tutte le prose che comporranno *Verso la Certosa*.

La breve raffigurazione della notte milanese percorsa dagli spazzini non viene tuttavia accolta. Il mosaico si arricchisce allora di altre tessere: tre brani apparsi in rivista che avranno il titolo definitivo di *Risotto patrio. Rècipe*, *La nostra casa si trasfor-*

ma: e l'inquilino la deve subire e *Per un barbiere.* È l'ultima fase della selezione, che si concluderà con l'esclusione della «*Mostra Leonardesca*». Il pezzo, non del tutto approvato fin dal settembre 1959 (« [...] se il volume riuscisse di troppo spessore, la "Mostra Leonardesca" si può omettere »), dopo alcune esitazioni – « Il capitolo sulla Mostra Leonardesca di Milano (1939) mi è sconsigliato come troppo lieve, da un lato, e "serio" (nel senso deteriore), dall'altro » – alla fine verrà scartato.[73]

I tre ultimi articoli selezionati tradiscono una certa estraneità rispetto al nucleo iniziale e al progetto unitario del volume, quasi che con il loro innesto si trattasse di corroborarne la corposità, risultata inferiore rispetto al proposito originario; e non appaia azzardata l'affermazione, consapevoli come siamo che il felice esito conferma infine la qualità dell'operazione: è comunque vero che Gadda si era dimostrato preoccupato (come per altre edizioni) di assicurare a *Verso la Certosa* una congrua consistenza.[74] Piuttosto estemporanea potrebbe infatti sembrare l'inclusione della ricetta del risotto alla milanese, se non fosse riscattata dall'esercizio di stile, a cominciare dalla nobilitazione del titolo, che da *Risotto alla milanese. Ricetta di C.E. Gadda* passa a *Risotto patrio. Rècipe.*[75] Le altre due prose, *La nostra casa* e *Per un barbiere,* erano nate in margine a collaborazioni radiofoniche (Gadda aveva lavorato alla Rai come redattore di programmi culturali tra il 1950 e il 1955) e avevano trovato poi la loro prima sede sul « Radiocorriere ». Il primo testo (di cui è individuabile un precedente tematico nella conversazione *Come vivere nel caseggiato,* messa in onda nel '55)[76] è un intervento del 1959 sul « problema dell'edilizia moderna » per un ciclo di trasmissioni curate dall'architetto Carlo Mollino: Gadda « era stato invitato a esprimere il punto di vista dell'inquilino » (così la presentazione redazionale sul « Radiocorriere »).[77] I sapidi umori polemici, filtrati attraverso componenti di stretta pertinenza autobiografica,[78] sono letti da Calvino con penetrante acutezza critica: « [...] ho letto sul "Radiocorriere" il pezzo sulle case moderne. Bellissimo. C'è quel passaggio da una prosa "scientifica" a una prosa umorale, – ma non solo sul piano della prosa, sul piano del pensiero, nel suo raggiungere con rigorosa razionalità quella concentrazione viscerale – che lo fanno una esemplare, unica prosa moderna. Mi pare la cosa migliore del Gadda "saggista" ».[79] L'altro brano, ultimo in ordine di tempo a essere approntato per l'edizione Ricciardi, ha la sua origine in un testo giornalistico, *Il Barbiere di Siviglia*, che Gadda pubblica sul «Radiocorriere» nel luglio 1954, in occasione della trasmissione radiofonica dell'opera rossiniana diretta da Carlo Maria Giulini. L'articolo è corredato nella rivista da tre immagini tratte dall'allestimento televisivo del precedente aprile (si trattava del primo melodramma presentato dalla neonata televisione, interamente registrato negli studi Rai di Milano, con la regia di Franco Enriquez). In questa versione («un "appunto lirico" per un "Barbiere di Siviglia" radiofonico», «un breve "Rossini"»)[80] sarebbe dovuto entrare in *Verso la Certosa*; si arricchisce invece di un ampio tratto iniziale quando viene pubblicato sul «Giorno» nel gennaio 1961, e in questa veste, con alcuni interventi correttori, sarà accolto nel volume.

La raccolta è quindi giunta a compimento nella sua struttura: nel farsi latore degli ultimi testi corretti, *Il Petrarca* e *Per un barbiere*, Citati manifestava ad Antonini il timore che l'invio a Gadda del secondo giro di bozze potesse comportare ritardi dovuti a nuove aggiunte e correzioni, e proponeva di soprassedere, dichiarandosi pronto ad affrontare eventuali proteste.[81] Così infatti lavorava Gadda, sempre insoddisfatto e sempre pronto a tornare sui propri scritti per sostituire, ma soprattutto integrare; tant'è che aveva apportato varianti sostanziali anche sulle bozze dei primi undici capitoli, laddove aveva promesso di non mutare nulla «salvo segnare i refusi eventuali» (14 settembre 1959); e obbligandosi poi ad autoregolarsi (1° ottobre 1960): «Nelle bozze inviate,» puntualizzava scrivendo ad Antonini «Lei troverà delle correzioni di maggiore estensione di quanto previsto. Tuttavia le correzioni *sono contenute negli spazî già occupati dal testo precedente*, cioè non comportano movimenti dell'impaginato. Le correzioni sono state da me calcolate in modo da *non* esorbitare dai righi già impaginati. | La scongiuro di volerle accogliere, perché necessarie, quasi sempre, alla logica: e consone ai "dati di fatto"».[82]

(Per inciso si noti come ricorra spesso nel lessico epistolare gaddiano di questi anni il verbo «scongiurare», rivelatore dello psicodramma che Gadda vive nei rapporti con gli editori: a conferma della qual cosa basterebbe scorrere la corrispondenza con Garzanti, soprattutto nella fase terminale di elaborazione del *Pasticciaccio*).

Un rilievo essenziale, nella configurazione dell'opera ormai completata, è dato dalla prefazione sotto forma di dedica a Raffaele Mattioli,[83] testimonianza di stima e di affetto, ma soprattutto capitolo integrante la serie del volume, dichiarazione programmatica e chiave di lettura per l'intera raccolta, dove il tema evocato – la costante gaddiana del « tempo e le opere » – è assunto a segno di una esperienza vissuta e sofferta. Lessico estremamente nobile, costrutti arcaicizzanti in una sintassi involuta sono ordito e trama di un elaboratissimo esercizio di stile. Per questa premessa, scritta ex novo, è lecito supporre, in assenza dell'abbozzo manoscritto, un fine lavoro di selezione e di cesello sul materiale espressivo che prosegue ancora sulla bozza di stampa, e che è documentato da un'avvertenza scrupolosa – quasi una giustificazione – contenuta nella lettera ad Antonini del giugno 1961:

« A pag. 4 ho corretto | generosa | in | *liberale* |, per ragioni lessicali cinquecentesche, avendo "generoso" altro senso nel '500; e anche eufòniche: troppi osa osa nel periodo.

« Ho sostituito a "non imitabile" che poteva prestarsi ad equivoco (da non doversi imitare, nel lessico attuale borghese-giornalistico e nella parlata scolastica e familiare attuale) con *inimitabile* che, prima di essere dannunziesco, è latino e cinquecentesco nel senso da me voluto: *difficilmente imitabile.*

« "Minime" può andare perché si riferisce a negazione ideale: *difficilmente imitabile (e) minime a quel tempo* ».[84]

A ben guardare questa dedica a Mattioli ha il suo antecedente nel *Discorso di ringraziamento al Premio degli Editori* (qui in Testi e documenti inediti, pp. 236-37), e non solo perché la pluralità dei destinatari sottende una individuazione privilegiata, in un primo tempo resa manifesta e poi volutamente mascherata con la correzione in bella copia (« Ricambio l'augurio di felice opera [...] al mecenate illustre » è sostituito da « [...] ai mecenati »). Alcuni significativi elementi di correlazione fanno di quel testo il prologo di cui questa dedica è in un certo senso l'epilogo. In entrambi gli scritti è ribadito – sia pur contestualizzato, nel primo, intorno allo specifico dell'oggetto del premio, il *Pasticciaccio* – un « valore » intrinseco all'opera, dove è possibile « riscontrare, nella congerie degli enunciati e dei simboli, il lungo segno dell'angoscia, dell'amor patrio, qualcosa di non indegno del vincolo di consapevolezza e di fraternità » (si veda qui, Testi e documenti inediti, p. 237). In forma più articolata, ma anche più intensamente calibrata e sofferta, il concetto è assunto nella dedica a manifesto della raccolta: « [...] dai labili riscontri che qui del mio male si accolgono, potrà emanare l'idea d'una sofferenza non piagnosa ma certa nella realtà del tempo irreparabile, e l'indizio e quasi il sottinteso d'una memore pietà: forse l'amore non astratto per la vita fraterna e il suo non astratto senso, voluto da Dio » (si veda sopra, p. 12).

Strettamente correlata alle dichiarazioni contenute nella prefazione, che ha – e non potrebbe essere diversamente – valore di consuntivo, è la scelta del titolo, a lungo rimasto, nell'intento, quello del nucleo originario delle prose, *Gli anni*, del tutto pertinente a una linea interpretativa di un percorso che si svolge appunto « tra i memori segni degli anni ». Ma la nuova soluzione, *Verso la Certosa*, coglie felicemente il segno, giacché costituisce un rimando simbolico che si comprende in rapporto all'architettura del volume: non a caso a *Il Petrarca a Milano* viene assegnata la posizione di chiusura del libro, proprio in concomitanza con la scelta del titolo da assegnare alla raccolta:

« [...] mentre Le confermo l'invio del dattiloscritto "Il Petrarca a Milano", ultimo "capitolo" del volume » scrive Gadda ad Antonini « mi sovviene che forse *non* ho precisato il titolo del volume; "*Il viaggio delle acque*" era rimasto, per mia colpa, in sospeso.

« Se Lei non ha già fatto eseguire la copertina, e la "copertina" interna, prego di voler disporre per il titolo definitivo che, salvo gradimento del dottor Mattioli, proporrei e propongo nel seguente:

"Verso la Certosa".

« [...] Sentito il parere di consulenti, ne ho avuto l'impressione che il titolo possa andare, anche perché risponde con una individuazione (Petrarca) alla iniziale impersonalità del viaggio delle acque: primo capitolo ».[85]

Si stabilisce così una sorta di richiamo circolare tra l'inizio e la fine del volume: la sottile allusività inerente al *Viaggio delle acque* ha il correlativo nell'ultimo testo e una precisa « individuazione » nel titolo. In *Verso la Certosa* infatti si legge l'accenno alla residenza milanese di Petrarca, nella solitudine cercata accanto alla Certosa di Garegnano (nei pressi del Cimitero Maggiore di Milano, il « Musocco »), ma si intravvede sottesa anche un'implicazione di senso ben familiare ai milanesi, l'avvio verso la dimora estrema. Se ne intuisce allora tutta la rilevanza emblematica. Il titolo, in questa accezione, si può dire che avesse avuto una incubazione remota, se si considera che era già affiorato nell'abbozzo del penultimo capitolo della seconda parte della *Cognizione del dolore,* dove « viale della Recoleta » (la Recoleta è il cimitero di Buenos Aires) si legge come lezione soprascritta alternativa a una precedente non cassata, « viale della Certosa ».[86]

La scelta rivela dunque, inequivocabilmente, la volontà di attribuire alla raccolta il valore di opera conclusiva, di meta ultima, di raggiunto traguardo. Il significato di testamento umano e letterario insito nel titolo è reso esplicito nella stessa lettera:

« Si ha così una specie di traslazione dell'animo dell'autore scrivente nell'intima aspirazione di un ben più grande essere e nel suo pacato incamminarsi verso la fine, e la pace ».

Una formula di congedo, dunque, del « peregrino del mondo di cognizione », a conclusione del suo viaggio nel tempo.

UNA LUNGA RIELABORAZIONE STILISTICA

Ma come aveva lavorato Gadda sui testi selezionati? Dovendo rinunciare a seguire, in questa sede, il percorso completo di questi scritti, dalla loro elaborazione iniziale (in qualche caso fortunato si dispone dell'autografo, o degli appunti preparatori che lo precedono)[87] alla prima pubblicazione in giornale o rivista, quindi al passaggio in volume,[88] ci si limiterà a prendere in considerazione l'ultimo segmento. Entrando nell'officina gaddiana sulla scorta dei materiali dell'Archivio Ricciardi, è possibile documentare le procedure di intervento e correzione, tentando di ricondurle a « sistema ». L'esito comprova che la rielaborazione stilistica, volta alla ricerca di una maggiore fusione tonale all'interno di ciascuna prosa, si conforma all'impronta data alla raccolta fin dall'inizio dell'operazione, impronta per altro suggerita proprio dall'ampio gruppo di testi provenienti dagli *Anni,* da quel repertorio di temi più intimi che costituisce la linea portante del volume. Si comprende allora perché certi elementi comico-grotteschi, tipici del controcanto gaddiano, di quel suo continuo contemperare l'uno con l'altro i registri della propria scrittura, siano talora sacrificati o assorbiti entro un livello stilistico di maggiore sostenutezza, o in qualche caso abbassati al piano delle note. Non diversamente, i precisi riferimenti a una realtà immediata vengono talora sostituiti da forme più distaccate: dove anche il travestimento onomastico, ad esempio, va ricondotto, oltre che alla proverbiale cautela dello scrupoloso e apprensivo Gadda, all'esigenza di una documentarietà più mediata.

In questa chiave vanno lette certe riduzioni; esempio eloquente risulta l'amputazione drastica, con la conseguente attenuazione di toni di palese autoironia, dei primi tre paragrafi della prosa *Alla Borsa di Milano* nell'edizione delle *Meraviglie* del 1939; una sorta di premessa giustificativa alla decisione del protagonista-io narrante di affrontare il « palazzo degli affari »:

« Erano avanzi di bilancio, vulgo economie o risparmi, che la carriera letteraria m'aveva obbligato ad accantonare.

« Pensai a titoli di stato: o elettrici? o saccariferi? Anche gli zuccheri, dopo tutto... E mi rivolsi ad una banca, dopo aver fatto acquisto del *Sole*. Annusai ben bene il foglio, nella di cui spalancata sinossi si sbioccolava tutta la nuvolaglia tempestosa della quota; discorrevo qua e là in ogni provincia azionaria od obbligazionaria, col naso sul *Sole*.

« Il subgerente dell'ufficio titoli mi credette invece piovuto dalla luna e mi chiese, per un pizzico di Convertito, un mezzo punto in più di quanto non comportasse l'evidenza solare. Adducendo il differenziale positivo della variabile; ch'era al rialzo ».[89] « "Cento lire", computai subito, "che è un peccato non devòlvere a opere di bene". E decisi di illuminarmi sul comportamento dell'attimo, dato che i raggi del *Sole* arrivano in terra diciotto ore dopo la partenza ».[90]

Più esplicite certe eliminazioni di accenti di comicità troppo scoperta che nel passo successivo erano riservati all'agente di cambio Aristide Bilancioni[91] (i cui « occhi dolci e fedeli » si fregiavano nelle *Meraviglie* dell'appellativo « da can barbone »); interamente soppressa è infatti la sua raffigurazione umoristica nella veste di pronto consulente, interrogato « sui misteri del futuro »: « Un pappagallo ammaestrato (e ci ho un debole, per questi cari verdoni) quando, ro ro, gli cavo dal becco il rotoletto della fortuna, non potrebb'essere più puntuale nei servigi», e la relativa rinuncia alla divagazione di per sé felicemente conclusa, ma ormai dissonante dal contesto: «Siamo amici di famiglia: e suo cognato ci forniva l'olio di Lucca, e non quello di Lecco; oh, non in fiaschi, ma una latta alla volta, biondo oro, da intingervi crocchianti gambi di sedano, a marzo».[92]

Rientra talvolta nell'ambito di questo processo l'espunzione o la riduzione delle note: nel capitolo preso in considerazione, ad esempio, i rimandi a piè di pagina sono per lo più fusi e riassorbiti all'interno del testo, o sono del tutto eliminati. L'operazione non è però sistematica: un sottile lavoro di aggiunta e sottrazione interessa infatti *Le tre rose di Collemaggio*, dove alla caduta di un certo tipo di nota apparentemente esplicativa – ascrivibile al desiderio dell'autore di attenuare la propria presenza nel contrappunto al testo – si oppone un grosso lavoro d'accrescimento affidato soprattutto alle due note finali, che sviluppano il tema della elezione-destituzione di Celestino V. Qui al tono misurato del testo, appena velato da un accento di commossa partecipazione, fa da controcanto il dispiegarsi comico-grottesco delle note, dove la chiosa al verso dantesco (già chiamato in causa nel testo delle *Meraviglie*: «Per referenze su papa Bonifazio VIII non bisogna rivolgersi all'Alighieri: "Se' tu già costì ritto, Bonifazio?"»)[93] si arricchisce di deformazioni più complesse nella parafrasi caricaturale del contrappasso del papa simoniaco, protagonista di *Inferno*, XIX:

«ove per "costì" è da intendere, nel fondo della terza bolgia, l'orlo del pozzetto affocato nel quale papa Niccolò III è fitto a capo giù: e sventola di fuor dal pozzo le piante dei piedi, fiammeggianti e sfavillanti come carta unta che bruci. Niccolò III "piangeva con la zanca", cioè agitando le gambe nel brucio, in attesa che Bonifazio VIII discendesse ad Inferno e prendesse il suo posto: 13 ottobre 1303. Il predecessore (sul trono papale e nella simonia papale) sprofonderà più addentro e più giù nel meato o nella crepa della roccia, lasciando a sgambettare il successore. Piedi nel luogo della testa».[94]

Così come la raffigurazione della destituzione di Celestino V che compare nelle *Meraviglie*:

«Aggiunge poi il discriminante Ludovico, con quel suo modo di dire e non dire (ma, in fondo, finisce per dire: oh! gli Annali d'Italia non sono un florilegio di storielle):

«"... Puzza di favola ciò che alcuni lasciarono scritto, di avergli il suddetto cardinal Benedetto Caetani, che fu poi papa Bonifazio VIII, di notte, con una tromba, come se fosse venuta dal cielo, insinuato di lasciare il ponteficato...".

«A un povero vecchio di 84 anni, già prigioniero, e non metaforicamente, di tutta quella politica angioina e gaetana, fargli sonare un trombone dal soffitto della camera da letto, di notte, al buio, con la minaccia del castigo di Dio... C'era da morire di spavento.

«Come spesso, Dante esagera: "per viltade"! a 84 anni! Vorrei vederlo lui».[95]

si complica nella corrispondente nota di *Verso la Certosa* di toni ridondanti in una pittura macabro-umoristica, non priva tuttavia di risvolti drammatici e dolenti: una scena di cupa teatralità, intessuta di un gustoso amalgama di elementi linguistici arcaicizzanti e moduli del registro parlato; finché la caratterizzazione macchiettistica, e al tempo stesso patetica, del personaggio verrà travolta in un crescendo di tetra comicità:

«A un povero vecchio di 85 anni, cupido solo di rosicchiare del radicchio o biasciar cacio e polenda nel montanino romitaggio! venerata la Madonna, dimessa, nonché la tiara, ma l'intera congrega camerlenga e il ceremoniale papàtico! Impaurato da morire al sentir le grinfie del diavolo che lo tiran giù per i piedi! a un prigioniero di tutta quella politica e di tutto quel risucchio, angioino e gaetano, fargli mugghire un trombone da un buco del soffitto, la notte, nel buio: "Celestì-noo! Celestì-nooo! repéntete del tuo peccà-too! làa-scia la sòodia!" C'era da restarci secco. Quella testa di papa di montagna principiò vagellare, nulla più la fermò: aveva l'aria di dire "sì sì sì la mollo" poi "no no no, non la voglio"».

Il tema si stempera nelle ultime battute in una parafrasi di moduli danteschi dai toni più distaccati; ma l'accigliato giudizio conclusivo, nella sua formulazione scandita, sembra voler andare ben oltre la contestualità dell'episodio:

«L'Alighieri ha travolto il Morrone fra gli "ignavi" (inerti nel scegliere) che danna a correre a cerchio nell'immenso vestibolo dello Inferno dietro una insegna che non posa, dacché al mondo non hanno seguitato parte o bandiera. A cose fatte, a eventi consunti, a grane faraonizzate nell'eternità, il poeta (e profeta "à rebours") esigeva troppo da' suoi morti, da' suoi papi».[96]

La composita manipolazione parodistica del linguaggio delle note rappresenta, in questo caso, un correttivo alle scelte del testo, quasi sempre intese a nobilitare il registro espressivo o a potenziare alcune componenti liriche. Un esempio è offerto dall'assunzione di forme di tradizione letteraria come «umidore» e «stanza» in sostituzione di «umido» e «sede», con efficace calibratura di soluzioni musicali in un contesto lirico già denso di preziosismi lessicali come «tepidità», «commisti», «salci»: «Tutte le dolci immagini dell'autunno paiono tremare nell'umidore, che la tepidità della terra viene esalando: e i popoli commisti dei salci, degli olmi, dei pioppi hanno lungo le rive loro stanza serena, lambiti dalla lucida acqua alle piante, e da sbuffi, alle chiome, di fuggente vapore» (qui a p. 58). Talora l'impiego di una forma letteraria come «ratta», variante di «celere», è finalizzato al gioco allitterante delle dentali e delle liquide: «E più ratta ancora di quel gitto è la sua parlantina toscana sopra le donne torve, accigliate» (p. 55), non diversamente da come la resa onomatopeica è perseguita nella sostituzione di «dolci colombi» con «beccuzzanti o ruculanti colombi» (p. 55).

L'operazione si inscrive con coerenza nel «sistema» correttorio gaddiano risultante dagli altri capitoli del volume; estesa infatti è la preferenza accordata alla forma preziosa o aulica, una pratica ampiamente documentata che investe sovente le singole scelte lessicali.[97]

Meno frequente, per contro, la ricerca di quel genere di traslati così appariscenti in certe pagine gaddiane di dissacrante ironia o di libero sfogo d'umori polemici; tuttavia anche questa zona privilegiata di *Verso la Certosa* non va esente dalle elaborate manipolazioni espressive del più tipico Gadda. Nella prosa *Dalle specchiere dei laghi*, che meglio di altre rappresenta il momento accorato dell'elegia, la rievocazione del passato in chiave autobiografica è occasione di invettiva contro i responsabili di un'infanzia traumatizzata da palesi ingiustizie: il tono enunciativo della lezione negli *Anni* «non sarebbe incorso nelle punizioni feroci, non lo avrebbero minacciato di morte»[98] subisce un'impennata nel catalogo rabbioso della variante (qui a p. 36) «non sarebbe incorso nelle ammonizioni "illuminate", poi nelle punizioni feroci, distruggitrici, nascoste ai lumi e ai lampioni d'ogni umana cognitiva» e raggiunge l'apice nella metafora «lampioni d'ogni umana cognitiva», ardita estensione analogica di un significato autorizzato dal precedente «lumi». Di felice sinteticità espressiva è la stizzosa, colorita metafora del paragrafo successivo, a compensare la caduta di una caricaturale battuta dialettale: «"Prendi il tuo latte, tesoro, intanta che l'è bel caldo"» è sostituito da «"Prendi il tuo latte, anima mia". Il loro caso era la felicemente cicatrizzata menopausa di entrambe le nonne».

Un accenno, infine, a quegli interventi che investono il ritmo della frase, creando diverse soluzioni musicali. Frequente l'aggiunta a rincalzo, talora con ampie dilatazioni nel periodo; in *Versilia* (p. 110) una parte rilevante dell'effetto di rallentato è dovuta, nell'intonazione elegiaca del passo, all'accumulo degli elementi e al polisindeto: «I platani [...] sono un po' come la persistente memoria, la continuità coerente del tempo: ci fanno pensare [...]» → «[...] del tempo, di un tempo estivo e caldo, e lietamente civile e polveroso, di cui la cicala novera i battiti, come la terza sfera i secondi: ci fanno pensare [...]». L'operazione di aggiunta a rincalzo implica talvolta un uso particolare dei segni di interpunzione, in senso più musicale che normativo (ricorrente l'impiego dei due punti), e determina l'esito di clausole ritmiche a suggello dell'espressione. Si noti, nell'acquisizione della variante (*Spume sotto i Piani d'Invrea*, p. 54), la duplice pausa, sottolineata dai due punti, a scandire la cadenza ritmica finale: «e la rotonda esser nave, da salpare in crociera» → «e l'assito e tutta l'opera gocciolante esser nave: nera nave: come nell'antico viaggio e poema». L'esito in clausola ritmica è spesso sottolineato da uno stilema ricorrente, un *che* relativo con funzione di ripresa, che si accompagna sovente ai toni di maggiore intensità lirica, come nella chiusa interiorizzata e sommessa di *Terra Lombarda* (p. 24) implicata in variante: «il popolo stupefatto dei pioppi, la specchiante adacquatura delle risaie» → «il popolo [...] risaie: che la sera illividisce di sogni, di futili paure».

La dominante lirica, che non esclude tuttavia altre componenti tonali, è dunque la cifra stilistica della raccolta; e se è vero che le forme espressive dissonanti nei salti di tono, nell'alternanza di registri sono l'aspetto più appariscente e singolare della scrittura gaddiana, le scelte qui caratterizzanti appaiono il segno di una lunga fedeltà: «I primi impulsi verso la scrittura, in me, ebbero un movente lirico e descrittivo» aveva dichiarato Gadda nella ben nota *Intervista al microfono*;

complementare risposta a quella, garbata, alla recensione continiana al *Castello di Udine*: « [...] non tutto in me è polemica; posto il cànone polemico all'inizio, nel mio mondo io poi mi muovo liricamente ».[99]

« LE MERAVIGLIE D'ITALIA – GLI ANNI » DEL 1964: UNA SORVEGLIATA OPERAZIONE EDITORIALE

Verso la Certosa è il libro con cui di fatto si conclude, nella sua fase vitale, l'articolato percorso dei testi raccolti; la nozione di « fase vitale » va ribadita con vigore, in modo che sia correttamente interpretato il rapporto che questa edizione intrattiene con quella che uscirà da Einaudi nel giugno 1964 nella collana dei « Supercoralli » con il titolo *Le meraviglie d'Italia – Gli anni* (in sovraccoperta il particolare del *Paesaggio con scena sotto una tenda* di Giovan Francesco Grimaldi). Questa pubblicazione rappresenta più l'adempimento di un impegno assunto molti anni prima con l'editore che non l'espressione di una precisa volontà di Gadda;[100] nell'opera di allestimento del volume infatti non si definisce chiaramente un disegno di sua mano, e l'impressione è piuttosto che egli si sia limitato a sorvegliarne l'esecuzione. Lo scarso entusiasmo di fronte alla necessità di rimettere mano a quei testi appare evidente nel carteggio con Einaudi: « Sono lavori di qualche interesse per il pubblico di domani? La riedizione non avverrà in perdita? (per l'Editore, intendo?) » suggerisce timidamente nel dicembre 1962, mentre assicura d'altro canto il suo impegno a condurre a termine *La cognizione del dolore,* affiancato dalla presenza di Gian Carlo Roscioni, « insuperabile nella cortese e pratica validità de' suoi interventi a soccorso ». E più esplicitamente nel febbraio 1964 – nella interminabile litania sulle sue « condizioni fisiche e mentali », su « quel grave stato di agitazione e depressione alterne che ostacola in misura a certi momenti irreparabile ogni possibilità dello scrivente » – mostra di assoggettarsi per cause di forza maggiore: « Mi studierò comunque, senza poter promettere il meglio al 100/100, di secondare le cure del dottor Roscioni, instancabilmente rivolte a un felice, compiuto esito delle "Meraviglie d'Italia" (+ "Gli anni" + "Verso la Certosa") *rivedute, accresciute ed espurgate*: tanto da chiedere forse un nuovo titolo».[101]

Il sostegno di Roscioni è dunque una certezza: a lui si deve la stesura della Nota bibliografica, non firmata, che compare in appendice, in cui è ricostruito il percorso degli scritti riuniti nel libro,[102] e l'aiuto nella organizzazione strutturale del nuovo volume, che delinea una ripartizione del tutto nuova dei testi attinti alle tre precedenti raccolte,[103] offrendoli però, salvo pochi ritocchi, nella veste formale della loro ultima pubblicazione. Se da un lato è riproposta ampiamente la scelta dei brani di *Verso la Certosa*[104] e ne è assunta la lezione (si intende che le prose in origine appartenenti alle *Meraviglie* o agli *Anni* o edite in rivista e accolte poi nell'edizione Ricciardi sono riprodotte nella versione approntata per questa pubblicazione),[105] dall'altro sono recuperati tredici brani dalle *Meraviglie* e uno scritto dagli *Anni* (*L'uomo e la macchina*) nella loro lezione originale. Unico «fuori serie» qui accolto è *La «Mostra Leonardesca» di Milano*, già apparso in rivista: e unico elemento di accrescimento rispetto alle precedenti raccolte.[106] Ridotta ai minimi termini la revisione dei testi, l'opera di «espurgazione» sembra rispondere a criteri chiaramente individuabili, essendo rifiutati soprattutto quegli scritti (delle *Meraviglie*) che toccano il problema dell'autarchia economica, o che esaltano in tono apologetico il mito del lavoro italiano o certe applicazioni del progresso tecnologico del regime. Rientrano nella casistica ad esempio i testi della quarta sezione, per gli argomenti affrontati: come il potenziamento tecnico delle miniere carbonifere istriane (*Il carbone dell'Arsa*) e la realizzazione di un villaggio modello per i minatori (*Arsia. Viaggio nel profondo*); ma anche alcuni pezzi compresi nella serie «abruzzese», come *La funivia della neve*, che illustra le caratteristiche tecniche degli impianti della funivia del Gran Sasso, o *Apologo del Gran Sasso d'Italia*, che decanta l'efficienza dell'allestimento di un rifugio montano a gestione pubblica. Cautele ed eccessi di prudenza che forse spiegano l'esclusione di altre prose, pur di diverso argomento (come *Ville verso l'Adda*, per il coinvolgimento di nomi illustri del «patriziato lombardo», o *Cronaca della serata*, per i riferimenti espliciti a persone note nel mondo della cultura e ancora viventi). Cautele ed eccessi di prudenza che si intravvedono anche in alcuni dei (pur molto contenuti) interventi correttori, come la soppressione di una nota di *Alla fiera di Milano* (« Questo capitolo apparve su "L'Ambrosiano" il 24 aprile 1936: l'Impero fu proclamato e il territorio etiopico annesso il 9 maggio 1936 ») e di un passo della prosa *Il pozzo numero quattordici*: « Molti italiani vivevano e lavoravano presso al pozzo n. 14 e avevano fondato un Fascio (io ero inscritto a quello di Metz), e avevano un asilo per i bimbi ». Autocensure riconducibili a una identica chiave di lettura, il desiderio di escludere implicazioni di natura politica, la stessa che suggerisce di cancellare, nella *« Mostra Leonardesca »*, l'ipotesi che la discussa opera *Madonna del fiore* sia stata « alienata, sembra, ad opera dei Sovieti ».[107]

Da quanto si è detto, ciò che pare più sorprendente di questo allestimento è la proposta di una sorta di « ibrido » testuale che associa stesure appartenenti a fasi cronologiche lontane tra loro: inusuale procedura per Gadda, sempre desideroso di ritornare sulla propria scrittura per emendare, per integrare. La ragione di questa soluzione di compromesso si comprende nella riluttanza di Gadda a intervenire ancora su materiali che, in funzione della loro pubblicazione in *Verso la Certosa*, erano stati sottoposti a una profonda revisione, tale da qualificarsi come una acquisizione definitiva. Anche il titolo non rinnovato, rimasto un po' riduttivamente *Le meraviglie d'Italia – Gli anni*, spiega significativamente lo scarso coinvolgimento di Gadda, così attento in altre occasioni a sondare le diverse possibilità di scelta.[108]

Il raffronto con la pubblicazione einaudiana del '64 impone dunque che si riconosca a pieno titolo il valore di « operazione conclusiva » a *Verso la Certosa*, con cui si esaurisce, entro un disegno organizzato, il rapporto di operosa adesione dell'autore agli scritti ivi raccolti. Da qui la scelta di pubblicare *Verso la Certosa*, interpretando nella sua autonomia la volontà ultima dell'autore, rispetto all'edizione Einaudi '64, che chiude, ma solo in senso cronologico, la complessa storia interna degli scritti raccolti.

CRITERI DI EDIZIONE

Il testo di *Verso la Certosa* che si riproduce è esemplato sulla princeps Ricciardi 1961, emendata dei pochi refusi qui elencati (i riferimenti numerici sono alla pagina e alla riga della presente edizione):

7 (nell'Indice) *piani d'Invrea* > *Piani d'Invrea* 57, 31 *monocipìte* > *monocìpite* (refuso introdotto nelle seconde bozze del testo) 69, 10 *incidentamente* > *incidentalmente* (già riscontrato nella stampa 1943 degli *Anni*) 75, 35 *peylykiano* > *peyligkiano* 111, 37 *Uscito* > *Ucita* 112, 32-33 *cinquattottenni* > *cinquantottenni* 132, 20 *lite* > *liti* 148, 2 *campagna:* > *campagna,* (sospetto refuso di lezione che compare nel testo in rivista, difficilmente giustificabile nella struttura sintattica del periodo).

Si sono infine corretti gli errori: a p. 62, 13-15 *1185* e *1194* in luogo di *1285* e *1294* (evidente lapsus dell'autore documentato dal manoscritto), e a p. 91, 15 *Evangelista mei* > *Evangelista meus.* In una Appendice viene proposta *La «Mostra Leonardesca»*, non accolta in *Verso la Certosa* ma emblematicamente rappresentativa di una scelta a lungo meditata da Gadda. Va precisato che si è riprodotto il testo apparso nel 1939 in «Nuova Antologia» (superando la pubblicazione Einaudi '64 in cui finalmente, dopo le alterne vicende descritte, lo scritto aveva trovato accesso in volume). Si è intervenuti con l'emendamento dei refusi. Queste le occorrenze:

158, 36 *hereticorum* > *haereticorum* 160,32-33 *Vaturro* > *Valturio* 161, 10 *Library* > *Library,* 163, 4-5 *subaquea* > *subacquea* 165, 10 *omini* > *òmini* 165, 28 *evidente* > *evidente,* 165, 38 *orogènesi)* > *orogènesi*). 166, 21 *attrito volvente* > *Attrito volvente* 166, 22 *Coefficiente* > *Coefficienti* 167, 7 *assorbimento* > *assortimento* 168, 16 *Peylyk* > *Peyligk.*

Si segnala inoltre che l'unica nota che nella rivista compare a piè di pagina è qui riportata a fine testo (p. 173) per uniformità editoriale con gli altri scritti di VlC.

NOTE

1. La recensione, associata a quella di *Parlami, dimmi qualcosa* di Manlio Cancogni, compare nella rubrica *Letture* in « Corriere della Sera », 23 marzo 1962. Si legge ora in Eugenio Montale, *Il secondo mestiere, prose 1920-1979*, a cura di Giorgio Zampa, Mondadori, Milano, 1996, vol. II, pp. 2452-53. Successivamente Montale riserverà a Gadda un più esteso e generoso intervento critico (*Parla il duca di Sant'Aquila*, in « Corriere della Sera », 29 agosto 1965) in occasione della pubblicazione del *Giornale di guerra e di prigionia*, Einaudi, Torino, 1965 (ora in *op. cit.*, pp. 2733-37).

2. « La casuale scoperta in Italia, presso un libraio antiquario, di un volume di Bodoni, gli aveva indicato il modello da seguire: avevano colpito il suo occhio la bellezza e la chiarezza dei caratteri, la loro armonia, la perfezione della stampa, l'eleganza della forma, il rapporto tra campo scrittorio e margini » (Ottavio Besomi, *Come nasce un libro nell'Officina Bodoni di Montagnola*, in *Giovanni Mardersteig a Montagnola. La nascita dell'Officina Bodoni 1922-1927*, testi di Letizia Tedeschi e Ottavio Besomi, Edizioni Valdonega, Verona, 1993, p. 60).

3. *Lettere a Ricciardi*, p. 77. Lo stesso ritratto, qui riproposto a p. 10, appare anche nella quarta di una sovracoperta (in una variante ocra su fondo bianco) con cui l'editore Garzanti mise in commercio nel 1963 le rimanenze del volume *I viaggi la morte*, pubblicato nel 1958 (*Catalogo*, p. 28). La copertina di *Verso la Certosa* è riprodotta nella sezione *Iconografia* di QI, 3, 2004 (*Le copertine delle prime edizioni*, pp. 77-93).

4. Fin dal 1938 Raffaele Mattioli, amministratore delegato della Banca Commerciale Italiana e raffinato intellettuale, aveva rilevato la casa editrice Ricciardi, fondata a Napoli nel 1907, inaugurandone il catalogo con due opere di Benedetto Croce (*Aneddoti di varia letteratura* e *Pagine sparse*). Va precisato che la denominazione «Sine titulo» data alla collana non è ufficiale, e dunque non comparirà nelle edizioni, ma sarà usata correntemente nella corrispondenza interna alla casa editrice. I criteri caratterizzanti la «Sine titulo» sono riassunti in una presentazione editoriale del 1967; il testo, non firmato, è senza dubbio da attribuirsi a Mattioli: «Deve una collana avere un titolo per possedere una sua fisionomia? Questi nostri volumetti in diciottesimo non si distinguono solo per il formato. Raccolgono scritti brevi, di minor impegno, di scrittori già solidamente affermati e degnamente riveriti. Si tratta del contrario di un mazzetto di "opere prime", sebbene ci auguriamo che queste pagine non abbiano mai a essere le ultime raccolte dai loro autori. [...] Sempre, dunque, sono pagine insieme divagate e "confidenziali", tra la confessione e l'appunto, tra la nota di diario e lo schizzo o il disegno in cui la spontaneità e l'immediatezza del tratto spiccano meglio che nel quadro compiuto e verniciato. Non, perciò, semplici complementi occasionali delle *opera omnia*, ma fogli che hanno un loro proprio valore e riflettono in poco spazio, come in una nitida miniatura, le fattezze letterarie, le caratteristiche liriche o critiche dei loro illustri genitori» (ora in *Sine titulo, 1954-1975*, Riccardo Ricciardi Editore, Milano-Napoli, 1975).

5. Si veda qui, p. 13.

6. I passaggi sono tratti dalle note biografiche dettate da Gadda ad Angelo Guglielmi per un capitolo a lui dedicato in *La Letteratura italiana – I contemporanei*, Marzorati, Milano, 1963, vol. II, pp. 1051-53; si leggono ora in *Opere* IV, pp. 873-76. Si veda, in proposito, la lettera di Gadda a Mattioli del 9 giugno 1945, qui riprodotta nella sezione Testi e documenti inediti, p. 239.

7. Lettera di Mattioli a Gadda del 9 febbraio 1953, in risposta alla sua precedente del 4 febbraio, in cui Gadda gli anticipava il testo della dedica. La versione integrale di entrambe si legge qui nella sezione Testi e documenti inediti, pp. 239-41; parziale pubblicazione della lettera di Mattioli è nell'articolo di Luca Clerici, *Mattioli «re» della Ricciardi*, in «Il Sole 24 Ore», 25 novembre 2007, p. 11.

8. Un competente apprezzamento critico – e non di formale circostanza – nei confronti e dell'opera e dell'autore è espresso da Mattioli in una lettera inedita a Gaetano Marzotto del 17 settembre 1957: «Mi pare che il "Pasticciaccio" rappresenti l'avvenimento forse più importante dell'annata letteraria. Il frutto più maturo di uno

scrittore quanto mai singolare, che, se da un lato si ricollega ben chiaramente ad una estrosa tradizione lombarda (Dossi), e ciò anche sotto l'aspetto della fantasia linguistica, dall'altro, e proprio per gli stessi valori di ricerca e di invenzione, si situa tra i prodotti più raffinati e compositi dell'alta narrativa europea contemporanea, da Joyce a certi francesi. Per cui penso che il premio avrebbe il merito di sottolineare l'importanza, non solo per l'Italia, di uno scrittore non ancora apprezzato al suo giusto valore» (Archivio Ricciardi[2]).

9. Pubblicato nella miscellanea di vari autori *Un augurio a Raffaele Mattioli*, Sansoni, Firenze, 1970, pp. 57-69 (poi in *Le bizze del capitano in congedo e altri racconti*, a cura di Dante Isella, All'insegna del pesce d'oro, Milano, 1981, e Adelphi, Milano, 1981, pp. 11-29; ora in *Opere* II, pp. 953-66).

10. *Lettere a Ricciardi*, p. 44 (2 dicembre 1957).

11. *Confessioni*, pp. 93-94 (10 dicembre 1957); «i due favorevoli» all'interno della commissione giudicante erano Emilio Cecchi (presidente) e Carlo Bo; la presenza di Antonino Pagliaro, intellettuale militante durante il regime fascista (diresse, tra l'altro, il «Dizionario di politica» dell'Istituto della Enciclopedia Italiana) spiega il tenore del giudizio di Gadda. Edoardo Soprano, con funzione di segretario, rappresentava l'omonimo gruppo tessile fondatore del premio. Pur rovente, la valutazione di Gadda sulla «bocciatura» coglie nel segno, individuando le ragioni nei voti contrari di «tre nostalgici adombratisi delle *sue* "parolacce"» (*Lettere ai Fornasini*, p. 56). Scrivendo a Mattioli, Gaetano Marzotto precisava che Soprano, interpellato, si era mostrato decisamente contrario alla concessione del riconoscimento (e non diversamente da lui Pagliaro), giudicando il *Pasticciaccio* «un fattaccio di cronaca diluito in un romanzo» in cui il «ripetersi continuo di appellativi volgari» dava «una impressione maggiormente sfavorevole» (18 settembre 1957); e successivamente, a verdetto emesso, dichiarava di attribuire la mancata assegnazione del premio alla «forma licenziosa e comunque inusitata dello scritto» (16 ottobre 1957) (Archivio Ricciardi[2]). L'umore mobile di Gadda, come si vede bene, è sempre commisurato alle circostanze e ai destinatari: sul caso «Marzotto» si legga anche la lettera a Mario Luzi del 28 ottobre 1957, qui riprodotta nella sezione Testi e documenti inediti (pp. 235-36).

12. «Lunedì scorso fu deciso il premio "Marzotto". Credevo si riuscisse a darlo a Gadda, nonostante la assoluta opposizione di Pagliaro e del segretario Soprano. Credevo che Panfilo Gentile si decidesse a votare con me e con Bo; invece ha tradito. [...] Con alcuni amici, ci è venuto in mente, e per questo mi rivolgo a lei, che so vecchio estimatore di Gadda: non è possibile, prima della fine dell'anno,

trovare denari per costituire un premio, e darlo a Gadda? Bisognerebbe fosse un premio almeno del valore del "Marzotto" andato in fumo. E con l'occasione del premio, si potrebbe rinnovare il richiamo di attenzione su questo libro, che ora riceve gli attacchi di Milano, di Falqui, di Bocelli, ecc. ecc. Del libro io scrissi sul "Corriere" e a lungo sull'ultima "Illustrazione Italiana", e non ho da dirle qui la mia opinione» (*Cecchi-Ricciardi*, n. 24). La recensione di Cecchi, *Un romanzo che assomiglia a un ciclopico edificio istoriato*, era apparsa in «Corriere della Sera», 30 agosto, p. 3, e in una versione più estesa in «L'Illustrazione Italiana», 10, ottobre 1957 (poi nel capitolo «Carlo Emilio Gadda», in *Libri nuovi e usati, note di letteratura italiana contemporanea (1947-1858)*, Edizioni Scientifiche Italiane, Napoli, 1958, pp. 282-89). Gli altri interventi a cui è fatto riferimento sono: Enrico Falqui, *Bagatelle per un massacro*, in «Il Tempo», 27 settembre 1957, p. 3; Paolo Milano, *Rabelais non c'entra*, in «L'Espresso», 13 ottobre 1957, p. 13; Arnaldo Bocelli, *Gadda nel pasticcio*, in «Il Mondo», 22 ottobre 1957.

13. Il 5 dicembre Cecchi scrive a Mattioli: «[...] avrà saputo da Schiaffini e da Citati che le cose del premio vanno regolarmente; sembra che Garzanti contribuirà per mezzo milione; i Gentile daranno il ricevimento del 21 dicembre addirittura al "Grand Hôtel", reputando troppo ristretta la loro sede in piazza Grazioli, ecc. Le notizie del premio sono state pubblicate sufficientemente dai migliori giornali» (*Cecchi-Ricciardi*, n. 25).

14. *Cecchi-Ricciardi*, n. 26 (21 dicembre).

15. Il testo integrale del discorso, finora inedito, si può leggere qui in Testi e documenti inediti, pp. 236-37. Della serata d'onore riferisce anche Giulio Cattaneo, con puntuali riscontri all'allocuzione di Gadda: «Quella sera, al Grand Hôtel, c'era tutta Roma letteraria. Gadda, ringraziati i lettori e le "stupende lettrici", parlò un poco di se stesso, della "lentezza" e "reticenza" [*in realtà* "renitenza"] del suo destino. Intorno un chiacchierio, un pettegolezzo, un insinuare che era piuttosto stravagante quella riscoperta di Gadda ed eccessiva la sua valutazione [...] Gadda sentiva l'ostilità sottile di quel pubblico che si congratulava rumorosamente abbandonandosi poi a conciliaboli maligni. Soltanto Cecchi pareva lieto e soddisfatto del denaro bene speso: tanto per il premio e tanto per quella meraviglia di rinfresco» (Giulio Cattaneo, *Il gran lombardo*, Garzanti, Milano, 1973, p. 116).

16. «[...] ho trascorso alcune settimane, credilo, a guarire dai postumi dello choc: in uno stato di dubbio, e quasi di smarrimento e di confusione. La festa ha di troppo superato i miei eventuali titoli di merito, e i riconoscimenti sono andati al di là del valore del libro»

(*Lettere a Angioletti*, p. 70); « [...] la bufera natalizia, complicata per me dal grande baccanale del premio (elegante fattispecie, ma superiore ai miei meriti e alle mie possibilità di... incasso psicologico) »; « Creda che il piccolo pandemonio del dicembre (che riguardava le mie "stravaganze" letterarie) mi ha fatto un poco perdere il capo » (*Lettere a una gentile signora*, pp. 203, 205). Riscontri dello stesso tenore sono in molte altre lettere: « [...] le ragioni di inquietudine e di tormento crescono di giorno in giorno. Fra queste una specie di rimorso-vergogna derivante dalla sensazione di non aver meritato il "baccano" del Premio » (*Lettere a Bigongiari*, p. 48); « Ho perso due mesi a fronteggiare la banalità, la stupidità, i flashes e tutta la frivolezza dei reporters e delle finte ammiratrici e ammiratori del mio supposto genio » (*Lettere ai Fornasini*, p. 58).

17. *Contini-Gadda*, pp. 250-52.

18. Le tappe dell'intricato percorso che approderà alla stampa del volume nel 1961 sono documentate dalla corrispondenza con l'editore Ricciardi, ormai interamente divulgata nel 2001, nel numero d'esordio dei « Quaderni dell'Ingegnere » (QI, 1, 2001, pp. 43-87). Il complicato iter era già stato ricostruito, sulla scorta del carteggio, in Liliana Orlando, *Storia esterna di « Verso la Certosa »*, in *Studi di letteratura italiana offerti a Dante Isella*, Bibliopolis, Napoli, 1983, pp. 641-47 e più dettagliatamente in *Nota VlC*. Il carteggio è conservato presso l'Università degli Studi di Milano, Centro Apice, Archivio Ricciardi, *Corrispondenza Carlo Emilio Gadda*.

19. *Lettere a Ricciardi*, pp. 43-45.

20. La minuta della lettera è conservata nell'Archivio Liberati. Si sottolinea, per inciso, come l'interesse delle « brutte copie » epistolari che ci sono pervenute vada ben oltre il loro contenuto: le minute delle lettere presenti in quest'archivio si rivelano impegnativi esercizi di stile, che lasciano intravvedere gli stessi complessi procedimenti di elaborazione riscontrabili nelle opere.

21. *Lettere a Garzanti*, p. 87.

22. *Lettere a Ricciardi*, p. 46 (15 gennaio 1958). Tre puntate del racconto erano uscite su « Palatina » nel 1957 (I, 1, gennaio-marzo, pp. 51-54; 2, aprile-giugno, pp. 43-49; 3, luglio-settembre, pp. 51-53); le altre due appariranno l'anno successivo (II, 5, gennaio-aprile, pp. 58-62; 6, aprile-giugno, pp. 69-72). Gadda ne informa quasi contemporaneamente Contini, per essere rassicurato sull'opportunità della scelta: « [...] se potrai dirmi liberamente il tuo parere al riguardo, anche controparere, te ne sarei "tenuto": perché anche lì sono in dubbio: e gli darei altro, ove tu mi dicessi "no, questo non va" » (*Contini-Gadda*, p. 252, 14 gennaio 1958).

23. A questo andrebbe ricondotta la rinuncia del lavoro proposto a Ricciardi: in una lettera del 5 luglio 1958 Garzanti deplora infatti come Gadda sottragga tempo alla stesura della seconda parte del *Pasticciaccio* per « un romanzo di minore importanza e che pare che altri debba pubblicare » (*Nota AG*, p. 1291).

24. Il lavoro in effetti era stato « già vagamente promesso a Bassani per il numero estivo-autunnale di "Botteghe Oscure" » (*Lettere a Garzanti*, pp. 88-89). Si noti che in questa lettera del 27 febbraio 1956 – fondamentale per la messa a punto dei suoi impegni con l'editore milanese – Gadda precisa che il « *Romanzetto* » riguarda « una serie di matrimonî "combinati", durante 2 - 3 generazioni, in vista della salvazione della "Sostanza" di famiglia », e lo presenta come una sorta di « Antefatto di un Soggetto Cinematografico, redatto in forma schematica, in forma di appunto mnemonico, ma non privo di interesse psicologico-narrativo », i cui materiali, ritrovati nell'Archivio Liberati, sono ora pubblicati e analizzati nella recente edizione di AG, pp. 453-79.

25. *Lettere a Ricciardi*, pp. 47-49 (11 gennaio 1959).

26. Gli estremi del percorso sono individuati dalle lettere del 14 dicembre 1952 a Einaudi e a Vittorini (*Lettere a Einaudi*, pp. 69-72) e del 10 dicembre 1957 a Einaudi (*ibid.*, p. 98, nota 69). Si veda, tra le altre, la lettera del 14 maggio 1953 (*ibid.*, pp. 73-76), in cui Gadda presenta un dettagliato prospetto delle condizioni di pubblicabilità dei suoi lavori, già editi o inediti: « Io sarei lietissimo di avere in Lei il mio editore "definitivo" » confessa a Einaudi « ma la situazione è viziata da impegni formali che credo rendano impossibile l'attuazione del programma massimo » aggiunge preconizzando il gorgo in cui sarà avviluppato nel successivo decennio.

27. *Lettere a Einaudi*, pp. 99-100.

28. *Lettere a Einaudi*, p. 100, nota 73 (24 febbraio 1959). Si noti che sin dal 1954 era stato varato il programma di pubblicazioni con Einaudi, sancito da contratto e anticipo in denaro: oltre a un « volume narrativo » (con *La Madonna dei Filosofi*, *Il castello di Udine*, *L'Adalgisa*, *La cognizione del dolore*), prevedeva un « volume saggistico » con « 1. Le Meraviglie d'Italia 2. Gli Anni 3. Altri saggi non editi in volume per 100 pag. ». « Qualora il volume narrativo risultasse troppo grosso, » suggeriva Einaudi « potremo eventualmente, e con il suo consenso, staccarne *La cognizione del dolore* e pubblicarla separata » (*Lettere a Einaudi*, pp. 82-83 e nota 47). L'ipotesi si concretizzerà nel 1955 con l'edizione dei *Sogni e la folgore*, volume collettaneo delle tre prime opere narrative, e nel 1963 con la stampa della *Cognizione del dolore*. A questa impostazione progettuale Gadda terrà fede: il « volume saggistico » corrispettivo del « volume narrativo » uscirà nel '64

con il titolo *Le meraviglie d'Italia – Gli anni*; ma la pubblicazione di *Verso la Certosa* determinerà – come si cercherà qui di dimostrare – una modifica sostanziale del percorso.

29. Visibilmente soddisfatto, a volume ultimato, Gadda riserverà ad Antonini parole di affettuosa riconoscenza: «*Lei non mi ha riserbato altro che premure, fiduciosa gentilezza, paziente ascolto e prestato validissimo aiuto.* Sono io che in questi ultimi tempi ho chiesto, e forse con discreta insistenza» (*Lettere a Ricciardi*, p. 81, 4 novembre 1961). Sul ruolo di Gianni Antonini, «onnipresente suggeritore» e «tenace regista» dell'attività della casa editrice Ricciardi, chiamato giovanissimo da Mattioli a dirigerla nel 1951, si veda il contributo di Franco Gavazzeni, *Per Gianni Antonini. In occasione del conferimento della laurea 'honoris causa' dell'Università degli Studi di Pavia*, Ricciardi, Milano-Napoli, 1996, pp. 11-19.

30. Il paragrafo «Sotto due fuochi» nella *Nota al testo di AG*, pp. 370-72, illustra bene il problema, di cui è eloquente sintesi una lettera a Citati dell'ottobre 1957: «Creda, con *gli* editori, anche per colpa mia, sono ai mali passi: certe volte dispero di potermi salvare. Quando nessuno mi voleva, è logico che si fosse determinata in me la *psicosi* "*mi attacco a tutti i salvagenti*", volume per volume. Così mi sono cacciato in un ginepraio di amanti finti, di fataloni imbronciati che dicano: "te tu m'hai tradito con Calumero"» (*ibid.*, p. 371). Più drammatica la testimonianza di due lettere a Vittorio Sereni del 2 e del 15 febbraio 1959, che interpretano quindi, per la vicinanza di data, la contestuale situazione: «Creda che mi trovo ridotto alla disperazione e alla nevrosi» scrive Gadda nella prima. «Il mio sistema nervoso non regge a quello che si vorrebbe da me, e gli assilli continui mi tolgono ogni possibilità di lavorare. Il terrore di essere accusato di duplicità, o peggio, (mentre semmai ho peccato solo di facilità, di avventatezza, promettendo quanto non era possibile mantenere), mi impietrisce, mi paralizza». E ribadisce nella seconda: «Sono all'angoscia e alla disperazione per la guerra che si è accesa intorno alla misera preda del mio lavoro, o dei déchets di esso. Troppi stampatori vogliono pezzulli e capitoli e articoli e faville» (*Lettere alla Mondadori*, pp. 75, 77).

31. *Lettere a Ricciardi*, p. 52 (24 marzo 1959). Il proposito si assoggetterà ad alcune variazioni: dopo aver suggerito una «nota di carattere bibliografico-cronologico» (p. 70), Gadda si disporrà, «pur con qualche riluttanza», alla stesura di una «nota biografico-critica» richiesta dall'editore (p. 72), per risolverla infine nella forma della dedica a Raffaele Mattioli, salvando così il desiderio di «esprimere il *suo* profondo sentimento senza per altro dissimulare le *sue* poco brillanti "note caratteristiche" e la tristezza del *suo* iter» (p. 75). Osserva Raffaella Rodondi che l'esigenza di corredare le sue opere di

introduzioni o postille « rientra fra le costanti della tarda progettualità di Gadda » e « testimonia dello sforzo di sistemazione complessiva intrapreso nel decennio '50-'60 e che annovera al suo attivo [...] il non siglato "risvolto" dei *Viaggi la morte*, la "dedica" di *Verso la Certosa* e lo pseudo-dialogo anteposto alla *Cognizione*; infine l'estrema *Premessa* a *Eros e Priapo* » (*Nota AG*, p. 1261). Arretrando nel tempo, tuttavia, si può vedere che l'intento era maturato, pur senza concretizzarsi, anche per *Le meraviglie d'Italia*: « Alla prefazione rinuncio » scriveva Gadda a Bonsanti il 31 marzo 1939 inviando gli ultimi quattro pezzi a completamento del volume, alludendo probabilmente a un precedente accordo (*Nota MdI*, p. 1244).

32. *Lettere a Einaudi*, pp. 102-103 e nota 77.

33. *Confessioni*, pp. 60-61. La data di stampa riportata nel colophon è tuttavia « 14 maggio ». Comunque sia, lapsus della memoria di Gadda o reale retrodatazione nel volume (ma la minuta di una lettera che accompagna l'omaggio del libro a Enrico Falqui ha data « 18-6-1943 »), resta la certezza che la « costruzione » delle date di pubblicazione implicanti il numero « 14 » risponde al ben noto rituale gaddiano feticistico e scaramantico, documentato anche per *Le meraviglie d'Italia* (cfr. qui, p. 191) e ampiamente per altre edizioni (si veda in proposito *Nota A*, pp. 1258-59, nota 11). La stessa lettera a Falqui – la si legge nella minuta conservata nell'Archivio Liberati – sottolinea ancora l'eleganza dell'edizione (per « la sua veste corporea bisogna rimeritarne Bonsanti, sottile epigono di Giovan Battista Bodoni »).

34. Il programma della collezione era illustrato, contemporaneamente all'annuncio dell'uscita degli *Anni*, nella pagina pubblicitaria di « Letteratura » 25, maggio-agosto, 1943, e dichiarava « in corso di stampa nella stessa serie » un'opera di Elio Vittorini, *Di Vandea in Vandea*, con tre litografie di Aligi Sassu. L'edizione degli *Anni* fu l'esito successivo a una prima ipotesi di pubblicazione, in questa stessa collana, di una sezione del *Castello di Udine*, testimoniata da una lettera di Gadda a Einaudi del 10 luglio 1942: « [...] i Parenti stessi ristampano per settembre 150 = *centocinquanta* copie numerate dei 5 capitoli di guerra del Castello stesso: in edizione diciamo rara, e costosa. = (I soli capitoli di guerra) » (*Lettere a Einaudi*, p. 64). Si noti che Gadda aveva offerto a Einaudi la riedizione del *Castello di Udine* (*Lettere a Einaudi*, p. 63, 20 giugno 1942) pur avendola a sua volta già promessa a Bompiani, come si evince da una lettera a Vittorini, allora direttore editoriale di Bompiani: « Per la ristampa del Castello da Bompiani, mi puoi dare una indicazione? Cioè se è più probabile sì o più probabile no? » (*Lettere a Vittorini*, pp. 390-91, 28 giugno 1942). Bompiani non riuscì nemmeno in seguito a varare, come avrebbe desiderato, una pubblicazione di un libro di Gadda.

Per una sintesi più esauriente dell'incrocio triangolare, si veda *Lettere a Einaudi*, p. 64, nota 15.

35. Cfr. *Bibl.*, 1940.10, 11, 2; 1936.11; 1941.2; 1940.6, 13, 12, 5 (l'elenco segue l'ordine dei capitoli del volume). *Gli anni* si può leggere ora in *Opere* III, pp. 201-72.

36. Cfr. qui, p. 192 e nota 87. *Verso Teramo* appare come settima tappa dell'itinerario abruzzese dell'«inviato speciale» Gadda per conto della «Gazzetta del Popolo», e segna la prosecuzione del percorso geografico chiaramente individuato dall'ultimo dei sei articoli pubblicati sul quotidiano, *Antico vigore del popolo d'Abruzzo.* Alcuni appunti conservati nel Quaderno AV del Fondo Garzanti, datati 1934, rivelano significativi rimandi alla prosa degli *Anni* (si veda qui la nota 87).

37. *La «Mostra Leonardesca» di Milano* (con il soprattitolo *Esposizioni*) esce in «Nuova Antologia», 74, CDIV, f. 1618, 16 agosto 1939, pp. 470-79. Cfr. *Bibl.*, 1939.10.

38. *Contini-Gadda*, pp. 90-91. La lettera è del 18 settembre 1942. In «Duodeno» si identifica la prosa *Anastomosi*, uscita in «L'Ambrosiano» nel marzo 1940 con il titolo *Ablazione del duodeno per ulcera*; nei «Comprensori», verosimilmente, l'articolo *La grande bonificazione ferrarese*, apparso in «Le Vie d'Italia» (*Bibl.*, 1939.16; ora in *Opere* V, pp. 156-70). Il riferimento ai due pezzi associati è in una lettera di Gadda a Contini dell'aprile 1940: «Ti ho inviato oggi "Le Vie d'Italia" – dicembre 1939-XVIII, col mio articolo. Quello chirurgico de "l'Ambrosiano" mi pare te lo avessi già dato»; più esplicito l'invito al vaglio dei suoi lavori di una precedente lettera: «Nel numero di dicembre de "Le Vie d'Italia" troverai un mio lungo prodotto ferrarese. Ti vorrei più a portata di mano, oh! quanto!» (*Contini-Gadda*, pp. 124 e 122).

39. Si veda qui, p. 190 e nota 47.

40. *Contini-Gadda*, p. 132.

41. Il materiale è contenuto nella cartelletta siglata «*Anni* boz» e descritto da Paola Italia in QI, 3, 2004, pp. 215-16.

42. Cfr. «Letteratura», 25, maggio-agosto 1943. Singolare anticipo di questo testo è un passaggio della citata lettera a Falqui: «"Gli Anni" della fatica, della curiosità, del dolore, e di tante altre penitenze (azioni e passioni) di cui qui cade un'ombra, quella che il combinarsi degli incidenti ha potuto concedere».

43. Due gli esclusi: *Tecnica e poesia*, lo scritto di maggiore estensione, che già era stato riproposto in *I viaggi la morte* (1958), e *L'uomo e la macchina*, una sezione del quale sarà recuperata e aggiunta a *Dalle*

specchiere dei laghi (si tratta dei due paragrafi finali, qui a pp. 36-37: « E ricordo di aver veduto [...] come un arcolaio »).

44. Nell'« Indice » con data 4 giugno 1959 (*Lettere a Ricciardi*, pp. 57-59, 14 settembre 1959).

45. *Lettere a Ricciardi*, p. 54 (24 luglio 1959).

46. L'Archivio Liberati conserva: a) una versione manoscritta del *Petrarca*, in bella copia di difficile datazione: gli interventi correttori, nell'insieme piuttosto limitati, sono ascrivibili probabilmente a una fase più tarda, quando Gadda rivede il testo in funzione della pubblicazione in rivista e annota due volte la possibile data di elaborazione, la prima in matita rossa, a conclusione di una prima sezione: « forse 1948 1949 (?) Firenze in ogni modo prima del 1950 », la seconda nell'ultima pagina del manoscritto: « Fine del saggio o articolo "Il Petrarca a Milano" scritto a Firenze, estate 1949 (?) CEG *Inedito* »; b) un dattiloscritto, copia del ms., su cui sono apportate ulteriori rade correzioni, che saranno accolte nella stampa in rivista. Si noti però che Gadda intendeva affidare il lavoro, suddividendolo in due parti, al « Radiocorriere »; lo attestano due annotazioni a penna nel margine alto delle due sezioni dattiloscritte: « Copia Radiocorriere 4 marzo 1959 Roma ». La prosa uscì invece il 30 marzo in « Lo Smeraldo », periodico milanese « clandestino rispetto alle lettere » (*Lettere a Ricciardi*, p. 54), edito dall'Editrice Sigurtà Farmaceutici. Il lavoro preparatorio di questo saggio (tale possiamo considerarlo per le caratteristiche e per la sua estensione) è documentato nel *Quaderno di indirizzi e appunti per articoli* conservato nel Fondo Garzanti (siglato IA nella descrizione di Paola Italia, in QI, 4, 2006, pp. 329-31); le annotazioni ivi raccolte mostrano che l'interesse di Gadda si era spinto fino allo spoglio di codici e incunaboli petrarcheschi in biblioteche e archivi milanesi, di cui dà sommarie descrizioni. Preziosa per la datazione è la nota di p. 33: « 20 Maggio 1949 C.E.G. C.E.G ». Significative alcune indicazioni bibliografiche: « Carlo Romussi, *Petrarca a Milano* (1353-1368), Studi storici, Milano 1874 » e « Il Petrarca e la Lombardia – Miscellanea di Studî Storici della Società Storica Lombarda. Nel centenario della nascita. 1904. – Milano. Ulrico Hoepli. 1904 ».

47. *Lettere a Einaudi*, p. 79 (14 gennaio 1954 [ma da intendere, per lapsus dello scrivente, 1955]): « Le ho spedito *oggi* per *raccomandata espresso* i due volumi e un estratto, Mostra Leonardesca, per il libro di Saggi. I volumi sono Le Meraviglie d'Italia e gli Anni ». Si vedano anche, sopra, i dettagli alla nota 28.

48. *Lettere a Ricciardi*, p. 54.

49. *Lettere a Einaudi*, p. 104 (9 aprile 1959): « [...] ho già ripreso il

lavoro di revisione [della *Cognizione*] e spero che in ogni modo entro il 25-30 potrò consegnare tutto. Le manderò gli estratti a stampa con correzioni chiare»; *Lettere a Garzanti*, p. 153 (27 aprile 1959): «Circa il II°. vol. del Pasticciaccio [...] ci sarà anche quello, solo con qualche mese di ritardo rispetto al previsto settembre». Ma scrivendo a Contini «Devo angosciosamente inserire nel pasticcio totale della mia vita i due pasticcetti, o meglio "oss de mort" della Cognizione del dolore riveduta e corretta (Einaudi la esige, ormai) e del libro che avevo promesso a Mattioli. (Darò gli "Anni" con modifiche, espunzioni e aggiunte)» amaramente gli confessa: «Insano e moroso, le mie more stanno superando ogni concepibile delay. [...] Non arrivo a fronteggiare i miei obblighi, e tanto meno le speranze» (*Contini-Gadda*, p. 255, 24 aprile 1959).

50. *Lettere a Garzanti*, pp. 149-50 (16 marzo 1959).

51. *Lettere a Garzanti*, p. 154 (20 giugno 1959). Nel settembre 1957, dopo l'uscita del *Pasticciaccio*, Gadda scriveva a Contini: «In questi anni ho conosciuto Pietro Citati, il quale mi ha moralmente assistito al lavoro, con una generosità che direi incredibile» (*Contini-Gadda*, p. 184).

52. Lettera a Falqui, cit., in Archivio Liberati.

53. Il rituale del numero propiziatorio appare con tutta evidenza. Il 14 luglio, in particolare, ricordava il giorno della sua laurea (1920). Cfr. sopra, nota 33.

54. Cfr. *Bibl.*, 1934.9, 10; 1935.5, 1, 6, 12; 1936.2, 9, 3, 4, 5, 6, 7; 1939.5; 1938.6; 1939.2; 1934.5, 6, 8, 11, 12, 13, 14; 1935.2, 3; 1936.12; 1934.4; 1937.7, 8; 1936.13 (l'elenco segue l'ordine dei capitoli del volume).

55. Un'opera di Gadda dal titolo *La cognizione del dolore* era annunciata «in corso di stampa» nelle pagine pubblicitarie di «Letteratura», 5, gennaio 1938, e presentata, sotto etichetta shakespeariana, da uno scritto di mano d'autore dai toni grotteschi: «"Double, double toil and trouble: | Fire burn: and cauldron bubble | Una tensione magica sembra sostentar sulle fiamme il pentolone gaddiano dove ribollono, con parvenze inattese, creature e forme tuttavia venutegli dal mondo. Così dalle forconate che l'autore di quando in quando regala al suo lesso, taluno penserebbe a una cottura laboriosa, a una vana magia. Ma tutti i pezzi di mala bestia con tutti i sedani e tutte le carote ch'egli butta a vorticare e a dar vapore in quel bubbuglio, rivengono l'un dopo l'altro a galla secondo necessità: una rappresentazione formale s'adempie. Dalla congestione si schiarisce il disegno; nel disegno si ferma il giudizio: l'amarezza, il dolore disperato, lo scherno, la carità, la speranza; e, inancellabile, il richiamo della terra». Anche due lettere, a Bonventura Tecchi e a

Piero Gadda Conti, entrambe del gennaio del '38, riferiscono della composita struttura del volume in corso (cfr. *Lettere a Tecchi*, p. 127; *Confessioni*, pp. 47-48).

56. Già nell'ottobre del 1933 Luigi Rusca, condirettore della Mondadori, « entusiasta del *San Giorgio in casa Brocchi*, aveva lanciato l'idea di raccoglierlo in volume "con altri 3 o 4 racconti del genere" » (*Lettere alla Mondadori*, p. 41, nota 1). Dell'ipotesi, a lungo meditata, di ripubblicare in volume il racconto è data documentazione nell'Apparato critico a *San Giorgio in casa Brocchi*, a cura di Giorgio Pinotti, in Carlo Emilio Gadda, *Disegni milanesi*, a cura di Dante Isella, Paola Italia, Giorgio Pinotti, Edizioni Can Bianco, Pistoia, 1995, pp. 121-23).

57. Più dettagliatamente, in altra pagina degli stessi appunti, sotto il titolo ripetuto « *II^a Parte | Le torri: mattino e tramonto* » (nella cui allusività si individua l'arco della giornata vigilata dalle torri per antonomasia del Castello Sforzesco di Milano) sono poi elencati molti brani, dai titoli talora ancora provvisori, che comporranno la sezione milanese della raccolta. Il contenuto della terza parte è specificato da un altro indice, la cui intestazione complessiva « *Parte III^a | Le meraviglie d'Italia | Dal taccuino di un italiano* » si articola in tre sottotitoli : « *Dal taccuino di un italiano all'estero* » | « *Le meraviglie d'Italia* » | « *Lo verde piano, l'alpe di marmo, il carbone* » (corrispondenti alle ripartizioni della seconda, terza, quarta sezione della raccolta definitiva), sotto cui risultano già fin d'ora raggruppati tutti gli articoli che compariranno nell'edizione delle *Meraviglie* 1939. Il materiale preparatorio delle *Meraviglie* (manoscritti, ritagli di giornali con interventi autografi) è conservato nel Fondo Roscioni. Se ne può ora vedere la descrizione data da Barbara Colli, *Le meraviglie d'Italia*, in QI, nuova serie, 3, 2012, pp. 211-25 (per gli appunti citati cfr. p. 215, n. 22).

58. Ferruccio Ulivi, *Le Meraviglie d'Italia di C.E. Gadda*, in « Il Bargello », XI, 42, 6 agosto 1939; Pietro Pancrazi, *Le Meraviglie d'Italia*, in « Corriere della Sera », 2 settembre 1939; Giansiro Ferrata, *Le Meraviglie d'Italia*, in « Oggi », I, 22, 28 ottobre 1939; Carlo Bo, *C.E. Gadda, Le Meraviglie d'Italia*, in « Letteratura », 12, ottobre 1939; Leone Traverso, *Le Meraviglie d'Italia di C.E. Gadda*, in « La Nazione », 28 ottobre 1939; Enrico Falqui, *Un maccaronico del Novecento*, in « Gazzetta del Popolo », 14 febbraio 1940; Giancarlo Vigorelli, *Appunto su Carlo Emilio Gadda*, in « L'Italia », 7 marzo 1940.

59. La presentazione di Contini ebbe luogo il 28 febbraio 1940 (*Contini-Gadda*, p. 60). La lettera di Carlo Linati, del 20 luglio 1939, è conservata nell'Archivio Liberati.

60. *Lettere a Einaudi*, p. 104 (9 aprile 1959, a Italo Calvino): « La revisione de "La Cognizione del dolore" ha subito una interruzione [...]

dovuta un poco al trambusto per raccogliere anche i testi da consegnare a Ricciardi: (a questo proposito, molte grazie per il cortese invio a mezzo di Citati dell'articolo "Versilia") ». Che si trattasse veramente di « bozze Einaudi » lo prova un appunto, contenuto nell'indice manoscritto dei capitoli previsti per la nuova raccolta, accluso alla lettera ad Antonini del 14 settembre 1959: accanto a « Versilia (Inedito in v.) [...] » si legge « Bozze Einaudi. Il pezzo non sarà compreso nel futurissimo volume Einaudi » (*Lettere a Ricciardi*, p. 58). Nell'Archivio Ricciardi sono conservati i 4 ff. delle bozze in colonna della prosa; le aggiunte manoscritte di numerose varianti sono quelle acquisite in *Verso la Certosa.*

61. La proposta a Einaudi è contenuta nella già citata lettera del 14 maggio 1953, in cui Gadda fornisce il « quadro esatto della situazione » editoriale, pregressa e ipotizzabile (*Lettere a Einaudi*, p. 75); ma già l'anno successivo, nella lettera del 18 febbraio 1954 a Garzanti, prospetta l'alternativa della cessione dei saggi all'editore milanese: « Giulio Einaudi [...] chiede di stampare in due "supercoralli" i miei lavori del passato [...] Rimarrebbe comunque per Lei l'opzione su un volume di saggi non ancora editi [...] Io sono tra due fuochi, anzi sotto due fuochi » (*Lettere a Garzanti*, pp. 77-78). « L'opzione » si concretizzerà con la pubblicazione dei *Viaggi la morte.*

62. Il fascicolo contiene: a) una stesura manoscritta, con poche varianti interne (ma sensibilmente più concisa rispetto alla stampa del « Popolo », che attesta un lavoro di aggiunte più che di sostituzioni, e di dilatazioni talora molto estese); b) due ritagli dell'articolo del giornale, uno dei quali contrassegnato con il numero 21 in matita rossa, su cui Gadda traccia una sola variante; c) le bozze Einaudi, che riproducono il testo così come era apparso sul quotidiano (compresi i refusi) e introducono (oltre ad alcuni refusi propri) l'unica variante segnalata; d) un foglio con abbozzi di lezioni accolte poi in VlC; e) una busta su cui si legge, scritto in penna biro: « Versilia | (conversazione radio) | correggere il titolo | stampato 29 agosto 1950 »; e ancora in matita: « lavoro affrettato », « articolo letto alla radio il 29 agosto 1950 »; sotto, in carattere più grande e marcato: « 1969 ». Della conversazione radiofonica si ha conferma da un frammento di appunti (stesi, verosimilmente, in servizio di una progettata presentazione di *Verso la Certosa*) documentati da un unico foglio superstite, reperibile nel Fondo Roscioni: « Il n.° 14 Versilia è allocuzione pronunziata avanti a' microfoni itineranti del Terzo Programma per gentile invito di Leone Piccioni: terza decade di agosto 1950, Forte dei Marmi, nel giardino d'una villa di amici dell'amico. Momento sentitissimo d'un breve ozio litoraneo, se non marino, e del mio amore al paese, alla gente, al Poeta, e ai numi della Memoria salvatrice ».

63. Le lettere a Garzanti tra il febbraio e l'aprile 1956 fanno ripetu-

tamente riferimento al sostegno di Citati nella scelta ed esclusione dei testi per *I viaggi la morte*: «Mi è stato ed è di valido aiuto, anche esercitando giudizio censorio ed eliminatore,» precisa Gadda il 17 marzo «il dottor Citati Pietro: e così pure l'amico Bertolucci [...] Citati ha escluso alcuni saggi che gli sembravano male orchestrati nel volume e 4 o 5 racconti brevi inediti in libro, che pure si addicono in altra sede» (*Lettere a Garzanti*, p. 93). Si veda anche, in proposito: Gian Carlo Roscioni, *Terre emerse: il problema degli indici di Gadda*, in *Le lingue di Gadda*, Atti del Convegno di Basilea, 10-12 dicembre 1993, Salerno Editrice, Roma, 1995, pp. 23-43.

64. Ci si riferisce a una lettera inviata a Citati nell'agosto 1959, parzialmente pubblicata in AG, p. 382. Quel «vasto programma di sistemazione», in parte assolto con la pubblicazione dei *Sogni e la folgore* (1955), il *Pasticciaccio* (1957) e *I viaggi la morte* (1958), sarà condotto a termine in un arco di tempo relativamente breve: entro il 1963 vedranno la luce *La cognizione del dolore* e *Accoppiamenti giudiziosi*, e nel 1965 l'edizione accresciuta di nuovi materiali del *Giornale di guerra e di prigionia*.

65. Questo schema-indice, ritrovato nell'Archivio Liberati, presenta una stesura di mano di Citati con aggiunte di grafia di Gadda (sul margine inferiore si legge, in caratteri molto più rilevati, una sua annotazione in pastello rosso: «Citati. | 25 marzo 1959»). L'elenco presenta, dopo alcune interpolazioni e sostituzioni, gli stessi quattordici titoli nello stesso ordine in cui compaiono nell'indice inviato ad Antonini il 14 settembre 1959 (*Lettere a Ricciardi*, pp. 58-59).

66. Cfr. *Bibl.*, 1936.1. Si legge ora in *Opere* III, pp. 802-12.

67. Per maggiori ragguagli in proposito si rinvia alle Note ai rispettivi testi, in *Opere* III, in particolare alle pp. 1243-44 e p. 1257, nota 9.

68. Cfr. *Lettere a Garzanti*, pp. 159-60 (31 marzo 1960): «[...] il programma per i "Racconti" può avere esecuzione entro fine lugliofine agosto: consegna del testo completo a Milano. [...] Chiusi i racconti, mi rimetterò al "Pasticciaccio"»; *Lettere a Einaudi*, pp. 105-106 (18 marzo 1960): «Circa "La Cognizione del dolore", io avevo ed ho a buon punto la revisione, e credo che in un mese di tranquillità potrei ultimarla». Ma l'amarezza e la sfiducia per le inadempienze – perché tali saranno – verso Garzanti e Einaudi si riverberano anche sul lavoro per Ricciardi: «Non sono riuscito a lavorare neppure agli "Anni", che mi appaiono fasulli» confessa Gadda a Citati il 16 agosto 1960. «I molti romanzi apparsi e annunciati, mostrandomi che altri ha raggiunto, senza la mia inutile pena, risultati migliori nelle diverse direzioni, mi hanno gravemente disanimato. Cercherò con uno sforzo disperato, nei prossimi giorni, di arrivare a concludere con "Gli anni"»; e aggiunge, con pessimistica e immotivata

previsione, « ma don Raffaele si sarà adontato del ritardo: e temo li respingerà » (il passaggio è estratto dalle lettere inedite di Gadda a Citati, di prossima pubblicazione presso Adelphi e a cura di Giorgio Pinotti, che ringrazio per la segnalazione).

69. Tutto il materiale inviato per la composizione del volume è conservato in Archivio Ricciardi. Si tratta dell'esemplare n. 14 delle *Meraviglie d'Italia* (1939) e dell'esemplare fuori commercio, lettera *a*, degli *Anni* (1943), su cui Gadda ha condotto la revisione dei testi estratti per *Verso la Certosa.* I volumi sono corredati di tredici fogli manoscritti con le trascrizioni in pulito di varianti già abbozzate o scritte poco chiaramente sui margini del testo, o con tentativi di correzioni diverse. A questi si aggiungono le copie dattiloscritte delle prose apparse in periodici e, per il testo di *Versilia,* le bozze in colonna di una progettata pubblicazione Einaudi (cfr. qui, nota 60). Del materiale composto si conserva un primo giro di bozze, relativo alle prime undici prose del volume, con numerose varianti autografe; e un secondo giro di bozze di tutti i capitoli del volume con interventi redazionali di carattere strettamente tipografico. Della prefazione si hanno bozze autonome con varianti d'autore.

70. Intenzionale sostituzione, a nostro avviso, e non correzione di refuso: Gadda interviene infatti di suo pugno sul ritaglio di giornale apportandovi le varianti funzionali all'edizione delle *Meraviglie*; in ogni caso le due lezioni *Case / Casi* appaiono pertinenti all'immagine di una provvisoria « Italia in miniatura », in cui si aggira una folla « delirante » ritratta con affettuosa (ma anche caricaturale) ironia.

71. Cfr. *Bibl.*, 1939.5.

72. Cfr. *Bibl.*, 1957.6.

73. *Lettere a Ricciardi,* pp. 56, 65. Il testo della *« Mostra Leonardesca »* si può leggere qui in Appendice, pp. 151-73.

74. « [...] credo darebbe un volume di 220-240 pagine » scriveva Gadda ad Antonini il 24 luglio 1959; e poi il 26 settembre 1960: « Il volume verrà così ad avere circa 140-145 pagine, meno di quanto avessi calcolato, ma pur sempre in numero accettabile per la collezione Ricciardi » (*Lettere a Ricciardi,* pp. 54, 61).

75. Il testo era uscito nell'ottobre 1959 in « Il Gatto selvatico », una rivista dalla denominazione bizzarra e inspiegabile se non si sapesse che il periodico, fondato dal presidente dell'Eni Enrico Mattei nel 1955 e affidato per la direzione ad Attilio Bertolucci, ricalcava alla lettera nel titolo l'inglese *wildcat,* con cui si indica il pozzo esplorativo; poco dopo (gennaio 1960) il pezzo veniva riproposto in « Agenda Vallecchi ». Cfr. *Bibl.*, 1959.5 e 1960.1. Gadda ricorda la circostanza della pubblicazione in un appunto su un foglio conservato

nel Fondo Roscioni (cfr. qui, nota 62) e ne giustifica l'innesto in *Verso la Certosa* con una chiosa spiritosa: «Il n.° 15, il risotto, devesi a un suggerimento di Piero Vallecchi per l'agenda Vallecchi 1959. Il capitolino ricetta è inserito qui da contrappesare l'Anastomosi con un breve lemma che suoni a guisa d'antifona ristoratrice per entro il sistema di percezioni del leggitore, e di tanta pena l'animo ne risarcisca con un vitale richiamo alla vita e alla gente, preservi a ogniduno il comune buon appetito e a me in particolare il mio stesso».

76. La conversazione fu trasmessa il 6 novembre 1955 sul Programma nazionale nella rubrica «La buona convivenza» (cfr. *Gadda al microfono. L'ingegnere e la Rai, 1950-1955*, a cura di Giulio Ungarelli, Nuova ERI, Torino, 1993, p. 200). Nell'articolo *Lezione di bon ton dell'ingegner Gadda*, in «la Repubblica», 7 agosto 1992, p. 30, Ungarelli ricorda che l'intervento non ebbe divulgazione scritta e «come d'altronde gran parte dei testi radiofonici di Gadda, rischia di perdersi per sempre nelle effimere registrazioni del tempo».

77. Cfr. *Bibl.*, 1959.2. Lasciato l'incarico continuativo alla Rai, Gadda aveva ancora offerto saltuariamente, fino al 1959, la sua penna al servizio di trasmissioni radiofoniche, l'ultima delle quali fu appunto *La nostra casa.* Tra queste collaborazioni occasionali non si può tacere della più impegnativa: la «conversazione a tre voci» *Il guerriero, l'amazzone, lo spirito della poesia nel verso immortale del Foscolo*, mandata in onda nel dicembre 1958.

78. La «casa» che si riconosce in controluce per più di un aggancio è l'abitazione privata di via Blumenstihl 19, dove Gadda si era trasferito nell'autunno del 1955, «in luogo ameno e salubre», come dichiara compiaciuto al cugino, ma con l'immancabile correttivo «presso il manicomio "Nostra Signora della Pietà", che confido avrà pietà anche di me» (*Confessioni*, p. 87). Un assunto nel testo (il solo che si vuole qui richiamare) riguarda il «commendatore» che aveva «la finezza... di usare pantofole de pezza, dette bellunesi. Ma aveva la debolezza di perdere un bottone ogni notte, a mezzanotte precisa. Una pallina di legno secco: o di osso» (qui a p. 125). È la trasposizione – rovesciata e mascherata – della lagnanza, in una lettera ad Anita Fornasini, per il geometra del piano di sopra che «non fa che camminare su e giù per casa come un dromedario: ed essendo un cretino, non gli è mai venuto in mente di comperare un paio di pantofole friulane da 730 lire a Campo de' Fiori. Se calzasse de scarpe de pezza, come dicon qui, la sua geometria pedagna, io sarei salvo. Invece passeggia su e giù per casa con dei tacchi di legno di pero duro, che moltiplicano per due il suo passo di idiota (*Lettere ai Fornasini*, 10 dicembre 1955, p. 32).

79. Il passaggio è tratto da una lettera a Gadda del 7 aprile 1959; si

legge ora in Italo Calvino, *Lettere 1940 - 1985*, a cura di Luca Baranelli, introduzione di Claudio Milanini, Mondadori, Milano, 2000, p. 590.

80. *Lettere a Ricciardi*, pp. 65, 67. L'articolo corrisponde – con qualche variazione rispetto all'esito finale – alla seconda parte del testo: « Nella famosa lettre au bon Dieu [...] nella limpidità della notte » (qui a pp. 132-35).

81. Archivio Ricciardi, lettere inedite di Citati ad Antonini del 20 febbraio e 29 marzo 1961.

82. *Lettere a Ricciardi*, pp. 56, 62.

83. Cfr. qui, nota 31.

84. *Lettere a Ricciardi*, p. 76 (15 giugno 1961).

85. *Lettere a Ricciardi*, pp. 60-70 (25 febbraio 1961). Superata l'ipotesi che il volume potesse reintitolarsi *Gli Anni*, diverse possibilità erano rimaste aperte, come risulta dalla lettera del 14 novembre 1960 (p. 66): « Si è discusso il titolo del volume e due proposte prevalevano: *Il viaggio delle acque*, (titolo del 1° capitolo) oppure *La fiera di Milano*. Ma entrambi mi disturbano un poco. Sicché la prego di non dispiacersi troppo del rinvio di due giorni; in capo ai quali manderò una terna perché il dottor Mattioli, o l'Editore, possano scegliere ».

86. Il rilievo era già di Giulio Ungarelli, in *Restauro di un testo novecentesco (« Le meraviglie d'Italia » di C.E. Gadda)*, in « Letteratura italiana contemporanea », I, 1, settembre-dicembre 1980, p. 78. Il passo implicato si legge, nella lezione definitiva della *Cognizione del dolore*, in *Opere* I, p. 730: « [...] in fondo, in fondo a tutto, c'era, che lo aspettava, il vialone coi pioppi, liscio come un olio. Coi pioppi dalle tergiversanti foglie nella bionda luce, il viale della Recoleta, in asfalto, dove gli scarafaggioni elettrificati ci scivolavano sopra in silenzio che parevano nere ombre già loro ». « Verso la Recoleta » è sintagma che compare anche in *Notte di luna*: « Verso la Recoleta, gli pareva che tutte le strade, tutti i viali della terra, convergessero là. [...] Camminerò nei viali funebri, dove camminano il silenzio e gli invisibili mali! » (*Opere* II, p. 1102).

87. La pratica dell'appunto preparatorio rientra tra i criteri di lavoro del Gadda « pubblicista », sollecitato talvolta dalla necessità di scrivere articoli su commissione, ma risponde anche all'esigenza di fissare l'esperienza privata nelle forme di una sintesi conoscitiva. Significativa la testimonianza degli appunti del « viaggio » in Abruzzo (conservati nel Fondo Garzanti, Quaderno AV, descritto da Paola Italia in QI, 3, 2004, p. 223), tradotti poi nella sequenza degli articoli apparsi tra il 1934 e il 1935 sulla « Gazzetta del Popolo » (*Bibl.*, 1934.11-14; 1935.2-3), che costituiranno compatti la terza sezione

delle *Meraviglie d'Italia*, aggregato di annotazioni di vita civile, di costume, di arte, di tecnica, di storia. La raffigurazione del mercato nella piazza dell'Aquila che occupa i primi tre paragrafi della prosa *Le tre rose di Collemaggio* (si sceglie di esemplificare da questo testo – sul quotidiano con il titolo *Antico vigore del popolo d'Abruzzo* – proprio perché l'unico della serie accolto in VlC; si veda qui, pp. 55-56) è già fissata in tratti essenziali nella vivacità del catalogo degli oggetti e-numerati e nella loquacità dell'imbonitore: « Mercato – Peperoni, cavoli, castagne, piccioni tra i piedi. Piazza del Duomo lavata. Pomidori, patate. Soldati, (attendenti) serve. | Ordine e calma, piccioni che girano tra i piedi. | (Poi nel pomeriggio una magnifica pulizia da 30 spazzini con manichette d'acqua e consolatrici ramazze). | Abiti, cappelli per signora, paltò, bretelle, calze, giocattoli. | Sapone verde, limoni e compatte maglie di lana contro i gelidi ululati dell'inverno. | Il *mercato* va messo nel *quadro* della *polis*. | Il mercato municipale: sotto la direzione della Guardia Municipale lavatura della piazza. [...] Toscano venditore di vetri e bicchieri: | (un suo toscano) "La mi danno una lirina soltanto e se lo porteno via" ». Sorprendente un passo di descrizione lirica del paesaggio. « Le mura scendono fino al fondo della valletta pieno di sole del mezzodì: ivi i popoli commisti dei pioppi, dei salci, degli ontani hanno la loro sede così serena, lambita dagli sbuffi del fuggente vapore » rimasto immutato, pur nella dilatazione delle varie stesure, in alcune scelte lessicali (qui a p. 58: « Scendono, le vecchie mura [...] fuggente vapore »). Diversa esemplificazione di appunti preparatori è offerta dalle annotazioni sul catalogo della « *Mostra Leonardesca* » (Palazzo dell'arte di Milano, 9 maggio-1° ottobre 1939) conservato nell'Archivio Liberati, che documentano come Gadda abbia seguito l'esposizione sicuramente già nella prospettiva di ricavarne un articolo (che in effetti nell'agosto trova accoglienza su « Nuova Antologia »); e sulla falsariga della rassegna del catalogo e dei suoi appunti prende corpo la prosa gaddiana. Le annotazioni si lasciano sorprendere per giudizi sottili e fulminanti poi argomentati più diffusamente nel testo. Un solo esempio per tutti è la lapidaria valutazione del *San Giovanni Battista* del Louvre, « dolciastro ed equivoco se pure stupendamente dipinto », che nel testo viene rielaborata in ampia digressione: « [...] il celeberrimo *Battista*, l'equivoco e dulcoroso pollastrone che segnerebbe il culmine del processo astrattivo, platonizzante, del divino Leonardo. [...] il punto d'arrivo, la prova-limite della tecnica del chiaroscuro » (il passo integrale si legge qui a p. 169).

88. La Tavola dei testi (pp. 248-49) ricostruisce le tappe della pubblicazione degli scritti qui raccolti.

89. A questo punto del passo si innesta una nota, esemplare per costruzione, la cui funzione esplicativa di un'espressione tecnica al

tempo stesso è ridimensionata dalla coloritura di uno scherzoso autocommento: «Locuzioni della matematica differenziale. Una funzione variabile (grandezza variabile), se crescente, ha differenziale positivo. Teorema di La Palisse».

90. *Opere* III, p. 31. La nota correlata alla chiusura del passo declinava: «Cioè il giornale (Il Sole) pubblica le quotazioni di borsa del giorno avanti».

91. Si veda qui, p. 39.

92. *Opere* III, p. 32. I due passaggi soppressi comparivano, consecutivamente, a completare il paragrafo che in VIC si arresta con «[...] le pochissime centinaia di lire che ogni tanto mi scappa di perdere» (qui a p. 39).

93. *Opere* III, p. 165, nota 1.

94. Si veda l'intero passo, qui a p. 62, nota 8.

95. *Opere* III, p. 166, nota 1.

96. La versione integrale della nota si legge qui a pp. 62-63, nota 9.

97. Si offre qui una significativa campionatura di casi implicati in variante: p. 22 «nero» → «infoscato», con acquisizione di una diversa sfumatura in un'immagine pittorica intessuta di lessico estremamente seletto («[...] il disco del sole si tuffava negli ori e nei carminii, dietro scheltri d'alberi [...] solo qualche frustolo d'oro, o una goccia, di quel fuoco lontano, durava a persistere nell'intrico infoscato delle ramaglie»); p. 29 «sostituiti» → «evocati in imagine» («pinnacoli, che vennero evocati in imagine [...] da quei pinnacolucci nani»); p. 32 «fermento» → «fomento», «corre adacquato» → «muglia rovinoso» (va detto che «adacquato», pur consonante con il dialetto lombardo, appare di per sé soluzione raffinata): le nuove scelte si inseriscono in un contesto in cui la patina latineggiante, già acquisita, traveste di sublime il dato volgare («il cavallo [...] adergeva la sua coda-frusta piena di maestà e vigore [...] Ecco, ecco: il rosone d'una cattedrale gotica estrudeva dovizie fumiganti. [...] ed erano un caldo fomento davanti le soglie della primavera, quando il monte San Primo si disincrosta delle nevi, e muglia rovinoso il Lambrone irruente sotto il ponte, alla Malpensata»); p. 70 «immobile» → «immoto», variante contemporanea all'assunzione di altre forme nobilitanti, pur desunte dal repertorio dei tecnicismi della medicina come «intumescenza», mentre «sgomento corporeo» è corretto in «stravaso biliare» (si noti la particolarità della composizione prefissale rispetto alle forme più comuni «tumescenza» e «travaso»: «[...] d'una lividura di peste o d'una intumescenza pervenuta a maturità chirurgica, o d'uno stravaso biliare dell'immoto e indife-

so »); p. 76 « sventrato » → « sbuzzato » (« miseria d'un pupazzo sbuzzato senza battesimo », con resa d'effetto allitterante); p. 82 « bruscoli » → « festuche o minuzzoli di lolla » (« [...] quasi come zampe terrose: festuche o minuzzoli di lolla vi erano appiccicati »); p. 82 « conduceva » → « adduceva » (« Salii la scala in legno che vi adduceva »). In questo tipo di operazione acquista rilievo anche l'introduzione di avverbi o locuzioni di tradizione letteraria – pur non infrequenti nella scrittura gaddiana – come « omai », « ai piedi del » → « a piè il »; della preposizione articolata tronca « dei » → « de' » (ma la soluzione talora è riconducibile all'uso del parlato toscano); di puntuali arcaismi lessicali come « domani » → « dimani » (p. 33), in bilanciato contrappeso con la sostituzione di « dimesticità » con « domestichezza » e in concomitante sacrificio di una forma di persuasiva efficacia fonosimbolica come « loffa » in favore di « esalazione » (« La esalazione interminabile dei tini gli disgregava il naso in un caldo prurito, confidenza ebbra verso la domestichezza del dimani »).

98. *Opere* III, p. 229.

99. La prima delle due citazioni è tratta da *I viaggi la morte, Opere* III, p. 502; la seconda da *Contini-Gadda*, p. 102.

100. Cfr. qui, p. 187 e nota 28.

101. *Lettere a Einaudi*, pp. 111-12, 120 (nostro il corsivo).

102. È Gadda stesso a informare di una sua « curiosa, attenta, e in certo senso *implacabile* inchiesta » sulla originaria collocazione di un articolo, *Spume sotto i Piani d'Invrea*, incluso poi negli *Anni*. Ne scrive alla Rodocanachi, il 29 maggio 1964: « Interessa al dott. Roscioni [...] di accertare se un mio breve pezzo riguardante la Liguria e un appunto paesistico sui piani d'Invrea è stato pubblicato la prima volta su "L'Ambrosiano" (di Milano) o su "La Gazzetta del Popolo" o altrove. Io non riesco a ricordarlo » (*Lettere a una gentile signora*, p. 225).

103. L'edizione Einaudi raggruppa trenta testi in una struttura articolata in sei sezioni: I *Una tigre nel parco, Dalle specchiere dei laghi, Da Buenos Aires a Resistencia, Un cantiere nelle solitudini, Il pozzo numero quattordici.* II *Genti e terre d'Abruzzo, Verso Teramo, Le tre rose di Collemaggio, Un romanzo giallo nella geologia, Il viaggio delle acque, Spume sotto i Piani d'Invrea, Terra lombarda, Ronda al Castello, Nella notte, Frammento.* III *Del Duomo di Como, Pianta di Milano. Decoro dei palazzi, Libello, La nostra casa si trasforma: e l'inquilino la deve subire.* IV *Una mattinata ai macelli, Alla Borsa di Milano, L'uomo e la macchina, Alla Fiera di Milano, Carabattole a Porta Ludovica, Mercato di frutta e verdura, Risotto patrio. Rècipe.* V *La Mostra leonardesca, Per un barbiere, Il Petrarca a Milano.* VI *Anastomòsi.* Nella *Nota bibliografica* è riprodotto il testo della dedica a Mattioli, premesso a VlC.

104. Non sono ammessi: *Dalle mondine, in risaia, Sul Neptunia: marzo 1935* e *Versilia.*

105. Un caso anomalo e di complessa decifrazione è costituito dal testo *Dalle specchiere dei laghi,* che riproduce la struttura della prosa degli *Anni* (esclude cioè l'aggiunta dei due paragrafi finali di VlC, pp. 36-37, ricavati da *L'uomo e la macchina,* che a sua volta viene riprodotto integralmente secondo la lezione degli *Anni*: si veda qui la nota 43, e l'Avvertenza alla Tavola dei testi, p. 247), ma presenta la maggior parte delle lezioni adottate da VlC, mantenendone alcune antecedenti alla fase correttoria documentata sull'esemplare degli *Anni* inviato a Ricciardi per la prima composizione, e aggiungendone alcune nuove. L'ipotesi più plausible è che Gadda avesse lavorato riportando su di un esemplare in pulito degli *Anni* molte delle varianti già assunte in *Verso la Certosa,* più alcune lezioni nuove: una conferma potrebbe risultare dalla presenza nel testo Einaudi del refuso «atterisce», proprio degli *Anni* e corretto in bozze di VlC (cfr. qui, p. 35: «ignorato la legge: la legge che atterrisce»).

106. In una lettera a Roscioni (4 marzo 1964) Gadda aveva suggerito la possibile aggiunta di un testo apparso sulla bimensile «Pirelli. Rivista d'informazione e di tecnica», settembre-ottobre 1963, dal titolo *Dell'automobile,* proponendo di inserirlo «nelle "Mer. d'It.-Gli Anni" vicino al pezzo "La nostra casa si trasforma". Umore e scrittura di egual tipo» (*Lettere a Roscioni,* p. 66). La prosa, riproposta da Dante Isella con il titolo originario *Nata col secolo* nella raccolta *Il tempo e le opere* (Adelphi, Milano, 1982), si legge in *Opere* III, pp. 1195-200.

107. La prima e la terza citazione si leggono qui a p. 97 e a p. 169; la seconda in *Opere* III, p. 123. Al di là dei casi esaminati, pochissimi sono gli altri interventi correttori e di scarsa entità. Massicci invece quelli che rispondono a un intento di normalizzazione grafica (come la drastica riduzione degli accenti sugli sdruccioli, conservati però sui termini di dubbia articolazione fonetica, ad es. «pòlis», «tafàni», «papàtico», «òmini», «sùbito»), di regolarizzazione tipografica (tondo tra virgolette ridotto a corsivo, trattini sostituiti da virgolette nei discorsi diretti, maiuscole a inizio di nota); poche le varianti di punteggiatura, la maggior parte in senso normativo. Operazione dettata, con buona probabilità, da esigenze di carattere redazionale.

108. Gadda sembra confermare la propria estraneità nella scelta del titolo quando informa Lucia Rodocanachi dell'imminente pubblicazione del libro, concludendo con un certo amaro distacco: «Se non dispongono altrimenti *dopo* la mia morte, il titolo sarà, per contratto già stipulato anni fa, "Le Meraviglie d'Italia – Gli Anni"» (*Lettere a una gentile signora,* p. 226).

TESTI E DOCUMENTI INEDITI

Avvertenza. I documenti inediti qui riprodotti illustrano circostanze o particolari a cui è fatto riferimento nella Nota al testo. La barra verticale individua il cambio carta.

I

[*Lettera a Mario Luzi*][1]

Roma, 28 ottobre 1957.

Carissimo Luzi,

mi hai affettuosamente preceduto: la tua gentilezza è il miglior <e> più sicuro conforto a poter credere: a credere nel bene. Non volevo rivolgerti il mio lieto saluto se non a cose certe, ma mi è occorso un giorno feriale per avere (dalla R.A.I.) il tuo nuovo indirizzo. I tuoi versi, il tuo libro, mi hanno dato conforto e gioia, che fin dalla prima lettura li ho riconosciuti degni dell'ammirazione | e dell'alto e sicuro giudizio di Carlo Bo e di Emilio Cecchi. Non credermi sgomento per un mancato premio; (<...>, è vero, che <avrei> avuto l'onore di dividere con te). Fin dai primi giorni, dal luglio, sentivo che difficilmente ce l'avrei fatta. Troppe circostanze mi erano avverse: anzitutto i difetti del mio lavoro. Tornato a Roma da Parma (giovedì), Citati venne poi (l'indomani) a comunicarmi la mia esclusione. Era una bella giornata, avevo riposato bene, e accolsi la notizia con serenità, lieto di apprendere, credilo, che tu almeno avevi la distinzione | e il premio: ti spettano de jure pleno. Sono stato a trovare Cecchi, per ringraziarlo delle sue recensioni e dell'appoggio che mi aveva dato. A Bo conto egualmente di scrivere, per gli stessi motivi.

Ho fatto male a concorrere, così, un po' in astratto, senza valutare tutti gli aspetti del mio gioco: ma gli amici facevano a gara per incoraggiarmi a chiudere, a finire, a tentare la prova. L'ha vinta Umberto Saba, ed è giusto, quanto al merito: peccato che chi oggi lo premia da morto, e per la terza volta<,> non osasse neppure farne il nome al tempo | della persecuzione antisemita, e poco ne riconoscesse l'opera anche dopo il 1945.

Non pensare che il « battage » fatto al mio volume sia proprio di mio gusto: piuttosto del solerte editore dottor Livio, il cui entusiasmo propagandistico, ovviamente, non ho ritenuto di poter contrastare.

Ti sono tanto grato della bontà che mi dimostri, e dalla tua gentilezza non potevo d'altronde attendermi se non questo e l'amicizia a cui tanto già devo. Ti abbraccia con tutto il cuore il tuo

vecchio
Gadda.

Via Blumenstihl 19, Roma.

II

[*Discorso di ringraziamento al Premio degli Editori*][2]

La profonda gentilezza con cui il *premio Editori 1957* mi viene conferito, dalla giuria di uomini e critici insigni i cui nomi avete or ora udito pronunciare, è motivo di commozione e grande gioia e insieme, credetelo, di un certo sgomento, per il mio animo: che misura la difficoltà di corrispondere, in un ulteriore impegno, al consenso e all'attesa di oggi. Sento tutto il valore di una designazione che riconosce alla mia fatica il titolo ambitissimo della validità, che la rimérita di un « sì » neppure atteso, neppure sperato, oramai. Accolgo riconoscente il *premio Editori 1957*: so a quali uomini lo devo. Accolgo l'augurio, il migliore cioè il più nobile e grato che mi possa esser fatto, di | lavorare ancora.

Lavorare ancora! Voi lo vedete: i giorni e gli anni sono fuggiti via più correnti che saetta, lasciandomi, atterrito superstite, a leggere il libro degli eventi umani: a riconsiderare i non pochi errori commessi, i doveri inadempiuti. A mia scusa devo dire che in una vita più volte percossa dal male, dagli urti e dalle negazioni dell'avversità e del dolore, non è stato sempre agevole vedere e discernere: e deliberare per il meglio. Una certa lentezza, nel mio destino: una certa renitenza a guarire delle piaghe di memoria: a lasciarmi incanalare verso la serenità.

Intelletti più forti, animi più generosi del mio, si sono oggi proposti di «comprendere» per me, cioè di riscattare del loro condono quanto di sbagliato o di improprio, di aspro o di torbido, il mio | libro possa comportare. Essi hanno avuto riguardo, forse, alle durezze e alle sofferenze incontrate dal reo lungo il cammino disagevole, nel corso di una disciplina lentamente eppure volonterosamente praticata. Essi hanno «*voluto*», forse hanno «*potuto*» riscontrare, nella congerie degli enunciati e dei simboli, il lungo segno dell'angoscia, dell'amor patrio, qualcosa di non indegno del vincolo di consapevolezza e di fraternità che tutti ci unisce. Non so come dir loro la mia gratitudine, il mio affetto. Ricambio l'augurio di felice opera, che da sensi così cordiali è germogliato in così amabile detto, lo ricambio dal più profondo dell'animo: non soltanto ai giudici, agli editori, ai mecenati, ai critici recensori del mio libro, ai lettori, e alle stupende lettrici, sì anche ai futuri immancabili designatarî del Premio istituito quest'anno. |

La distinzione e l'aiuto che oggi sovvengono me, domani e domanl'altro e dopodomanil'altro siano conferiti ancora ed ancora: a chi, ne sono certo, li meriterà più di me.

I

[*Gadda a Raffaele Mattioli*][3]

Carlo Emilio Gadda. « Palazzo Strozzi » presso « Il Mondo. »
Firenze, 31-3-'45.

Illustre e caro dottor Mattioli,

voglia permettermi di porgerle il mio benvenuto al suo ritorno in Patria. Io dovetti lasciare Roma una diecina di giorni prima che Lei tornasse: non mi fu possibile rimandare la partenza.

Sono rientrato a Firenze, nella mia casa occupata da altri.

Le devo l'espressione della mia più viva gratitudine per l'aiuto accordatomi in un momento difficilissimo della mia vita: questo « momento » purtroppo accenna a prolungarsi. Sono preparato al peggio, per quanto riguarda | la mia sorte personale.

La Direzione de « Il Mondo » (rivista quindicinale) di cui fanno parte Montale, Loria e Bonsanti, insiste presso di me perché io Le trasmetta la preghiera di volerci accordare un suo « appunto », una sua « impressione » o insomma qualche pagina o qualche affermazione riguardante il suo viaggio e, nei limiti del possibile, gli alti incarichi da Lei espletati.

Comprendo tutto l'ardire della domanda: posso garantire che un suo "appunto" non sarebbe mal collocato su « Il Mondo », al quale convergono operose intelligenze, escludendone beninteso la mia che non è nemmeno una intelligenza.

Porgo a Lei e ai suoi Cari i miei ossequî e saluti. L'aff.mo Suo

Carlo Emilio Gadda.

II

[*Gadda a Raffaele Mattioli*][4]

Firenze, li 9 giugno 1945.
Via E. Repetti n.° 11.

Illustre e caro dottor Mattioli,

le mandai una lettera di saluto a Roma, dopo il suo ritorno dall'America, volendo anche ringraziarla per il suo interessamento e l'amichevole soccorso pòrtomi.

Desidero di regolare, con Lei o con la Sede di Roma, (come preferirà), il debito contratto. La somma totale anticipatami, s. e. o., è di lire 40.000 = quarantamila, in 5 prelievi di lire 8.000 cadauno da me fatti durante 6 mesi, tra l'ottobre 1944 e il marzo 1945. Se pos | sibile e se opportuno, gradirei di pagare intanto gli interessi: e di saldare il debito capitale al più presto – cioè non appena potrò praticamente disporre del mio avere, in giacenza a Milano Comit.

Le sarò grato se potrà farmi tenere una indicazione riguardante quanto sopra, per mia buona norma.

Colgo l'occasione per esprimerle la mia compiacenza nel saperla in Italia ai suoi alti incarichi, e la mia speranza di poterla presto rivedere. Voglia credermi

l'aff.mo Carlo E. Gadda.

Via Repetti 11, Firenze.

III

[*Gadda a Raffaele Mattioli*][5]

Illustre e caro dottor Mattioli,

mi duole chiederLe anche brevi minuti per una domanda che da tempo desideravo rivolgerLe: e che non può, oggi, essere protratta. Vallecchi sta per pubblicare il volume de' miei racconti, 1931-1950, «Novelle dal Ducato in fiamme». Novelle cioè notizie: il ducato si può pensare quale fosse. È mio desiderio dedicare a Lei il volume in parola, in segno di omaggio, di gratitudine, e di... risarcimento... per un lavoro da Lei tanto onorevolmente indicatomi e facilitatomi, che le nere circostanze e forse la mia debilità e la mia impreparazione non mi concessero poi di eseguire.

La dedica a cui ho pensato per il libro in parola è la seguente: |

A
Raffaele Mattioli
despota dei numeri veri
editore dei numeri
e dei pensieri splendidi
in segno di gratitudine
Carlo Emilio Gadda.

Il volume ha contenuto vario, leggiero e satirico e talora burlesco e talora doloroso: grave in qualche punto: scevro di servo encomio e, semmai, acerbo nell'oltraggio contro il figuro a cui tanto inutile male dobbiamo. È poca cosa certamente, quello che mi è stato possibile mettere insieme.

Le sarei tenuto di una comunicazione, che mi auguro di assenso. Lieto d'aver avuto l'occasione di scriverLe, La prego di voler gradire i migliori miei saluti. Mi creda il memore e grato

Suo Carlo E. Gadda.

Roma, 4 febbraio 1953.
Via Botteghe Oscure 54. R.A.I.

IV
[*Raffaele Mattioli a Gadda*][6]

Milano, 9 febbraio 1953.

Caro Gadda,

la Sua lettera è stata davvero per me quel che si chiama « una gradita sorpresa ». Mi duole che Ella abbia continuato a rimuginare su quel tentativo, andato a vuoto, di composizione sul tema della « macchina di moduli » che Le avevo suggerito. Conoscendo abbastanza bene il « genus » dei letterati, so per esperienza e pazienza che l'ispirazione è capricciosa, ha le sue falle e i suoi trabocchetti. E non posso pertanto attribuire un sì curioso rimorso che a quel Suo temperamento scrupolosissimo e tormentatissimo di cui con tanta simpatia parliamo con i comuni amici.

Come che sia, il gentile pensiero della dedica, e il vivo e ben gaddiano sapore di essa, valgono a chiudere senz'altro con un saldo di amicizia a Suo favore l'immaginaria partita di « dare e avere » (tanto per adottare il linguaggio dei « numeri veri »). La ringrazio, caro Gadda, e, nella speranza di meglio farlo a voce in una delle mie frequenti gite romane, La saluto cordialmente.

Egregio Signor
Carlo E. GADDA,
via Botteghe Oscure 54 R.A.I.
R o m a

V

[*Raffaele Mattioli a Gadda*][7]

Milano, 25 agosto 1953.

Caro Gadda,

sono molto lieto che « i numeri veri » – pochi, ma concordi – siano venuti liberamente a farLe festa: trattasi, in fin dei conti, di « dispotismo illuminato ».

Quando ci vedremo? Le telefonerò appena mi capiterà di trovarmi a Roma.

Molto cordialmente

VI

[*Gadda a Raffaele Mattioli*][8]

Roma, li 14 ottobre 1954.
Via Innocenzo Decimo n.° 21.

Illustre e caro dottor Mattioli,

La ringrazio della cordialità e gentilezza con cui mi ha oggi ricevuto e ascoltato e, valendomi della Sua amichevole autorizzazione, annoto qui le caratteristiche e i dati essenziali del mio «caso». Accludo copia del «curriculum vitae», già trasmesso all'U.N.E.S.C.O. a Parigi in traduzione francese, permettendomi pregarLa che esso rimanga riservato per Sua notizia: – e avvertendo che esso risponde a precise e direi perentorie domande e richieste di un modulo a stampa dell'U.N.E.S.C.O.: senza la quale avvertenza, il testo potrebbe apparire ingenuo e senz'altro immodesto.

Il posto messo a concorso dall'U.N.E.S.C.O. | è quello di capo-reparto o capo-servizio per gli «intercambî radiofonici» tra nazione e nazione: scambio di trasmissioni radio e televisive, scambio di idee e iniziative e programmi, suggerimenti reciproci, raduni e congressi indetti a tal fine. Si richiede un uomo di cultura che abbia anche capacità pratiche e sappia stare in ufficio, che conosca le lingue, almeno due oltre la propria.

Il posto *messo a concorso* dovrebbe essere assegnabile a un *italiano*, nella quota di impiego spettante all'Italia: che è di circa il 2,4 %.

La mia domanda ufficiale, in data 14 settembre 1954, è stata inoltrata all'U.N.E.S.C.O. tramite il Ministero degli Affari Esteri e, precisamente, tramite la Direzione Generale dei Rapporti Culturali (con l'Estero), a cui è preposto il Ministro (nel senso diplomatico) Bartolomeo Migone. Detta Direzione ha sede in Roma, | via *di* Firenze 27. A Parigi la domanda sarà ricevuta e trasmessa all'U.N.E.S.C.O. dal Delegato italiano presso il o la medesima, dottor Gian Franco Pompei, che mi ha detto di essere da Lei conosciuto.

Egli è all'Ambasciata d'Italia – rue de Varenne 47 – Paris 7e – e partirà il 26-27 p.v. (ottobre) per Montevideo.

Ma una Sua raccomandazione a mio favore presso il doctor Luther H. Evans, di nazionalità statunitense, Direttore Generale dell'U.N.E.S.C.O. – Avenue Kléber 19 – Paris XVIe – o presso la Signora di cui Lei mi parlò – sarebbe anche più preziosa.

Nell'esprimerLe la mia più viva gratitudine per il patrocinio che Lei vorrà accordarmi – e la speranza di poterla rivedere, compatibilmente con le molte cure che La occupano, – La prego di accogliere i miei devoti ossequi e i più cordiali saluti.

Mi creda
Suo Carlo E. Gadda.

NOTE

1. Archivio Liberati. Minuta ms. a penna, su foglio doppio a quattro facciate, con alcune correzioni. In pastello rosso, l'aggiunta sulla prima facciata in alto a destra « a Firenze » e la sottolineatura di « Carissimo Luzi ». Le integrazioni di lettura sono racchiuse entro parentesi uncinate; le letture non decifrate entro parentesi uncinate con tre puntini. Per le circostanze inerenti al Premio Marzotto si veda qui, Nota al testo, pp. 183-84: nella lettera si avvertono echi di analoghi giudizi espressi ad altri destinatari (a Mattioli, a Gadda Conti) di cui si è riferito; curioso il particolare ricorrente anche nella già citata lettera al cugino: « La notizia del mancato alloro mi fu recata, in una bellissima e calda mattina di settembre, dal gentile amico dottor Pietro Citati [...] Avevo dormito bene – il caffelatte era stato eccellente: ed accolsi la mia esclusione tirando un sospiro di sollievo » (*Confessioni*, p. 93).

2. Archivio Liberati. Testo del discorso di ringraziamento alla cerimonia di conferimento del Premio degli Editori (21 dicembre 1957). Il ms. consta di quattro fogli di carta da macchina, numerati in alto a destra: presenta una versione in pulito, con rari interventi correttori, il più significativo dei quali è la sostituzione di « al mecenate illustre » (nelle ultime righe dello scritto, con evidente e privilegiato riferimento a Raffaele Mattioli) con « ai mecenati ».

3. Archivio Intesa Sanpaolo. Lettera e busta intestate « Il Mondo | Lettere Scienze Arti Musica | Firenze | Palazzo Strozzi ». Busta di colore azzurro: « *Roma* | Per l'Illustre Signore | Dott. Raffaele Mattioli | Amministratore Delegato | della Banca Commerciale Italiana | Banca Commerciale Italiana | Palazzo Colonna. | Piazza S.S. Apostoli 53. | *Roma* ». Lettera ms. su 1 f. di carta da lettera, *recto* e *verso*. Tra l'autunno 1944 e il marzo 1945 Mattioli aveva soggiornato negli Stati Uniti, inviato dal governo Bonomi in missione esplorativa a Washington, con altri componenti, per tentare di ottenere sostegno economico e finanziario all'Italia.

4. Archivio Intesa Sanpaolo. Lettera e busta in carta bianca, senza intestazione. Busta: « Per l'Illustre Signore | Dott. Raffaele Mattioli. | Amministratore Delegato | della Banca Commerciale Ital. | Milano ». *Verso*: « Mittente: C.E. Gadda | 11 Via E. Repetti | Firenze ». Lettera ms. sul *recto* di 2 ff. di carta da lettera. Dell'ospitalità e dell'aiuto finanziario che Gadda ebbe da Mattioli si dice nella Nota al testo, p. 182.

5. Archivio Ricciardi. Testo manoscritto della lettera e della busta in versione fotocopiata. Busta intestata sul *verso* « Rai | Radio Italiana | Direzione Generale »; sul *recto*: « Milano | Per l'Illustre Signore | Dottor Raffaele Mattioli | Amministratore Delegato | della | Banca Commerciale Italiana | Piazza della Scala | Milano »; sul *verso:* « Mittente

C.E. Gadda | Via Botteghe Oscure 54. | Roma». Il riferimento al «lavoro» non arrivato a compimento, su tema suggerito da Mattioli, trova spiegazione nella risposta successiva.

6. Archivio Ricciardi. Testo dattiloscritto della lettera, senza firma, in versione fotocopiata. Verosimile riferimento alla mansione affidatagli da Mattioli è in una lettera di Gadda al cugino Piero dei primi di luglio del 1941: «Son qui [*a Milano*] per quel lavoro di cui ti accennai per la Comit. Esso mi impegna e mi stanca parecchio, perché non sto molto bene in questi giorni. Ne avrò ancora per sei o sette giorni. [...] È un lavoro a cui tengo, dato anche la persona che me lo ha proposto» (*Confessioni*, pp. 54-55).

7. Archivio Intesa Sanpaolo. Velina dattiloscritta (senza firma). I «numeri veri» sono, in questo contesto, i consensi della giuria del Premio Viareggio, assegnato a Gadda per *Novelle dal Ducato in fiamme*, il 22 agosto 1953.

8. Archivio Intesa Sanpaolo. Lettera stesa sul *recto* di 3 ff. di carta da lettera. Priva di busta. Nel fascicolo seguono un documento sigillato «escluso dalla consultazione sino al 14 ottobre 2024» e un telegramma inviato a Mattioli in data 27 dicembre 1957, pochi giorni dopo il conferimento del Premio degli Editori: «Profondamente grato porgo miei ossequi fervidi auguri Gadda». Non è noto il seguito della domanda inviata all'UNESCO, certo è invece che Gadda non ebbe l'incarico auspicato. Il disagio con cui viveva il ruolo di «impiegato» presso la Rai, insofferente come sempre di vincoli troppo prolungati (come attestano molte lettere, specie dal 1952, tra il timore e l'inconscio desiderio di un licenziamento sentito come liberazione) spiega la scelta di partecipare a quel concorso. Il suo rapporto di lavoro con la Rai, iniziato nell'ottobre del 1950, viene sciolto ufficialmente il 31 marzo 1955, ma non cessano le collaborazioni, tra cui si vuole qui segnalare la stesura del «parlato» di un documentario televisivo *Il Tevere* per una serie sul tema dei grandi fiumi d'Europa, patrocinata dall'UER (Union Européenne de Radiodiffusion), mandato in onda dalla televisione italiana nel 1956 e da quelle degli altri enti europei aderenti all'iniziativa. (Si veda in proposito la Nota di Dante Isella a *Il Tevere*, in *Opere* V, pp. 1449-59; lo scritto gaddiano è riprodotto nello stesso volume, pp. 1113-31).

TAVOLA DEI TESTI

Roma, 21 dicembre 1957. Gadda tra alcuni componenti della giuria del Premio Editori: alla sua destra, Gianfranco Contini, Pietro Citati, Alfredo Schiaffini; alla sinistra, Emilio Cecchi.

Avvertenza

Di ogni testo di VIC è specificata la sede della pubblicazione giornalistica e dell'eventuale raccolta in volume (con l'indicazione della posizione al suo interno), sulla scorta della *Bibliografia degli scritti di C.E. Gadda*, in *Bibliografia e Indici*, a cura di Dante Isella, Guido Lucchini, Liliana Orlando, Garzanti, Milano, 1993, pp. 9-67 (volumetto annesso a *Opere* V) = *Bibl.*
Si segnala che la prosa n. 4 (*Dalle specchiere dei laghi*) accorpa nei due ultimi paragrafi (qui a pp. 36-37) due brani tratti da un diverso testo de *Gli anni*, *L'uomo e la macchina* (A 9, MA 22).

1	*Il viaggio delle acque*	A 1	MA 10	« Il Messaggero », 3 aprile 1940, p. 3 = *Bibl.* 1940.10 « Il Mattino di Roma », II, 40, 15 febbraio 1948 (con il titolo *Il viaggio delle acque – Momenti*) = *Bibl.* 1948.2 « La Sicilia del Popolo », 19 settembre 1948, p. 3 = *Bibl.* 1948.6
2	*Terra lombarda*	A 2	MA 12	« Panorama », II, 7, 12 aprile 1940, pp. 46-48 = *Bibl.* 1940.11
3	*Del Duomo di Como*	A 4	MA 16	« Gazzetta del Popolo », 17 luglio 1936, p. 3 (con il titolo *Sul Duomo di Como*) = *Bibl.* 1936.11
4	*Dalle specchiere dei laghi*	A 5	MA 2	« Beltempo », Almanacco delle lettere e delle arti, Edizioni della Cometa, Roma, 1941, pp. 103-106 (con il soprattitolo *Paesaggio*) = *Bibl.* 1941.2
5	*Alla Borsa di Milano*	MdI 2	MA 21	« Gazzetta del Popolo », 1° gennaio 1935, p. 3 (con il titolo *Una mattinata alla Borsa – L'assurda cattedrale della religione capitalistica*) = *Bibl.* 1935.1 « L'Ambrosiano », 24 ottobre 1935, p. 1 (con il titolo *La Borsa di Milano*) = *Bibl.* 1935.6
6	*Carabattole a Porta Ludovica*	A 6	MA 24	« Panorama », II, 6, 27 marzo 1940, pp. 29-33 (con il titolo *Fiera a Milano*) = *Bibl.* 1940.6
7	*Spume sotto i Piani d'Invrea*	A 3	MA 11	« Beltempo », Almanacco delle lettere e delle arti, Edizioni della Cometa, Roma, 1940, pp. 117-18 = *Bibl.* 1940.2
8	*Le tre rose di Collemaggio*	MdI 22	MA 8	« Gazzetta del Popolo », 28 marzo 1935, p. 3 (con il titolo *Antico vigore del popolo d'Abruzzo*) = *Bibl.* 1935.3
9	*Verso Teramo*	A 7	MA 7	–
10	*Anastomòsi*	A 10 (*Anastomosi*)	MA 30	« L'Ambrosiano », 13 marzo 1940, p. 3 (con il titolo *Ablazione del duodeno per ulcera*) = *Bibl.* 1940.5

11	*Dalle mondine, in risaia*	MdI 23	–	«Gazzetta del Popolo», 19 luglio 1936, p. 3 = *Bibl.* 1936.12 «Il Gatto selvatico», VII, 9, settembre 1961, pp. 28-30 (con il titolo *Dalle mondine, in risaia*) = *Bibl.* 1961.5
12	*Alla Fiera di Milano*	MdI 8 (*Casi ed uomini* […])	MA 23	«L'Ambrosiano», 24 aprile 1936, p. 3 (con il titolo *Case ed uomini in un mondo che dura quindici giorni*) = *Bibl.* 1936.6
13	*Sul Neptunia: marzo 1935*	MdI 10 (*Sul Neptunia*)	–	«Corrente di Vita giovanile», II, 4, 28 febbraio 1939, p. 4 (con il titolo *Sul Neptunia – Crociera dopolavoristica*) = *Bibl.* 1939.5
14	*Versilia*	–	–	«Il Popolo» (Roma), 29 agosto 1950, p. 3 (con il titolo *Dolce Versilia*) = *Bibl.* 1950.8
15	*Risotto patrio. Rècipe*	–	MA 26	«Il Gatto selvatico», V, 10, ottobre 1959, p. 16 (con il titolo *Risotto alla milanese: ricetta di C. E. Gadda*) = *Bibl.* 1959.5 «Agenda Vallecchi», Firenze, 1960, pp. 51-54 (con il titolo *Risotto alla milanese*) = *Bibl.* 1960.1
16	*La nostra casa si trasforma: e l'inquilino la deve subire*	–	MA 19	«Radiocorriere TV», XXXVI, 13, 29 marzo-4 aprile 1959, pp. 16-17 *Saggi italiani 1959 scelti da A. Moravia e E. Zolla*, Bompiani, Milano, 1960, pp. 37-39 = *Bibl.* 1959.2 (in entrambi con il titolo *La nostra casa si trasforma (e l'inquilino la deve subire)*)
17	*Per un barbiere*	–	MA 28	«Radiocorriere», XXXI, 28, 11-17 luglio 1954, p. 3 (con il titolo *Il Barbiere di Siviglia*) = *Bibl.* 1954.8 «Il Giorno», 31 gennaio 1961, p. 6 (con il titolo *Il capolavoro di Figaro nacque in 12 giorni*) = *Bibl.* 1961.1
18	*Il Petrarca a Milano*	–	MA 29	«Lo Smeraldo», XIII, 2, 30 marzo 1959, pp. 7-16 = *Bibl.* 1959.1

FINITO DI STAMPARE NEL DICEMBRE 2012 IN AZZATE
DAL CONSORZIO ARTIGIANO «L.V.G.»

Printed in Italy

BIBLIOTECA ADELPHI

ULTIMI VOLUMI PUBBLICATI:

520. Vladimir Nabokov, *Una bellezza russa e altri racconti* (2ª ediz.)
521. Irène Némirovsky, *I cani e i lupi* (6ª ediz.)
522. Oliver Sacks, *Musicofilia* (5ª ediz.)
523. Mario Brelich, *Giuditta*
524. Thomas Browne, *Religio Medici*
525. Sándor Márai, *Liberazione*
526. Georges Simenon, *Senza via di scampo* (2ª ediz.)
527. Rudyard Kipling, *I figli dello Zodiaco*
528. W. Somerset Maugham, *Ashenden o L'agente inglese*
529. Simone Weil, *Attesa di Dio* (3ª ediz.)
530. Robert Walser, *Il Brigante*
531. Roberto Calasso, *La Folie Baudelaire* (5ª ediz.)
532. William Faulkner, *La paga dei soldati*
533. Isaiah Berlin, *A gonfie vele*
534. Vasilij Grossman, *Vita e destino* (8ª ediz.)
535. Georges Simenon, *Le campane di Bicêtre* (2ª ediz.)
536. Irène Némirovsky, *I doni della vita* (6ª ediz.)
537. Patrick Leigh Fermor, *Tempo di regali*
538. Milan Kundera, *Un incontro*
539. Igino, *Mitologia astrale*
540. François Mauriac, *Thérèse Desqueyroux*
541. Sándor Márai, *L'ultimo dono*
542. Joseph Roth, *Al bistrot dopo mezzanotte* (3ª ediz.)
543. Georges Simenon, *La finestra dei Rouet* (2ª ediz.)
544. S.Y. Agnon, *La leggenda dello scriba* (2ª ediz.)
545. W.G. Sebald, *Secondo natura*
546. John Ruskin, *Gli elementi del disegno*
547. Jorge Luis Borges, *Il prisma e lo specchio*
548. Derek Walcott, *Isole*
549. William Faulkner, *Pilone*
550. Alexander Pope, *Il ratto del ricciolo*
551. Vladimir Nabokov, *L'originale di Laura*
552. Mervyn Peake, *Via da Gormenghast*
553. Georges Simenon, *Il ranch della Giumenta perduta*
554. Yasushi Inoue, *Ricordi di mia madre*
555. Irène Némirovsky, *Due* (7ª ediz.)
556. Goffredo Parise, *Il prete bello* (2ª ediz.)
557. Leonardo Sciascia, *Il fuoco nel mare*
558. Vladimir Pozner, *Tolstoj è morto* (2ª ediz.)
559. Georges Simenon, *Corte d'Assise* (3ª ediz.)
560. Varlam Šalamov, *Višera* (2ª ediz.)
561. Alexander Lernet-Holenia, *Ero Jack Mortimer* (2ª ediz.)
562. W. Somerset Maugham, *Honolulu e altri racconti* (2ª ediz.)
563. Roberto Calasso, *L'ardore* (4ª ediz.)

564. Sándor Márai, *Il sangue di san Gennaro* (3ª ediz.)
565. Vladimir Nabokov, *Parla, ricordo* (2ª ediz.)
566. John Maynard Keynes, *Sono un liberale?* (2ª ediz.)
567. Czesław Miłosz, *Abbecedario*
568. Georges Simenon, *La fuga del signor Monde* (2ª ediz.)
569. Irène Némirovsky, *Il vino della solitudine* (2ª ediz.)
570. Giorgio Manganelli, *Ti ucciderò, mia capitale*
571. Gabriel Chevallier, *La paura*
572. Vasilij Grossman, *Il bene sia con voi!* (2ª ediz.)
573. Tommaso Landolfi, *Viola di morte*
574. Sándor Márai, *Il gabbiano* (2ª ediz.)
575. Georges Simenon, *L'assassino* (4ª ediz.)
576. Vladimir Nabokov, *L'Incantatore*
577. Evelyn Waugh, *In Abissinia*
578. Carlo Emilio Gadda, *Accoppiamenti giudiziosi* (2ª ediz.)
579. Irène Némirovsky, *Il signore delle anime* (3ª ediz.)
580. Rudyard Kipling, *Storie proprio così*
581. Oliver Sacks, *L'occhio della mente*
582. Maurice Sachs, *Il Sabba*
583. Cristina Campo, *Il mio pensiero non vi lascia*
584. Czesław Miłosz, *Trattato poetico*
585. Georges Simenon, *Il destino dei Malou*
586. Leo Perutz, *Il Maestro del Giudizio universale* (2ª ediz.)
587. Osip Mandel'štam, *Il rumore del tempo*
588. Irène Némirovsky, *I falò dell'autunno*
589. W. Somerset Maugham, *Storie ciniche* (6ª ediz.)
590. Adam Zagajewski, *Dalla vita degli oggetti*
591. Georges Simenon, *I complici* (2ª ediz.)
592. Carlo Emilio Gadda, *L'Adalgisa*
593. Tommaso Landolfi, *Diario perpetuo*
594. Hermann Hesse, *Siddhartha*
595. Vladimir Nabokov, *Guarda gli arlecchini!*
596. W.G. Sebald, *Soggiorno in una casa di campagna* (2ª ediz.)
597. Irène Némirovsky, *La preda* (2ª ediz.)
598. Misia Sert, *Misia*